Año C

2022
Palabra de Dios™

Lecturas dominicales y reflexiones espirituales

Petra Alexander

Carmen Aguinaco

Claudia Ávila

Teresa Maya

Jaime Sevilla

Adrián Badillo

LTP

RECURSOS
CATÓLICOS
EN ESPAÑOL

Nihil obstat
Rev. Sr. Daniel G. Welter, JD
Canciller
Arquidiócesis de Chicago
24 de febrero de 2021

Imprimatur
Obispo Auxiliar Robert G. Casey
Vicario General
Arquidiócesis de Chicago
24 de febrero de 2021

Nihil obstat e *Imprimatur* son declaraciones oficiales
de que un libro está libre de errores doctrinales y morales.
No existe ninguna implicación en estas declaraciones de
que quienes han concedido el Nihil obstat e Imprimatur
estén de acuerdo con el contenido, opiniones o declaraciones expresadas en la obra. Tampoco ellos asumen
alguna responsabilidad legal asociada con la publicación.

Las lecturas bíblicas corresponden al *Leccionario Mexicano*
vols. I, II, III, propiedad de la Conferencia del Episcopado
Mexicano © Obra Nacional de la Buena Prensa, A.C.,
y han sido debidamente aprobadas por el Departamento
de Comunicaciones de la Conferencia de Obispos
Católicos de los Estados Unidos 24 de febrero de 2021.

Texto de los salmos que introducen las estaciones litúrgicas
(págs. 7, 21, 31, 51 ,49, 75, 83 y 103) corresponden a la *Biblia
Latinoamericana* (Ed. Paulinas, Madrid, 1972).

Las reflexiones de Adviento y Navidad y de las semanas
XXVII–XXXIV del Tiempo Ordinario, así como la
introducción, fueron compuestas por Petra Alexander
(P.A.); las de las semanas II–VIII del Tiempo Ordinario
son de Jaime Sevilla (J.S.); Teresa Maya (T.M.) compuso
las de Cuaresma y Pascua; Carmen Aguinaco (C.A.)
compuso las de la Santísima Trinidad–XVI Domingo
del Tiempo Ordinario; Claudia Ávila (C.A.C.) las de
los domingos XVII–XXVI del Tiempo Ordinario y
Adrián Badillo (A.B.) las de las celebraciones marianas,
del Bautismo del Señor, Todos los Santos y la
Conmemoración de Todos los Fieles Difuntos.

De los pinceles de James B. Janknegt, vemos en la portada a María Magdalena, la madrugada del día de la
resurrección de Jesús, correr en busca de los discípulos
tras encontrar la piedra de la entrada del sepulcro
removida (Juan 20:1). Así inició el anuncio de la Buena
Nueva de Cristo Jesús. Sus discípulos, varones y mujeres,
habrían de recorrer una ruta en la que van a conjuntar
la historia de Jesús de Nazaret, sus palabras y obras, con
la revelación profética de las Escrituras, para ir compren-
diendo que Dios resucitó de entre los muertos a su
Enviado y hacerse hijos de Dios, "a los que creen en su
nombre" (Juan 1:12s) para vivir en comunión discipular,
guiados por el Espíritu Santo.

PALABRA DE DIOS™ 2022: LECTURAS DOMINICALES
Y REFLEXIONES ESPIRITUALES © 2021 Arquidiócesis
de Chicago: Liturgy Training Publications,
3949 South Racine Avenue, Chicago, IL 60609;
800-933-1800, fax 800-933-7094, email orders@ltp.org.
Visítanos en www.LTP.org. Todos los derechos reservados.

Editor: Ricardo López
Cuidado de la edición: Michael A. Dodd
Diseño de la portada: Anna Manhart
Diseño de interiores y diagramación: Kari Nicholls
Ilustración de la portada: James B. Janknegt
Ilustraciones del interior: Kathy Ann Sullivan

Impreso en los Estados Unidos de América

ISBN: 978-1-61671-620-2

PD22

CALENDARIO E ÍNDICE

Cómo usar Palabra de Dios™   1

Introducción   3

Nombres de los libros bíblicos
y sus abreviaturas   5

ADVIENTO

28 de noviembre de 2021
I Domingo de Adviento   8

5 de diciembre de 2021
II Domingo de Adviento   10

8 de diciembre de 2021
Inmaculada Concepción de la
Bienaventurada Virgen María   12

11 o 13 de diciembre de 2021
Bienaventurada Virgen María
de Guadalupe   14

12 de diciembre de 2021
III Domingo de Adviento   16

19 de diciembre de 2021
IV Domingo de Adviento   18

NAVIDAD

25 de diciembre de 2021
Natividad del Señor   22

26 de diciembre de 2021
Sagrada Familia de Jesús,
María y José   24

1 de enero de 2022
Santa María, Madre de Dios   26

2 de enero de 2022
Epifanía del Señor   28

TIEMPO ORDINARIO EN INVIERNO

9 de enero de 2022
Bautismo del Señor   32

16 de enero de 2022
II Domingo del Tiempo Ordinario   34

23 de enero de 2022
III Domingo del Tiempo Ordinario   36

30 de enero de 2022
IV Domingo del Tiempo Ordinario   38

6 de febrero de 2022
V Domingo del Tiempo Ordinario   40

13 de febrero de 2022
VI Domingo del Tiempo Ordinario   42

20 de febrero de 2022
VII Domingo del Tiempo Ordinario   44

27 de febrero de 2022
VIII Domingo del Tiempo Ordinario   46

CUARESMA

2 de marzo de 2022
Miércoles de Ceniza   50

6 de marzo de 2022
I Domingo de Cuaresma   52

13 de marzo de 2022
II Domingo de Cuaresma   54

20 de marzo de 2022
III Domingo de Cuaresma   56

20 de marzo de 2022
III Domingo de Cuaresma, Año A   58

27 de marzo de 2022
IV Domingo de Cuaresma   60

27 de marzo de 2022
IV Domingo de Cuaresma, Año A   62

3 de abril de 2022
V Domingo de Cuaresma   64

3 de abril de 2022
V Domingo de Cuaresma, Año A   66

10 de abril de 2022
Domingo de Ramos
de la Pasión del Señor   68

SAGRADO TRIDUO PASCUAL

14–16 de abril de 2022
Sagrado Triduo Pascual 76

TIEMPO PASCUAL

17 de abril de 2022
Domingo de Pascua de
la Resurrección del Señor 82

24 de abril de 2022
II Domingo de Pascua
(Domingo de la Divina Misericordia) 84

1 de mayo de 2022
III Domingo de Pascua 86

8 de mayo de 2022
IV Domingo de Pascua 88

15 de mayo de 2022
V Domingo de Pascua 90

22 de mayo de 2022
VI Domingo de Pascua 92

26 o 29 de mayo de 2022
Ascensión del Señor 94

29 de mayo de 2022
VII Domingo de Pascua 96

5 de junio de 2022
Domingo de Pentecostés 98

TIEMPO ORDINARIO EN VERANO Y OTOÑO

12 de junio de 2022
Santísima Trinidad 102

19 de junio de 2022
Santísimo Cuerpo
y Sangre de Cristo (Corpus Christi) 104

26 de junio de 2022
XIII Domingo del Tiempo Ordinario 106

3 de julio de 2022
XIV Domingo del Tiempo Ordinario 108

10 de julio de 2022
XV Domingo del Tiempo Ordinario 110

17 de julio de 2022
XVI Domingo del Tiempo Ordinario 112

24 de julio de 2022
XVII Domingo del Tiempo Ordinario 114

31 de julio de 2022
XVIII Domingo del Tiempo Ordinario 116

7 de agosto de 2022
XIX Domingo del Tiempo Ordinario 118

14 de agosto de 2022
XX Domingo del Tiempo Ordinario 120

15 de agosto de 2022
Asunción de la Bienaventurada
Virgen María 122

21 de agosto de 2022
XXI Domingo del Tiempo Ordinario 124

28 de agosto de 2022
XXII Domingo del Tiempo Ordinario 126

4 de septiembre de 2022
XXIII Domingo del Tiempo Ordinario 128

11 de septiembre de 2022
XXIV Domingo del Tiempo Ordinario 130

18 de septiembre de 2022
XXV Domingo del Tiempo Ordinario 132

25 de septiembre de 2022
XXVI Domingo del Tiempo Ordinario 134

2 de octubre de 2022
XXVII Domingo del Tiempo Ordinario 136

9 de octubre de 2022
XXVIII Domingo del Tiempo Ordinario 138

16 de octubre de 2022
XXIX Domingo del Tiempo Ordinario 140

23 de octubre de 2022
XXX Domingo del Tiempo Ordinario 142

30 de octubre de 2022
XXXI Domingo del Tiempo Ordinario 144

1 de noviembre de 2022
Todos los Santos 146

2 de noviembre de 2022
Conmemoración de
Todos los Fieles Difuntos 148

6 de noviembre de 2022
XXXII Domingo del Tiempo Ordinario 150

13 de noviembre de 2022
XXXIII Domingo del Tiempo Ordinario 152

20 de noviembre de 2022
Nuestro Señor Jesucristo,
Rey del Universo 154

CÓMO USAR *PALABRA DE DIOS*™

Decir algo, pronunciar una palabra, implica no sólo una boca y una lengua sino un oído que escucha y reacciona, tal vez, con otra palabra. Las palabras nos dan rostro. Las palabras distinguen a los humanos de otras creaturas, porque dan forma a las ideas invisibles y generan reacciones visibles, audibles, que vinculan, de alguna manera. Surge el diálogo que es un ir y venir de palabras en busca de la coherencia común; con palabras nos entendemos, nos transformamos y nos volvemos inteligibles; así, la palabra pronunciada es un instrumento de humanización, aunque puede también deshumanizar, si ofende y destruye, hay que advertirlo. Decir "Palabra de Dios" es disponernos a dialogar y a construir algo con Dios que nos habla, nos convoca y nos propone colaborar en "un nuevo sueño de fraternidad y de amistad social", ante las diversas formas actuales de eliminar o de ignorar a los demás, como escribe el papa Francisco en su encíclica *Fratelli tutti* (no. 6). Este libro, apreciable lector, quiere animar al diálogo fraterno que conduzca a reconocernos y a transformar las realidades que hieren y laceran. Estos materiales quieren ayudar a individuos y grupos a crecer en la amistad y la confianza mutuas, pero siempre arraigados en Dios y su Palabra, que nos impulsa a ser genuinos discípulos misioneros.

Palabra de Dios™, material de guía y apoyo

Para sacar provecho de *Palabra de Dios*™: *Lecturas dominicales y reflexiones espirituales* es necesario conocer bien el libro. Vale comenzar por identificar sus partes principales desde el índice orientado con el año litúrgico. Sigue una breve introducción que toma el hilo principal de los domingos, que nos lo dará san Lucas, pues es el año C. Vienen enseguida las oraciones que pueden usarse cada día; empléelas como apoyo para su comunicación personal, familiar o grupal con Dios. Cultive el hábito de rezar con esas plegarias, para que se vaya empapando usted del espíritu de las Escrituras. Pero hay más. En el interior, a cada tiempo litúrgico lo introduce una ilustración y un salmo bíblico para sintonizar con el espíritu de la temporada y que conviene incorpore usted a su oración personal o a la grupal. Mire ahora las páginas pares; contienen las lecturas bíblicas dominicales, incluido el Salmo responsorial. Usted puede agregar este salmo a su oración diaria, junto con alguna de las lecturas, especialmente la del evangelio; atienda también a las fechas cuando se trata de una fiesta o solemnidad litúrgica; sírvase de las referencias bíblicas de los recuadros de la página opuesta para enriquecer su oración. Las habituales oraciones de la mañana y de la noche usted las encuentra en el suplemento alojado en la pestaña de PD22 en www.ltp.org. Del trato asiduo con las Escrituras crecerá una relación robusta, que día con día forjará su espiritualidad personal y eclesial.

En las páginas impares hay tres componentes básicos. El más amplio consiste en una reflexión sobre algún motivo de las Escrituras o de la fecha litúrgica. En la sección de "Viviendo nuestra fe" se conecta el tema de la reflexión con las enseñanzas del Magisterio de la Iglesia católica. Sigue "Para reflexionar", que brinda tres preguntas para entrar en el propio mundo y a acoger nuestra realidad para transformarla. Luego vienen las referencias bíblicas de la semana, de las que hablamos antes. El propósito de este libro es convocarnos al encuentro de unos con otros y con Dios.

La Palabra nos convoca y reúne

No hay corazón humano que no aspire a la unidad y a vivir en comunidad. Renovemos el sentido de familia extendida, de hogar y concordia entre nosotros, con la Palabra de Dios al centro. Ésta nos dará ánimo en la lucha, luz en el camino, esperanza en todas las situaciones, pero también nos planteará desafíos de cambio y conversión. *Palabra de Dios*™ 2022 es un excelente recurso para todos los que buscan un encuentro personal con Cristo vivo, y comparten la fe en la comunidad con su familia, en los grupos de oración, en las reuniones de catequesis, con jóvenes y con quienes viven el proceso del RICA. Aprovechemos la Palabra para reunirnos, compartir nuestro sentir y el propio punto de vista con atención y respeto.

Vamos construyendo comunidades adultas y maduras, personas más abiertas y sinceras. No está de más recomendar la discreción como forma de respeto a las personas y la confianza que aquí desarrollemos.

Encarnar la Palabra

Confesamos que el Verbo se hizo carne y nosotros, por ser bautizados, hemos de vencer la tentación de quedarnos sólo en palabras o buenos deseos verbalizados. Hacemos honor al Encarnado cuando hacemos carne su palabra, en nuestros pensamientos, sentimientos y en nuestro modo de actuar. Esta encarnación se va notando en todo lo que hacemos.

Nuestros hermanos reciben el impacto de la Palabra hecha vida en nosotros. Ella nos llama a mirar la injusticia en el mundo, nos lleva directo al dolor de los hermanos más necesitados. La Palabra de Dios nos debe impulsar a la acción solidaria, sencilla y efectiva.

Organizando la reunión

Las reflexiones ajustan para una reunión semanal de casi una hora de duración. El buen juicio del coordinador —y del grupo entero— conseguirá un sano equilibrio en el uso y aprovechamiento del tiempo. Todos podemos organizar y coordinar. Puede formarse un equipo coordinador. Para nuestra reunion, podemos servirnos de esto:

1. Convocar a las personas y preparar el lugar. Es necesario contactar a los miembros del grupo, pero también invitar a personas nuevas en momentos oportunos. Formen nuevos grupos, en lugares diferentes. Venzan los temores; atrévanse. Ocúpense del lugar, que sea acogedor y que propicie un ambiente orante, de fe católica y de comunidad solidaria.

2. Fomentar participación con las tareas. Distribuyan tareas para que el grupo crezca en participación. Sin presionar, soliciten a diferentes miembros tareas como la bienvenida, organizar la oración, hacer las lecturas o guiar las preguntas.

3. La reunión. Antes de la oración inicial, den la bienvenida a las personas nuevas, y luego den seguimiento a un par de puntos de la reunión anterior. Pasen a las lecturas y sean especialmente reverentes con el evangelio. La reflexión espiritual puede ser leída en voz alta o comentarla si es que se leyó en casa. Lo más importante es que la palabra fluya en la reunión, que brote el diálogo o compartir. Aprendan unos de otros. Atiendan a las enseñanzas de la Iglesia y exploren su significado entre todos. Las tres preguntas de "Para reflexionar" son una guía y no tienen que contestarlas todas, ni todos. Pueden elegir una para reflexionarla en silencio y dos para compartir, si se ve oportuno.

4. Evaluar. Conviene sacar algo valioso e importante de lo visto y vivido en la reunión de hoy. Si creen conveniente formulen un propósito, atrévanse a actuar, también en grupo o acompañándose de otra manera.

5. Oración final y anticipo de la siguiente reunión. La oración es de acción de gracias, pero también expresen el compromiso a vivir la Palabra recibida. Por último, acuerden lo pertinente para la próxima reunión.

Pongamos la Palabra de Dios en el centro de nuestra vida. Abracémosla y aceptemos sus desafíos, sabiendo que el Espíritu Santo nos guía y asiste en cada paso de nuestro camino solidario y fraternal.

INTRODUCCIÓN

Cada generación humana se forja una conciencia acerca del tiempo influida por los acontecimientos que atraviesa. Avanzamos como humanidad en un tiempo de recuperación de la pandemia y de sus secuelas. Numerosas personas se perciben a sí mismas como náufragos, unas han perdido seres queridos, otras sus trabajos o sus adquisiciones. La experiencia de precariedad todavía hunde raíces dentro de nosotros y comenzar un nuevo año litúrgico nos parece incierto. Precisamente por esta conciencia podríamos tomar el Salmo 90 y rezar: Enséñanos a calcular nuestros días para que adquiramos un corazón sensato (90:12). Y de esto se trata la liturgia, de levantar el corazón hacia el Señor una y otra vez para reponer nuestras fuerzas y caminar con sensatez por la vida mientras avanzamos por los días del año.

Comenzamos el año litúrgico con el tiempo de Adviento y Navidad, cuando las profecías del Esperado retoman su mensaje de consuelo para el pueblo de Dios. El Señor vuelve a hablar a un pueblo desfallecido que ha pasado por la tribulación y le regala un menaje de ánimo. A la vez que la Palabra también nos vuelve a plantear las preguntas que le hicieron a Juan Bautista, "¿Nosotros qué hemos de hacer?" (Lucas 3:10). Porque siempre se pueden hacer tantas cosas y si nos parece imposible allí están las palabras de Gabriel a María asegurándole a ella y a nosotros también, que para el que cree, todo es posible (Lucas 1:37). La Buena Noticia de Lucas se despliega con los relatos en torno al nacimiento de Jesús que son como cápsulas del Evangelio, porque en sus primeros dos capítulos nos anticipan ya lo que nos traerá Cristo.

Pasado el tiempo de Navidad los domingos del Tiempo Ordinario nos ofrecen las enseñanzas de Pablo a los Corintios (los capítulos finales de la primera carta), con textos formidables sobre el poder del Espíritu Santo operando en la comunidad de creyentes. Esa acción del Espíritu capacita con sus dones para que la comunidad, como un cuerpo bien armonizado, realice tareas y servicios. Iniciamos también el programa de Jesús anunciado en el Evangelio de san Lucas, que en estos primeros domingos nos presenta la actividad de Jesús ante sus paisanos, en su tierra, que lo rechazarán (ver Lucas 4:18–30). Comienza la invitación al discipulado y el seguimiento de sus primeros convocados, así como la revelación de algunos milagros.

La Cuaresma nos ofrece los textos de Lucas que la Iglesia interpreta como una invitación a ponernos en camino para ir al encuentro de un Dios, un Dios que sólo sabe ser Padre, lleno de amor y perdón (ver Lucas 15:1–32). Nuestro camino de 40 días puede transcurrir en verdadera conversión, a pesar de que nuestra vida parezca estéril (ver Lucas 13:1–9), si vamos paso a paso, podemos aprovechar la oportunidad de dar frutos. La última semana se completa con el relato de la mujer adúltera (Juan 8:1–1–11) donde Jesús refleja la misericordia del Padre: no juzga, salva la vida del pecador y cumple con su misión de rescatar lo que estaba perdido (ver Lucas 19:10).

En la Semana Santa de este año litúrgico, el Ciclo C, el relato de la pasión de san Lucas, resalta a Jesús como el Hijo obediente al Padre que cumple su misión (cf. Lucas 22:42) "Padre, que no se haga mi voluntad, sino la tuya". Jesús es entregado a los hombres, y este trance es calificado como "la hora de las tinieblas" (Lucas 22:53). Pese a esa noche oscura de su pasión, Jesús no se centra en sí mismo, la atraviesa consolando a otros, a las mujeres que no saben que vienen sufrimientos tremendos para sus hijos (ver Lucas 23:26–32), admite la ayuda del Cirineo y acoge al ladrón arrepentido (Lucas 23:42), perdona a sus torturadores (Lucas 23:34) y muestra una actitud de confianza en el designio divino; a pesar de experimentar soledad y abandono, se entrega en las manos de su Padre (cf. Lucas 23:42).

La Iglesia nos propone imitar la actitud de la Madre del Señor: meditar en el corazón cuanto sucede en la pasión y resurrección del Señor (ver Lucas 2:18). El triunfo de la vida, nueva, distinta, debe darse también "caminado en sincera conversación" sobre nuestras luchas interiores (ver Lucas 24:15 ss.). Cristo resucitado quiere unirse a nuestras preocupaciones; él es experto en explicarnos las Escrituras y en su generosidad parte y reparte bendición y vida. El resucitado nos devuelve a Jerusalén, nos regresa fortalecer la comunidad y esa comunidad es descrita en el segundo libro de Lucas durante la lectura continua de la cincuentena pascual.

La segunda parte del Tiempo Ordinario, que corresponden al verano y al otoño, continuaremos el año litúrgico con lecturas de las cartas apostólicas. Gálatas, Colosenses, las dos de Tesalonicenses, Hebreos, las de Timoteo y Tito para completar la reflexión de la Iglesia primitiva sobre su fe en Cristo y las exigencias de la vida cristiana que lo tiene como

Cabeza y Primogénito, como Pontífice y Hermano que ha entrado ya en el santuario celeste. Todos estamos llamados a seguirlo.

Este año litúrgico, el Evangelio según san Lucas nos abrirá el tesoro de las enseñanzas de Jesús y sus acciones, resaltando sus valores referentes al compartir solidario y fraterno, a la salud física y espiritual, a la vida plena y comunitaria. La misericordia que Jesús manifiesta, no se limita a invitarnos a reproducirla como una imagen de bondad; sino que es una invitación a transformar nuestro mundo mediante obras de fraternidad y de justicia. El discípulo de Jesús no es simplemente emotivo, la compasión le activa y le lanza a la solidaridad. Lucas nos empuja a un compartir real, como el samaritano que arriesga su propia seguridad cuando auxilia al malherido del camino (cf. Lucas 10:29–37); como la mujer pecadora que hace pública su conversión mediante un perfume que todos disfrutan en aquella sala (ver Lucas 7:36–50); como Zaqueo que se decide a indemnizar a quienes haya afectado (ver Lucas 19:1–10), y así. Son numerosas las enseñanzas que nos motivan a rehacer nuestras prioridades y a poner el Reino de Dios como la meta última de nuestra vida, como se deduce en la lección del rico que siempre tuvo a un pobre famélico frente a su casa, pero con el que nunca compartió ni una migaja (ver Lucas 16:19–31). Recuperemos la solidaridad fraternal.

Nos espera un año para recuperar la paz siguiendo el itinerario de un Jesús orante, que está dispuesto siempre a "ocuparse de las cosas de su Padre" (ver Lucas 2:49). Él ora intensamente para vencer en el desierto toda tentación (Lucas 4:1–13) y da gracias al Padre cuando entrega su mensaje a los pobres y sencillos (ver Lucas 10:21). No tenemos certeza de que Lucas haya sido un médico de su tiempo, pero lo que sí sabemos es que su relato trae la salud a muchos corazones pobres y necesitados. El poder sanador que Jesús despliega se derrama sobre el creyente no sólo a la manera de una enseñanza que el discípulo haya de atender y asimilar, sino como una fuerza poderosa que lo impulsa a ir a los demás como misionero. La pregunta a los discípulos cuando se quedan atónitos en la ascensión de Jesús, "¿Qué hacen allí mirando al cielo?" (Hechos 1:11), vale para todos nosotros, especialmente los que seguimos temerosos, tímidos y precavidos. Es el tiempo de la Iglesia; es nuestro tiempo. ¡Salgamos a misionar! (P.A.)

NOMBRES DE LOS LIBROS
BÍBLICOS Y SUS ABREVIATURAS

Abdías	Abd	Judas	Jds
Ageo	Ag	Judit	Jdt
Amós	Am	Jueces	Jue
Apocalipsis	Ap		
		Lamentaciones	Lam
Baruc	Bar	Levítico	Lev
		Lucas	Lc
Cantar de los cantares	Cant		
Colosenses	Col	1 Macabeos	1 Mac
1 Corintios	1 Cor	2 Macabeos	2 Mac
2 Corintios	2 Cor	Malaquías	Mal
1 Crónicas	1 Cro	Marcos	Mc
2 Crónicas	2 Cro	Mateo	Mt
		Miqueas	Miq
Daniel	Dan		
Deuteronomio	Dt	Nahún	Nah
		Nehemías	Neh
Eclesiastés o Qohélet	Ecl o Qoh	Números	Nm
Eclesiástico o Sirácida	Eclo o Sir		
Efesios	Ef	Oseas	Os
Esdras	Esd		
Ester	Est	1 Pedro	1 Pe
Éxodo	Ex	2 Pedro	2 Pe
Ezequiel	Ez	Proverbios	Prov
Filemón	Flm	1 Reyes	1 Re
Filipenses	Flp	2 Reyes	2 Re
		Romanos	Rom
Gálatas	Gal	Rut	Rut
Génesis	Gen		
		Sabiduría	Sab
Habacuc	Hab	Salmos	Sal
Hebreos	Heb	1 Samuel	1 Sam
Hechos de los Apóstoles	Hch	2 Samuel	2 Sam
		Santiago	Sant
Isaías	Is	Sofonías	Sof
Jeremías	Jer	1 Tesalonicenses	1 Tes
Job	Job	2 Tesalonicenses	2 Tes
Joel	Jl	1 Timoteo	1 Tim
Jonás	Jon	2 Timoteo	2 Tim
Josué	Jos	Tito	Tit
Juan	Jn	Tobías	Tob
1 Juan	1 Jn		
2 Juan	2 Jn	Zacarías	Zac
3 Juan	3 Jn		

Adviento

Salmo 23

Del Señor es la tierra y lo que contiene,
el universo y los que en él habitan;
pues él lo edificó sobre los mares,
él fue quien lo asentó sobre los ríos.

¿Quién subirá hasta el monte del Señor,
quién entrará en su recinto santo?

El que tiene manos inocentes
  y puro el corazón,
el que no pone su alma en cosas vanas
  ni jura con engaños.

La bendición divina él logrará
y justicia de Dios, su salvador.
Aquí vienen los que lo buscan,
para ver tu rostro; ¡Dios de Jacob!

Oh puertas, levanten sus dinteles,
que se agranden las puertas eternas
para que pase el rey de la gloria.

Digan: ¿Quién es el rey de la gloria?
El Señor, el fuerte, el poderoso,
el Señor, valiente en el combate.

Oh puertas, levanten sus dinteles,
que se eleven las puertas eternas
para que pase el rey de la gloria.

¿Quién podrá ser el rey de la gloria?
El Señor, Dios de los ejércitos,
él es único rey de la gloria.

Primera lectura

Jeremías 33:14–16

"Se acercan los días, dice el Señor, en que cumpliré la promesa que hice a la casa de Israel y a la casa de Judá.

En aquellos días y en aquella hora, yo haré nacer del tronco de David un vástago santo, que ejercerá la justicia y el derecho en la tierra. Entonces Judá estará a salvo, Jerusalén estará segura y la llamarán 'el Señor es nuestra justicia'".

Salmo responsorial

Salmo 25:4bc–5ab, 8–9, 10 y 14

R. A ti, Señor, levanto mi alma.

Señor, enséñame tus caminos, instrúyeme en tus sendas: haz que camine con lealtad; enséñame, porque tú eres mi Dios y Salvador. **R.**

El Señor es bueno y es recto, y enseña el camino a los pecadores; hace caminar a los humildes con rectitud, enseña su camino a los humildes. **R.**

Las sendas del Señor son misericordia y lealtad para los que guardan su alianza y sus mandatos. El Señor se confía con sus fieles, y les da a conocer su alianza. **R.**

Segunda lectura

1 Tesalonicenses 3:12—4:2

Hermanos: Que el Señor los llene y los haga rebosar de un amor mutuo y hacia todos los demás, como el que yo les tengo a ustedes, para que él conserve sus corazones irreprochables en la santidad ante Dios, nuestro Padre, hasta el día en que venga nuestro Señor Jesús, en compañía de todos sus santos.

Por lo demás, hermanos, les rogamos y los exhortamos en el nombre del Señor Jesús a que vivan como conviene, para agradar a Dios, según aprendieron de nosotros, a fin de que sigan ustedes progresando. Ya conocen, en efecto, las instrucciones que les hemos dado de parte del Señor Jesús.

Evangelio

Lucas 21:25–28, 34–36

En aquel tiempo, Jesús dijo a sus discípulos: "Habrá señales prodigiosas en el sol, en la luna y en las estrellas. En la tierra, las naciones se llenarán de angustia y de miedo por el estruendo de las olas del mar; la gente se morirá de terror y de angustiosa espera por las cosas que vendrán sobre el mundo, pues hasta las estrellas se bambolearán. Entonces verán venir al Hijo del hombre en una nube, con gran poder y majestad.

Cuando estas cosas comiencen a suceder, pongan atención y levanten la cabeza, porque se acerca la hora de su liberación. Estén alerta, para que los vicios, con el libertinaje, la embriaguez y las preocupaciones de esta vida no entorpezcan su mente y aquel día los sorprenda desprevenidos; porque caerá de repente como una trampa sobre todos los habitantes de la tierra.

Velen, pues, y hagan oración continuamente, para que puedan escapar de todo lo que ha de suceder y comparecer seguros ante el Hijo del hombre".

30 de noviembre
San Andrés, Apóstol
Rm 10:9–18; Sal 18; Mt 4:18–22

Despiértame, Señor; quiero vivir alerta

AL DISPONER nuestra casa con nuestras coronas de Adviento, será importante recordar que esa redondez que cubrimos con pino o abeto verdes simboliza lo que se abre y lo que se cierra. Se abrió un tiempo de promesas de parte de Dios que se cumplirán en Jesús. Las promesas de Dios no son como las nuestras, frágiles e inconsistentes. Jesús es el cumplimiento del Dios que se compromete, y que, como Jeremías apunta, traerá la salvación y hará florecer la justicia.

Jesús abrió un mensaje respaldado por una serie de acciones con las que él se "comprometió". Muchos se sintieron confrontados por él, pero no comprendieron que aquel mensaje correspondía a que la salvación ya estaba cerca de ellos. Por el contrario, se fueron sobre él. Jesús, cerca del final de su misión señala a sus discípulos que el templo no es el fin último de la fe de Israel, ni Jerusalén es el cumplimiento de las profecías. La seguridad que transmitían el patriotismo, el templo y la ley era falsa. Todo esto se acabará, incluso el mundo y el universo. La visión de Jesús no es la del gran destructor o el vengador, es o más una pedagogía con sus discípulos para provocar un "comprometerse" más profundo.

Cuando llegó la crisis COVID-19, eran pocos los que asociaban la pandemia a las condiciones de vida, causadas por el abuso de la naturaleza. No abrimos los ojos y nos quedamos en el mundo del consumo agotando hasta la última oportunidad o beneficio que pudiéramos extraer. Pero todo proyecto humano, sea económico, cultural o social, se agota. La Palabra nos impulsa a no quedarnos en las promesas del mundo, que acaban en decepción. Esperemos la venida del Señor comprometiéndonos con su mandamiento.

Como un buen entrenador prepara una cuadrilla para un desastre y les da indicaciones sobre lo que van a necesitar, san Pablo exhorta a la comunidad de Tesalónica a estar despierta. Sólo el amor comprometido, hecho obras, nos mantendrá despiertos, y cuando se derrumbe toda la apariencia, el compromiso con nuestros hermanos nos mantendrá ante el Señor con la cabeza erguida, como los servidores que pueden dar cuenta a su amo de lo que han administrado. (P.A.) ■

VIVIENDO NUESTRA FE

Uno de los escritos más antiguos del cristianismo es la *Didajé* o *Dotrina de los apóstoles*. Allí se exhorta a los cristianos: "Vigilen su vida. Que sus lámparas no se apaguen y sus cinturas no dejen de estar ceñidas; por el contrario, estén preparados, pues no saben la hora en que el Señor viene. Reúnanse frecuentemente para buscar lo que conviene a nuestras almas, pues no nos servirá el tiempo de nuestra fe si no somos perfectos en el último momento" (Did. 16, 1–2).

PARA REFLEXIONAR

1. ¿Qué les pide san Pablo a los tesalonicenses para estar preparados?

2. ¿Cuáles miedos pueden arrebatar la esperanza y mantener al pueblo con la cabeza baja?

3. ¿Encuentra usted gente vigilante en las comunidades? ¿Cómo las anima y les agradece usted?

LECTURAS SEMANALES
29 de noviembre–4 de diciembre

L *Is 2:1–5; Mt 8:5–11*

M *Is 11:1–10; Lc 10:21–24*

M *Is 25:6–10a; Mt 15:29–37*

J *Is 26:1–6; Mt 7:21, 24–27*

V *Is 29:17–24; Mt 9:27–31*

S *Is 30:19–21, 23–26; Mt 9:35–10:1, 6–8*

Primera lectura

Baruc 5:1–9

Jerusalén, despójate de tus vestidos de luto y aflicción, / y vístete para siempre / con el esplendor de la gloria que Dios te da; / envuélvete en el manto de la justicia de Dios / y adorna tu cabeza con la diadema de la gloria del Eterno, / porque Dios mostrará tu grandeza / a cuantos viven bajo el cielo. / Dios te dará un nombre para siempre: / "Paz en la justicia y gloria en la piedad".

Ponte de pie, Jerusalén, sube a la altura, / levanta los ojos y contempla a tus hijos, / reunidos de oriente y de occidente, / a la voz del espíritu, / gozosos porque Dios se acordó de ellos. / Salieron a pie, llevados por los enemigos; / pero Dios te los devuelve llenos de gloria, / como príncipes reales.

Dios ha ordenado que se abajen / todas las montañas y todas las colinas, / que se rellenen todos los valles hasta aplanar la tierra, / para que Israel camine seguro bajo la gloria de Dios. / Los bosques y los árboles fragantes / le darán sombra por orden de Dios. / Porque el Señor guiará a Israel en medio de la alegría / y a la luz de su gloria, / escoltándolo con su misericordia y su justicia.

Salmo responsorial

Salmo 126:1–2ab, 2cd–3, 4–5, 6

R. El Señor ha estado grande con nosotros, y estamos alegres.

Cuando el Señor cambió la suerte de Sión, nos parecía soñar: la boca se nos llenaba de risas, la lengua de cantares. **R.**

Hasta los gentiles decían: "El Señor ha estado grande con ellos". El Señor ha estado grande con nosotros, y estamos alegres. **R.**

Que el Señor cambie nuestra suerte, como los torrentes de Negueb. Los que sembraban con lágrimas cosechan entre cantares. **R.**

Al ir, iba llorando, llevando la semilla; al volver, vuelve cantando, trayendo sus gavillas. **R.**

Segunda lectura

Filipenses 1:4–6, 8–11

Hermanos: Cada vez que me acuerdo de ustedes, le doy gracias a mi Dios y siempre que pido por ustedes, lo hago con gran alegría, porque han colaborado conmigo en la causa del Evangelio, desde el primer día hasta ahora. Estoy convencido de que aquel que comenzó en ustedes esta obra, la irá perfeccionando siempre hasta el día de la venida de Cristo Jesús.

Dios es testigo de cuánto los amo a todos ustedes con el amor entrañable con que los ama Cristo Jesús. Y esta es mi oración por ustedes: Que su amor siga creciendo más y más y se traduzca en un mayor conocimiento y sensibilidad espiritual. Así podrán escoger siempre lo mejor y llegarán limpios e irreprochables al día de la venida de Cristo, llenos de los frutos de la justicia, que nos viene de Cristo Jesús, para gloria y alabanza de Dios.

Evangelio

Lucas 3:1–6

En el año décimo quinto del reinado del César Tiberio, siendo Poncio Pilato procurador de Judea; Herodes, tetrarca de Galilea; su hermano Filipo, tetrarca de las regiones de Iturea y Traconítide; y Lisanias, tetrarca de Abilene; bajo el pontificado de los sumos sacerdotes Anás y Caifás, vino la palabra de Dios en el desierto sobre Juan, hijo de Zacarías.

Entonces comenzó a recorrer toda la comarca del Jordán, predicando un bautismo de penitencia para el perdón de los pecados, como está escrito en el libro de las predicciones del profeta Isaías:

Ha resonado una voz en el desierto: / Preparen el camino del Señor, / hagan rectos sus senderos. / Todo valle será rellenado, / toda montaña y colina, rebajada; / lo tortuoso se hará derecho, / los caminos ásperos serán allanados / y todos los hombres verán la salvación de Dios.

Señor, convierte nuestras lágrimas en canto

MUCHAS PERSONAS alimentan sueños para sí mismos o para sus seres queridos más cercanos. Otros sueñan con algún negocio o proyecto. Son pocas las personas que tienen sueños para todos, como los grandes hombres y mujeres de Dios.

Nada hay más triste que un sueño roto, porque la frustración puede hundirnos en la depresión y no resulta tan fácil elaborar otro. El profeta Baruc ve el regreso del pueblo del destierro y emocionado reconstruye el sueño de Dios. Su pueblo agotado y desfallecido recibirá una calzada ancha, un suelo trabajado, con una parejura no de ingeniería civil, sino de justicia y amor. Será la paz la que allane las diferencias. El cortejo fúnebre será cambiado por una entrada celebrativa de júbilo y el Señor saldrá al encuentro en medio de la luz y la gloria.

Muchos de nosotros, tal vez sentimos en nuestra vida el peso de un instante que cambio nuestras vidas durante la pandemia del COVID-19. Nos arrebataron planes, posibilidades, expectaciones y se nos impuso una cautividad, de la cual soñábamos librarnos. Pero, aunque salimos, aún no veíamos los beneficios de los que antes disfrutábamos.

Juan Bautista toma estas palabras seguro de que está por comenzar una historia nueva: En el desierto: preparen el camino del Señor. Jesús viene a ese camino parejo y llano porque él ha superado todo el materialismo; el pecado no lo ha contaminado; su vivir para todos es real y su libertad es inmensa. Preparen el camino del Señor es más que una invitación a nuestros desiertos particulares y sociales. Es una invitación que debería para nosotros ser el imperativo mayor. Nos va en ello el sentido de nuestra vida. Si la fuerza de Dios irrumpe en las desigualdades se hará realidad el sueño del Reino. Si cada uno de nosotros aporta su propia conversión, el sueño de la liberación estará dispuesto más temprano. San Pablo señala que el camino para prepararnos a la segunda venida del Señor es el amor. Como bien sabemos, la conversión del corazón implica cambio de actitudes, cambio de sentimientos, de percepciones, de ideas, y de conductas. ¿Qué soñamos para la venida próxima del Señor? (P.A.) ■

VIVIENDO NUESTRA FE

La Iglesia católica tiene un sueño desprendido del Reino de Dios y expresado en su doctrina social: "El destino universal de los bienes comporta un esfuerzo común dirigido a obtener para cada persona y para todos los pueblos las condiciones necesarias de un desarrollo integral, de manera que todos puedan contribuir a la promoción de un mundo más humano. Donde cada uno pueda dar y recibir, y donde el progreso de unos no sea obstáculo para el desarrollo de otros ni un pretexto para su servidumbre" (CDSC, 175).

PARA REFLEXIONAR

1. ¿Cómo piensa usted que va a cambiar la realidad con la llegada del Esperado en el mensaje de las lecturas de hoy?

2. ¿Qué sueños percibe usted en las comunidades latinas que nos encaucen a la salvación anunciada?

3. ¿Cómo prepara usted el camino para que llegue la alegría de la salvación?

LECTURAS SEMANALES
6–11 de diciembre

L *Is 35:1–10; Lc 5:17–26*

M *Is 40:1–11; Mt 18:12–14*

M *Inmaculada Concepción de la Bienaventurada Virgen María*

J *San Juan Diego Cuauhtlatoatzin*

V *Is 48:17–19; Mt 11:16–19*

S *Eclo 48:1–4, 9–11; Mt 17:10–13*

8 de diciembre de 2021

Primera lectura

Génesis 3:9 – 15, 20

Después de que el hombre y la mujer comieron del fruto del árbol prohibido, el Señor Dios llamó al hombre y le preguntó: "¿Dónde estás?" Este le respondió: "Oí tus pasos en el jardín; y tuve miedo, porque estoy desnudo, y me escondí". Entonces le dijo Dios: "¿Y quien te ha dicho que estabas desnudo? Has comido acaso del árbol del que te prohibí comer?" Respondió Adán: "La mujer que me diste por compañera me ofreció del fruto del árbol y comí". El Señor Dios dijo a la mujer: "¿Por qué has hecho esto?" Repuso la mujer: "La serpiente me engañó y comí".

Entonces dijo el Señor Dios a la serpiente: / "Porque has hecho esto, / serás maldita entre todos los animales / y entre todos las bestias salvajes. / Te arrastrarás sobre tu vientre y comerás polvo / todos los días de tu vida. / Pondré enemistad entre ti y la mujer, / entre tu descendencia y la suya; / y su descendencia te aplastará la cabeza, / mientras tú tratarás de morder su talón".

El hombre le puso a su mujer el nombre de "Eva", porque ella fue la madre de todos los vivientes.

Salmo responsorial

Salmo 98:1, 2–3ab, 3c–4

R. Canten al Señor un cántico nuevo, porque ha hecho maravillas.

Canten al Señor un cántico nuevo, porque ha hecho maravillas: su diestra le ha dado la victoria, su santo brazo. **R.**

El Señor da a conocer su victoria, revela a las naciones su justicia: se acordó de su misericordia y su fidelidad en favor de la casa de Israel. **R.**

Los confines de la tierra han contemplado la victoria de nuestro Dios. Aclama al Señor, tierra entera; griten, vitoreen, toquen. **R.**

---

9 de diciembre de 2021
San Juan Diego Cuauhtlatoatzin
Is 41:13–20; Mt 11:11–15

Segunda lectura

Efesios 1:3 – 6, 11–12

Bendito sea Dios, Padre de nuestro Señor Jesucristo, / que nos ha bendecido en él / con toda clase de bienes espirituales y celestiales. / Él nos eligió en Cristo, antes de crear el mundo, / para que fuéramos santos / e irreprochables a sus ojos, por el amor, / y determinó, porque así lo quiso, / que, por medio de Jesucristo, fuéramos sus hijos, / para que alabemos y glorifiquemos la gracia / con que nos ha favorecido por medio de su Hijo amado.

Con Cristo somos herederos también nosotros. Para esto estabámos destinados, por decisión del que lo hace todo según su voluntad: para que fuéramos una alabanza continua de su gloria, nosotros, los que ya antes esperábamos en Cristo.

Evangelio

Lucas 1:26 – 38

En aquel tiempo, el ángel Gabriel fue enviado por Dios a una ciudad de Galilea, llamada Nazaret, a una virgen desposada con un varón de la estirpe de David, llamado José. La virgen se llamaba María.

Entró el ángel a donde ella estaba y le dijo: "Alégrate, llena de gracia, el Señor está contigo". Al oír estas palabras, ella se preocupó mucho y se preguntaba qué querría decir semejante saludo.

El ángel le dijo: "No temas, María, porque has hallado gracia ante Dios. Vas a concebir y a dar a luz un hijo y le pondrás por nombre Jesús. El será grande y será llamado Hijo del Altísimo; el Señor Dios le dará el trono de David, su padre, y él reinara sobre la casa de Jacob por los siglos y su reinado no tendrá fin".

María le dijo entonces al ángel: "¿Cómo podrá ser esto, puesto que yo permanezco virgen?" El ángel le contesto: "El Espíritu Santo descenderá sobre ti y el poder del Altísimo te cubrirá con su sombra. Por eso, el Santo, que va a nacer de ti, será llamado Hijo de Dios. Ahí tienes a tu parienta Isabel, que a pesar de su vejez, ha concebido un hijo y ya va en el sexto mes la que llamaban estéril, porque no hay nada imposible para Dios". Maria contestó: "Yo soy la esclava del Señor, cúmplase en mí lo que me has dicho". Y el ángel se retiró de su presencia.

Cuando la razón no es suficiente, hay que mirar dentro del corazón

EN UNA capillita de un barrio periférico conocí a Tere, mujer sencilla y anciana que vivía humildemente ahí desde muy chica. Era una de esas personas que vivían su compromiso bautismal en serio, y estaba realmente comprometida con su Iglesia y con su fe. Tere oraba y rezaba mucho el Rosario. Apenas tendría unos catorce años cuando se convirtió en catequista en la capillita, porque no había catequistas y la parroquia distaba mucho de ahí.

Silenciosamente y sin saber cómo, Tere formó tres generaciones de cristianos en su barrio. Cada semana, recibía en su casa y daba de comer a personas más pobres. También se hacía cargo de uno de sus sobrinos–nietos, al que su mamá no le ponía mucha atención. Tere fue la catequista, sacristana, encargada de liturgia, consejera y organizadora de la vida religiosa de la comunidad. Nadie le pagaba por los servicios a la comunidad, y tenía una fe enorme en que Dios le proveería lo necesario para vivir. Si había alguien que podía dar una mano, ésa era Tere; nunca esperó algo a cambio; ella era toda para todos, a costa incluso de los propios gustos y la propia vida. Vivió así, entregada a los demás, día tras día; no se daba tiempo para sí; nunca se casó.

Sabiéndolo o no, Tere hizo suyas las palabras de María: "Yo soy la esclava del Señor, cúmplase en mí lo que me has dicho". ¿Cómo lograba hacer todo eso y por qué lo hacía? No lo sé, pero lo que sí sé es que el Amor tenía que ver con eso, y que Dios le daba la fuerza y la preparaba para llevar a cabo su misión.

En la fiesta de la Inmaculada Concepción, celebramos que Dios preservó a María libre del pecado original desde su concepción, para que fuera digno depósito del Verbo encarnado, Jesús. ¿Cómo pasó esto? Es incomprensible a nuestra inteligencia. El propio Lucas nos dice que María tampoco entendió el significado de las palabras del ángel: "Alégrate, llena de gracia, el Señor está contigo". Ella creyó y se apegó a lo que escuchó, para cumplir una tarea que estaba más allá de sus alcances.

Como a la Virgen María y a Tere, Dios nos prepara y nos da las herramientas necesarias para llevar a cabo nuestra misión bautismal. Nos invita a dar ese salto de fe, a confiar en su Palabra y a adherirnos a ella con todo nuestro corazón, para ser profetas, sacerdotes y reyes, porque "nada hay imposible para Dios".

(A.B.) ∎

VIVIENDO NUESTRA FE

La Iglesia católica sostiene que toda persona tiene el derecho de participar en la construcción de la sociedad y el deber de trabajar por el bien común. Nuestra fe es el fermento para este mundo, y debe movernos a "rehacer una comunidad a partir de hombres y mujeres que hacen propia la fragilidad de los demás, que no dejan que se erija una sociedad de exclusión, sino que se hacen prójimos y levantan y rehabilitan al caído, para que el bien sea común" (Papa Francisco, *Fratelli tutti*, 67).

PARA REFLEXIONAR

1. Identifique a una persona que lucha por hacer presente el Reino de Dios en su comunidad ¿Qué la distingue entre las demás? ¿Qué señales ve usted en su vida?

2. ¿Con qué herramientas Dios le ha preparado a usted para su ministerio? ¿Cuál es su misión?

3. ¿Cómo hace realidad su grupo de fe las palabras del ángel: "Porque no hay nada imposible para Dios"?

11 o 13 de diciembre de 2021

Por conveniencia pastoral, esta fiesta puede celebrarse antes o después del día 12.

Primera lectura

Zacarías 2:14–17

"Canta de gozo y regocíjate, Jerusalén,
pues vengo a vivir en medio de ti, dice el Señor.
Muchas naciones se unirán al Señor en aquel día;
ellas también serán mi pueblo
y yo habitaré en medio de ti
y sabrás que el Señor de los ejércitos
me ha enviado a ti.
El Señor tomará nuevamente a Judá
como su propiedad personal en la tierra santa
y Jerusalén volverá a ser la ciudad elegida".
¡Que todos guarden silencio ante el Señor,
pues él se levanta ya de su santa morada!

O bien:

Apocalipsis 11:19; 12:1–6, 10ab

Se abrió el templo de Dios en el cielo y dentro de él se vio el arca de la alianza. Apareció entonces en el cielo una figura prodigiosa: una mujer envuelta por el sol, con la luna bajo sus pies y con una corona de doce estrellas en la cabeza. Estaba encinta y a punto de dar a luz y gemía con los dolores del parto.

Pero apareció también en el cielo otra figura: un enorme dragón, color de fuego, con siete cabezas y diez cuernos, y una corona en cada una de sus siete cabezas. Con su cola barrió la tercera parte de las estrellas del cielo y las arrojó sobre la tierra. Después se detuvo delante de la mujer que iba a dar a luz, para devorar a su hijo, en cuanto éste naciera. La mujer dio a luz un hijo varón, destinado a gobernar todas las naciones con cetro de hierro; y su hijo fue llevado hasta Dios y hasta su trono. Y la mujer huyó al desierto, a un lugar preparado por Dios.

Entonces oí en el cielo una voz poderosa, que decía: "Ha sonado la hora de la victoria de nuestro Dios, de su dominio y de su reinado, y del poder de su Mesías".

Salmo responsorial

Judit 13:18bcde, 19

R. Tú eres el orgullo de nuestra raza.

El Altísimo te ha bendecido, hija, más que a todas las mujeres de la tierra. Bendito el Señor, creador del cielo y tierra. **R.**

Que hoy ha glorificado tu nombre de tal modo, que tu alabanza estará siempre en la boca de todos los que se acuerden de esta obra poderosa de Dios. **R.**

Evangelio

Lucas 1:39–48

En aquellos días, María se encaminó presurosa a un pueblo de las montañas de Judea, y entrando en la casa de Zacarías, saludó a Isabel. En cuanto ésta oyó el saludo de María, la creatura saltó en su seno.

Entonces Isabel quedó llena del Espíritu Santo, y levantando la voz, exclamó: "¡Bendita tú entre las mujeres y bendito el fruto de tu vientre! ¿Quién soy yo, para que la madre de mi Señor venga a verme? Apenas llegó tu saludo a mis oídos, el niño saltó de gozo en mi seno. Dichosa tú, que has creído, porque se cumplirá cuanto te fue anunciado de parte del Señor".

Entonces dijo María: "Mi alma glorifica al Señor *y mi espíritu se llena de júbilo en Dios, mi salvador, porque puso sus ojos en la humildad de su esclava".*

O bien: Lucas 1:26–38.

María de Guadalupe, portadora universal de la alegría evangélica

HACE ALGUNOS años conocí a Don José y a su esposa, María, dos grandes devotos guadalupanos. Don José, con un cáncer terminal, vivía en una casa con piso de tierra, sin electricidad, y pasaba sus últimos días de enfermedad tapado con algunas cobijas remendadas, tumbado sobre un colchón viejo, con una imagen de la Virgen de Guadalupe enfrente. ¿Podría un guadalupano como Don José dar algo de sí a los demás, desde aquella condición? Con las palabras de María, Lucas nos dice que sí, ¡y mucho!

Parece mentira, pero en su condición, Don José rebosaba gran alegría cada vez que recibía la visita de Jesús sacramentado. Su alegría era la misma que Jesús provocó cuando, en el vientre de María, visitó a Juan, al que hizo saltar de gusto en el vientre de su madre, Isabel. Don José tenía una alegría tan poderosa que me la contagiaba a mí, y me hacía regresar contento, agradecido y valorando lo que tenía. Cuando visitaba a Don José mi entusiasmo se renovaba.

Don José se me trasluce como una imagen del pueblo migrante, marginado en muchos aspectos y con una vida de sufrimientos y serias necesidades, pero que tiene mucho que dar al proyecto del Reino en estas tierras. Nuestro pueblo se ha identificado con Juan Diego, que recibió a Jesús por medio de María de Guadalupe. Lo ha recibido con el gozo de sentirse amado y privilegiado por Dios, su única fuente de fortaleza ante los rudos embates de la vida. La exaltación de María, plasmada en su cántico del evangelio, es la del migrante guadalupano, que también plasma su alegría en su devoción, el canto y la danza, la romería de las flores, el colorido papel picado y la entrega incondicional de su corazón en las mañanitas que despiertan a nuestra Morenita del Tepeyac.

Somos orgullosamente pueblo migrante, escogido, privilegiado y amado por Dios y esto mismo es lo que aportamos y compartimos con todo aquel que, en esta sociedad de lucro consumista, lleva una vida carente de sentido por no haber recibido a Jesús, que viene para darle sentido nuevo a su vida. Como Don José, pero también como la Virgen María, cada migrante tiene la vocación sacramental de causar alegría profunda a cada persona que se encuentra en su andar. Nos reconocemos todos guadalupanos, pero no sólo el 12 de diciembre, no; cada día y a carta cabal. (A.B.) ■

VIVIENDO NUESTRA FE

En *Juntos en el camino de la esperanza: Ya no somos extranjeros*, los obispos de los Estados Unidos afirman que este país ha llegado a ser una democracia líder en el mundo gracias al trabajo, los valores y las creencias de sus inmigrantes, venidos de todo el mundo. Ellos siguen aportando nueva energía, esperanza y diversidad cultural (17), desde sus tradiciones cristianas (21). Ellos invitan a los migrantes a permanecer fieles a sus familias, a cultivar sus valores culturales, el don de la fe y a llevar la Buena Nueva de Jesucristo por donde vayan (106).

PARA REFLEXIONAR

1. ¿Cómo se manifiesta la alegría de los pobres al celebrar a la Virgen de Guadalupe?

2. ¿En qué ocasión experimentó la alegría como María? ¿Cuándo la compartió con un pobre?

3. ¿En qué forma su grupo ministerial comparte la alegría evangélica en la Iglesia y en la sociedad?

Primera lectura

Sofonías 3:14–18

Canta, hija de Sión, / da gritos de júbilo, Israel, / gózate y regocíjate de todo corazón, Jerusalén.

El Señor ha levantado su sentencia contra ti, / ha expulsado a todos tus enemigos. / El Señor será el rey de Israel en medio de ti / y ya no temerás ningún mal.

Aquel día dirán a Jerusalén: / "No temas, Sión, / que no desfallezcan tus manos. / El Señor, tu Dios, tu poderoso salvador, / está en medio de ti. / Él se goza y se complace en ti; / él te ama y se llenará de júbilo por tu causa, / como en los días de fiesta".

Salmo responsorial

Is 12:2–3, 4bcd, 5–6

R. Griten jubilosos, porque Dios de Israel ha sido grande con ustedes.

El Señor es mi Dios y salvador, con él estoy seguro y nada temo. El Señor es mi protección y mi fuerza y ha sido mi salvación. **R.**

Den gracias al Señor, invoquen su nombre, cuenten a los pueblos sus hazañas, proclamen que su nombre es sublime. **R.**

Alaben al Señor por sus proezas, anúncienlas a toda la tierra. Griten jubilosos, habitantes de Sión, porque Dios de Israel ha sido grande con ustedes. **R.**

Segunda lectura

Filipenses 4:4–7

Hermanos míos: Alégrense siempre en el Señor; se lo repito: ¡alégrense! Que la benevolencia de ustedes sea conocida por todos. El Señor está cerca. No se inquieten por nada; más bien presenten en toda ocasión sus peticiones a Dios en la oración y la súplica, llenos de gratitud. Y que la paz de Dios, que sobrepasa toda inteligencia, custodie sus corazones y sus pensamientos en Cristo Jesús.

Evangelio

Lucas 3:10–18

En aquel tiempo, la gente le preguntaba a Juan el Bautista: "¿Qué debemos hacer?" Él contestó: "Quien tenga dos túnicas, que dé una al que no tiene ninguna, y quien tenga comida, que haga lo mismo".

También acudían a él los publicanos para que los bautizara, y le preguntaban: "Maestro, ¿qué tenemos que hacer nosotros?" Él les decía: "No cobren más de lo establecido". Unos soldados le preguntaron: "Y nosotros, ¿qué tenemos que hacer?" Él les dijo: "No extorsionen a nadie, ni denuncien a nadie falsamente, sino conténtense con su salario".

Como el pueblo estaba en expectación y todos pensaban que quizá Juan era el Mesías, Juan los sacó de dudas, diciéndoles: "Es cierto que yo bautizo con agua, pero ya viene otro más poderoso que yo, a quien no merezco desatarle las correas de sus sandalias. Él los bautizará con el Espíritu Santo y con fuego. Él tiene el bieldo en la mano para separar el trigo de la paja; guardará el trigo en su granero y quemará la paja en un fuego que no se extingue".

Con éstas y otras muchas exhortaciones anunciaba al pueblo la buena nueva.

Hacer tu voluntad es fuente de alegría constante

ESCUCHANDO LAS lecturas es fácil captar porqué la Iglesia ha llamado a este Domingo Gaudete, que significa gozo, alegría, y le ha señalado el color rosa en particular, como matizando la sobriedad del morado. El profeta Sofonías invita al pueblo a la preparación de un festín nupcial y san Pablo nos da la clave de por qué hay que tener una actitud alegre y esperanzada: El Señor está cerca.

La Iglesia, como una novia, espera al Esposo sabiendo que se acerca el momento esperado. Se alista para un desposorio y se nota en su lenguaje el anhelo enamorado: "¡Ven pronto, no tardes!". La cercanía del Señor es para nosotros noticia de serenidad y de alegría si vivimos como se nos indica en este evangelio. Nada inquieta ni amenaza en este anticipo. Antes bien, aumenta la alegría con el deseo de que él llegue pronto. Ante la segunda venida del Señor, en lugar del estrés o la ansiedad, el cristiano opta por la oración y la acción de gracias.

Si la alegría se funda en la paz y la paz en el cumplimiento de la voluntad de Dios, cabe preguntarnos cómo quiere el Señor que lo aguardemos. La respuesta nos viene por el Bautista, pero hay que traducirla a nuestras realidades: ¿Qué hemos de hacer?

Es tiempo de cruzar periferias, de traspasar los márgenes de nuestra comodidad y salir a remediar las necesidades materiales y espirituales de nuestros hermanos. El que pueda ofrecer ayuda, que no se tarde. El que pueda compartir lo que tiene que lo haga y el que posea dones de conocer, amar y servir, que no se los guarde, que sea generoso porque el Señor se aproxima. El tiempo litúrgico del Adviento nos trasmite una esperanza activa, para dar el paso de la alegría por el encuentro esperado al dinamismo de "manos a la obra". La esperanza activa provoca un efecto dominó en las acciones de los creyentes porque su fin último es también conformar el mundo, transformarlo, conforme a la voluntad de Dios. (P.A.) ∎

VIVIENDO NUESTRA FE

La Carta a Diogoneto es una apología de la fe cristiana de finales del siglo II. Describe a los cristianos como personas que tienen todo en común con los demás ciudadanos del mundo; sus vidas parecen muy normales. "Viven en la tierra, pero su ciudadanía está en el cielo. Obedecen a las leyes de la tierra, pero con su modo de vivir superan estas leyes. Aman a todos y todos los persiguen". Estos discípulos del Señor nos estimulan a decir con nuestra vida: ¡Ven, Señor Jesús!

PARA REFLEXIONAR

1. ¿Qué piensa usted que motivaba a las gentes a preguntar a Juan Bautista por lo que debían hacer?

2. ¿Cuál alegría le mueve a usted en la Navidad? ¿Es esa la alegría que nos pide la Palabra de Dios?

3. ¿Traspasa usted y su grupo alguna periferia para compartir lo tuyo y causar algo de alegría?

LECTURAS SEMANALES
13–18 de diciembre

L BVM de Guadalupe

M Sof 3:1–2, 9-13; Mt 21:28–32

M Is 45:6c–8, 18, 21c–25; Lc 7:18b–23

J Is 54:1–10; Lc 7:24–30

V Gn 49:2, 8–10; Mt 1:1–17

S Jer 23:5–8; Mt 1:18–25

Primera lectura

Miqueas 5:1–4

Esto dice el Señor: / "De ti, Belén de Efrata, / pequeña entre las aldeas de Judá, / de ti saldrá el jefe de Israel, / cuyos orígenes se remontan a tiempos pasados, / a los días más antiguos.

Por eso, el Señor abandonará a Israel, / mientras no dé a luz la que ha de dar a luz. / Entonces el resto de sus hermanos / se unirá a los hijos de Israel. / Él se levantará para pastorear a su pueblo / con la fuerza y la majestad del Señor, su Dios. / Ellos habitarán tranquilos, / porque la grandeza del que ha de nacer llenará la tierra / y él mismo será la paz".

Salmo responsorial

Salmo 80:2ac y 3b, 15–16, 18–19

R. Oh Dios, restáuranos, que brille tu rostro y nos salve.

Pastor de Israel, escucha, tú que te sientas sobre querubines, resplandece. Despierta tu poder y ven a salvarnos. **R.**

Dios de los ejércitos, vuélvete: mira desde el cielo, fíjate, ven a visitar tu viña, la cepa que tu diestra plantó y que tú hiciste vigorosa. **R.**

Que tu mano proteja a tu escogido, al hombre que tú fortaleciste. No nos alejaremos de ti: danos vida, para que invoquemos tu nombre. **R.**

Segunda lectura

Hebreos 10:5–10

Hermanos: Al entrar al mundo, Cristo dijo, conforme al salmo: *No quisiste víctimas ni ofrendas; en cambio, me has dado un cuerpo. No te agradan los holocaustos ni los sacrificios por el pecado; entonces dije—porque a mí se refiere la Escritura—: "Aquí estoy, Dios mío; vengo para hacer tu voluntad".*

Comienza por decir: *"No quisiste víctimas ni ofrendas, no te agradaron los holocaustos ni los sacrificios por el pecado",*—siendo así que eso es lo que pedía la ley—; y luego añade: *"Aquí estoy, Dios mío; vengo para hacer tu voluntad".*

Con esto, Cristo suprime los antiguos sacrificios, para establecer el nuevo. Y en virtud de esta voluntad, todos quedamos santificados por la ofrenda del cuerpo de Jesucristo, hecha una vez por todas.

Evangelio

Lucas 1:39–45

En aquellos días, María se encaminó presurosa a un pueblo de las montañas de Judea, y entrando en la casa de Zacarías, saludó a Isabel. En cuanto ésta oyó el saludo de María, la creatura saltó en su seno.

Entonces Isabel quedó llena del Espíritu Santo, y levantando la voz, exclamó: "¡Bendita tú entre las mujeres y bendito el fruto de tu vientre! ¿Quién soy yo, para que la madre de mi Señor venga a verme? Apenas llegó tu saludo a mis oídos, el niño saltó de gozo en mi seno. Dichosa tú, que has creído, porque se cumplirá cuanto te fue anunciado de parte del Señor".

Madre, ¿quién soy yo para que vengas a verme?

BENDITA TÚ entre las mujeres y bendito el fruto de tu vientre. Esta es una de las exclamaciones del Nuevo Testamento que repetimos en el rezo del Ángelus y del Rosario; al repetirla, recordamos a María, y nos grabamos en el corazón, la belleza de esos encuentros de salvación. Isabel respondió al saludo de María posiblemente con la espontaneidad de una prima que se alegra, pero también con la inspiración del Espíritu Santo, por cuya acción, acontecen los hechos salvíficos. Isabel experimentó algo único con la visita de su prima, sin imaginar quizá, que sus palabras serían parte de la memoria colectiva. Aquellas primas tenían demasiado en común: eran dos vidas apoyadas en la fe, dos seres de servicio, dos mujeres que se sabían bendecidas, dos personas humildes, prontas para alabar a Dios. Cómo no iban a intercambiar la noticia de sus respectivos embarazos, si sus hijos también dentro de ellas ya se saludaban y bendecían el Reino que estaba por llegar.

Este domingo, el mensaje de las Escrituras resalta la humildad, insistiendo en que Dios se fija en lo pequeño. María y Belén también se parecen. El hijo que María espera está en su vientre porque ha dicho al igual que su Madre: Aquí estoy, para hacer tu voluntad.

La humildad quita de nosotros la seguridad de hacer nuestra propia voluntad. La humildad ilumina desde dentro y nos regala un conocimiento de nosotros mismos; dejamos de pensar que nuestro querer es la brújula. La humildad nos permite identificar que hay una voluntad siempre mayor. Cristo entró al mundo por obediencia y, al dejar su condición de Dios para adentrarse en la historia humana, hizo el acto más humilde que se pueda encontrar.

Miremos a estas dos mujeres decir "Aquí estoy", fue dejar todo privilegio y potestad. "Aquí estoy" significó amar, con amor entregado, amar como una forma de ser. "Aquí estoy", fue la aceptación de ser enviado, sin temer las dificultades. El encuentro de María e Isabel es el marco que nos encuadra con Jesús, en este encuentro tenemos la oportunidad, como ellas, de comunicarnos el gozo y decir con entrega total: "Aquí estoy". Hoy, el Señor está cerca y nada es imposible para Dios. (P.A.) ∎

VIVIENDO NUESTRA

Los padres de la Iglesia interpretaron la humildad de Cristo como una exigencia para el cristiano. "Él ha sido pequeño para que tú puedas ser perfecto; él ha sido puesto en la tierra para que tú puedas estar entre las estrellas; él no tuvo lugar en el mesón para que tú tengas muchas mansiones en los cielos. Él siendo rico, se hizo pobre por nosotros a fin de que su pobreza nos enriquezca" (San Ambrosio, *Tratado del Evangelio de san Lucas* 2:41, Madrid: BAC 257, página 109).

PARA REFLEXIONAR

1. ¿Qué deseo profundo expresa el Salmo responsorial? ¿Lo ve usted en nuestro mundo?

2. ¿Qué le transmite a usted el encuentro de estas dos mujeres?

3. ¿Qué significa para usted y para su grupo ministerial decir: "Aquí estoy"?

LECTURAS SEMANALES
20–25 de diciembre

L *Is 7:10–14; Lc 1:26–38*

M *Cant 2:8–14; Lc 1:39–45*

M *1 Sam 1:24–28; Lc 1:46–56*

J *Mal 3:1–4, 23–24; Lc 1:57–66;*

V *2 Sam 7:1–5, 8b–12, 14a, 16; Lc 1:67–79*

S *Natividad del Señor*

Navidad

Salmo 97

Entonen al Señor un canto nuevo, pues
    obró maravillas.
Suya fue la salvación, obra de su mano,
    victoria del Santo.

El Señor trajo la salvación,
    y reconocieron
    los pueblos que él es Santo.

Renovó su amor y lealtad a Israel.
    Han visto los extremos de la tierra
    la salvación de nuestro Dios.

¡Aclama al Señor, tierra entera,
    con gritos de alegría!
Canten salmos al Señor tocando el arpa;
    aclámenlo con cantos y música.

Aclamen con trompetas y con cuernos
    al Señor nuestro rey.

Oígase el clamor del mar y de toda su
    gente; de la tierra y sus pobladores.

Aplaudan juntos los ríos,
    y alégrense los montes.

Delante del Señor, que ya viene
    a juzgar la tierra.
Juzgará con justicia al universo,
    y según el derecho a las naciones.

25 de diciembre de 2021

Primera lectura

Isaías 9:1–3, 5–6

El pueblo que caminaba en tinieblas / vio una gran luz; / sobre los que vivían en tierra de sombras, / una luz resplandeció.

Engrandeciste a tu pueblo / e hiciste grande su alegría. / Se gozan en tu presencia como gozan al cosechar, / como se alegran al repartirse el botín. / Porque tú quebrantaste su pesado yugo, / la barra que oprimía sus hombros y el cetro de su tirano, / como en el día de Madián.

Porque un niño nos ha nacido, un hijo se nos ha dado; / lleva sobre sus hombros el signo del imperio y su nombre será: / "Consejero admirable", "Dios poderoso", / "Padre sempiterno", "Príncipe de la paz"; / para extender el principado con una paz sin límites / sobre el trono de David y sobre su reino; / para establecerlo y consolidarlo / con la justicia y el derecho, desde ahora y para siempre. / El celo del Señor lo realizará.

Salmo responsorial

Salmo 96:1–2a, 2b–3, 11–12

R. Hoy nos ha nacido el Salvador: que es Cristo el Señor.

Canten al Señor un cántico nuevo, canten al Señor, toda la tierra; canten al Señor, bendigan su nombre. **R.**

Proclamen día tras día su victoria. Cuenten a los pueblos su gloria, sus maravillas a todas las naciones. **R.**

Alégrese el cielo, goce la tierra, retumbe el mar y cuanto lo llena; vitoreen los campos y cuanto hay en ellos, aclamen los árboles del bosque. **R.**

25 de diciembre

Natividad del Señor

Vigilia: Is 62:1–5; Hechos 13:16–17, 22–25; Mt 1:1–25, o bien: 1:18–25

Noche: Is 9:1–6; Tit 2:11–14; Lc 2:1–14

Misa de aurora: Is 62:11–12; Tit 3:4–7; Lc 2:15–20

Misa del día: Is 52:7–10; Heb 11:1–6; Jn 1:1–18 o 1:1–5,9–14

Segunda lectura

Tito 2:11–14

Querido hermano: La gracia de Dios se ha manifestado para salvar a todos los hombres y nos ha enseñado a renunciar a la irreligiosidad y a los deseos mundanos, para que vivamos, ya desde ahora, de una manera sobria, justa y fiel a Dios, en espera de la gloriosa venida del gran Dios y salvador, Cristo Jesús, nuestra esperanza. Él se entregó por nosotros para redimirnos de todo pecado y purificarnos, a fin de convertirnos en pueblo suyo, fervorosamente entregado a practicar el bien.

Evangelio

Lucas 2:1–14

Por aquellos días, se promulgó un edicto de César Augusto, que ordenaba un censo de todo el imperio. Este primer censo se hizo cuando Quirino era gobernador de Siria. Todos iban a empadronarse, cada uno en su propia ciudad; así es que también José, perteneciente a la casa y familia de David, se dirigió desde la ciudad de Nazaret, en Galilea, a la ciudad de David, llamada Belén, para empadronarse, juntamente con María, su esposa, que estaba encinta.

Mientras estaban ahí, le llegó a María el tiempo de dar a luz y tuvo a su hijo primogénito; lo envolvió en pañales y lo recostó en un pesebre, porque no hubo lugar para ellos en la posada.

En aquella región había unos pastores que pasaban la noche en el campo, vigilando por turno sus rebaños. Un ángel del Señor se les apareció y la gloria de Dios los envolvió con su luz y se llenaron de temor. El ángel les dijo: "No teman. Les traigo una buena noticia, que causará gran alegría a todo el pueblo: hoy les ha nacido, en la ciudad de David, un salvador, que es el Mesías, el Señor. Esto les servirá de señal: encontrarán al niño envuelto en pañales y recostado en un pesebre".

De pronto se le unió al ángel una multitud del ejército celestial, que alababa a Dios, diciendo: "¡Gloria a Dios en el cielo, y en la tierra paz a los hombres de buena voluntad!"

Háblame, Señor, por medio de tu Hijo

LA IGLESIA nos invita a unirnos a los pastores, para ver lo acontecido. Salgamos a toda prisa a encontrar al Niño, con María y José. Dios ahora sólo tiene un mensaje: ese Niño, recostado en un pesebre. Él es la respuesta a las expectativas de los patriarcas, profetas y reyes, que sólo vislumbraron de lejos su venida. Habremos experimentado diferentes emociones ante un recién nacido, pero en el portal de Belén, no estamos ante una vida que comienza y cuya gracia y fragilidad nos llena de ternura; estamos ante el Hijo de Dios, enviado a nosotros con un propósito reconciliador, nacido como luz del mundo y fuente de verdadera alegría. Este Niño es el Hijo unigénito de Dios, igual en poder a su Padre. "No hay que temer", pidió el ángel, porque Dios ha dejado su trono real, su gloria, y viene vacío de poder. Junto a él, sólo hay paz.

El Niño de Belén, es la Palabra de Dios venida para alumbrar a todos, es la vida para quienes la quieren recibir, es la verdad que nos conduce al verdadero conocimiento. Si abrazamos al Niño, su luz nos inunda y la podemos irradiar a otros. Esto es lo que vamos a celebrar esta fecha, como nos lo expresan todas las bellas oraciones de la misa, y lo vamos a notar en el correr de estos días. La luz del sol va a ir creciendo más y más durante esta temporada disipando toda oscuridad de pecado e iniquidad. Gocemos de la luz y comuniquémosla a nuestro derredor, para que todo se alegre por esta venida de Cristo. Así, acunando al Niño, experimentemos que la creación se renueva junto a él y la vida recobra su sentido. Nada debe esconderse a su gloria esplendorosa. (P.A.) ■

VIVIENDO NUESTRA

La exhortación *Admirabile signum*, invita a los cristianos a mantener viva la tradición de poner un nacimiento no sólo como una plástica, que nos permite recordar, o que invita a la nostalgia, sino como una reflexión del misterio de la encarnación que debemos madurar a lo largo de nuestras vidas. Nos invita a contemplar ese nacimiento, haciéndonos para reflexionar de la existencia: ¿Quién soy? ¿Qué sentido tiene mi vida? ¿Qué amo? ¿Por qué sufro? (no. 4). "Contemplando esta escena del belén estamos llamados a reflexionar en la responsabilidad de cada cristiano de ser evangelizador... el belén forma parte del dulce y exigente proceso de la trasmisión de la fe" (no. 9).

PARA REFLEXIONAR

1. ¿Qué celebra en general la gente en Navidad? ¿Qué es lo que más importa?

2. ¿Identifica al Dios con nosotros, al Hijo que desciende, a la Luz que viene a las tinieblas del mundo en el Niño en el pesebre?

3. ¿Cómo hacer brillar esta luz para los desprotegidos de nuestras comunidades? ¿Dónde hace más falta su resplandor?

26 de diciembre de 2021

Primera lectura

1 Samuel 1:20–22, 24–28

En aquellos días, Ana concibió, dio a luz un hijo y le puso por nombre Samuel, diciendo: "Al Señor se lo pedí". Después de un año, Elcaná, su marido, subió con toda la familia para hacer el sacrificio anual para honrar al Señor y para cumplir la promesa que habían hecho, pero Ana se quedó en su casa.

Un tiempo después, Ana llevó a Samuel, que todavía era muy pequeño, a la casa del Señor, en Siló, y llevó también un novillo de tres años, un costal de harina y un odre de vino.

Una vez sacrificado el novillo, Ana presentó el niño a Elí y le dijo: "Escúchame, señor: te juro por mi vida que yo soy aquella mujer que estuvo junto a ti, en este lugar, orando al Señor. Éste es el niño que yo le pedía al Señor y que él me ha concedido. Por eso, ahora yo se lo ofrezco al Señor, para que le quede consagrado de por vida". Y adoraron al Señor.

O bien: Eclesiástico o Sirácide 3:2–6, 12–14.

Salmo responsorial

Salmo 84:2–3, 5–6, 9–10

R. Señor, dichosos los que viven en tu casa.

¡Qué deseables son tus moradas, Señor de los ejércitos!
Mi alma se consume y anhela los atrios del Señor,
mi corazón y mi carne retozan por el Dios vivo. **R.**

Dichosos los que viven en tu casa, alabándote
siempre. Dichosos los que encuentran en ti su
fuerza al preparar su peregrinación. **R.**

Señor de los ejércitos, escucha mi súplica; atiéndeme,
Dios de Jacob. Fíjate, oh Dios, en nuestro Escudo,
mira el rostro de tu Ungido. **R.**

---

27 de diciembre de 2021
San Juan, Apóstol y Evangelista
1 Jn 1:1–4; Jn 20:1a, 2–8

---

28 de diciembre de 2021
Santos Inocentes, mártires
1 Jn 1:5—2:2; Mt 2:13–18

Segunda lectura

1 Juan 3:1–2, 21–24

Queridos hijos: Miren cuánto amor nos ha tenido el Padre, pues no sólo nos llamamos hijos de Dios, sino que lo somos. Si el mundo no nos reconoce, es porque tampoco lo ha reconocido a él.

Hermanos míos, ahora somos hijos de Dios, pero aún no se ha manifestado cómo seremos al fin. Y ya sabemos que, cuando él se manifieste, vamos a ser semejantes a él, porque lo veremos tal cual es.

Si nuestra conciencia no nos remuerde, entonces, hermanos míos, nuestra confianza en Dios es total. Puesto que cumplimos los mandamientos de Dios y hacemos lo que le agrada, ciertamente obtendremos de él todo lo que le pidamos.

Ahora bien, éste es su mandamiento: que creamos en la persona de Jesucristo, su Hijo, y nos amemos los unos a los otros, conforme al precepto que nos dio. Quien cumple sus mandamientos permanece en Dios y Dios en él. En esto conocemos, por el Espíritu que él nos ha dado, que él permanece en nosotros.

O bien: Colosenses 3:12–21.

Evangelio

Lucas 2:41–52

Los padres de Jesús solían ir cada año a Jerusalén para las festividades de la Pascua. Cuando el niño cumplió doce años, fueron a la fiesta, según la costumbre. Pasados aquellos días, se volvieron a Nazaret, pero el niño Jesús se quedó en Jerusalén, sin que sus padres lo supieran. Creyendo que iba en la caravana, hicieron un día de camino; entonces lo buscaron, y al no encontrarlo, regresaron a Jerusalén en su busca.

Al tercer día lo encontraron en el templo, sentado en medio de los doctores, escuchándolos y haciéndoles preguntas. Todos los que lo oían se admiraban de su inteligencia y de sus respuestas. Al verlo, sus padres se quedaron atónitos y su madre le dijo: "Hijo mío, ¿por qué te has portado así con nosotros? Tu padre y yo te hemos estado buscando, llenos de angustia". Él les respondió: "¿Por qué me andaban buscando? ¿No sabían que debo ocuparme en las cosas de mi Padre?" Ellos no entendieron la respuesta que les dio. Entonces volvió con ellos a Nazaret y siguió sujeto a su autoridad. Su madre conservaba en su corazón todas aquellas cosas.

Jesús iba creciendo en saber, en estatura y en el favor de Dios y de los hombres.

Más difícil de lo que parece, dirígeme, Señor, hacia las cosas de tu Padre

EL HIJO de Dios al venir al mundo tuvo una familia identificable, ¿no es este el hijo del carpintero? (Juan 6:42). Dios elige para su hijo una familia de artesanos, fundada en dos nobles personas: María, quien en palabras del poeta Martín Descalzo pareciera que su apellido fuera "Llena de gracia", y José, un padre de crianza, un hombre rebosante de respeto y profunda fe. Como buenos padres cumplen con todo lo prescrito por su fe y dan a Jesús las herramientas para que encuentre la misión para la que Dios le envió al mundo.

Muchos padres de familia acompañan los procesos de sus hijos asistiendo a las juntas escolares, a los festivales, aconsejándolos sobre sus amigos y encomendándoles tareas domésticas. Los papás guardan fotografías de momentos satisfactorios y sonríen orgullosos cuando los hijos se gradúan, o alcanzan una profesión. José y María acompañaron con entusiasmo el desarrollo de Jesús. María guardó esas "fotografías del corazón", la escena de Jesús adolescente, que, perdido por varios días, con la angustia de no hallarlo, es una de esas piezas en que el evangelio condensa la misión que Jesús ha estado explorando. "Las cosas de su Padre", esas cosas, son la razón de su existencia. Los padres de Jesús afrontaron un difícil camino de fe en el misterio de su hijo y ese camino lo recorremos cada uno de los creyentes que queremos saber quién es Jesús.

El Evangelio tiene referencias sobre su hogar: las historias del padre bueno, las parábolas de mujeres mezclando levadura, buscando una monedita perdida, llenando lámparas de aceite, el prodigio de las flores del campo, las nubes borrascosas en el horizonte, las gallinas cobijando sus pollitos, experiencias que proceden de una familia donde se experimenta la reciprocidad del amor, y san Juan nos anima a pasar al plano de la fe, como familia de Dios, esa reciprocidad de un amor que ya ha comenzado, somos hijos en el Hijo, pero todavía no se manifiesta en su plenitud. (P.A.) ◼

VIVIENDO NUESTRA FE

En la oración postcomunión de hoy, pedimos al Padre, "que imitemos constantemente los ejemplos de la Sagrada Familia, para que, superadas las aflicciones de esta vida, consigamos gozar eternamente de su compañía". En la Iglesia muchos santos han obtenido gran inspiración al meditar en la vida de Nazaret y numerosas familias apoyan su ánimo para afrontar serias dificultades, seguros de que en Nazaret hay una lección que aprender para todos los tiempos sobre "las cosas del Padre Celestial".

PARA REFLEXIONAR

1. ¿Qué tienen de particular las familias que aparecen en nuestras lecturas hoy?

2. ¿Qué nos redescubre la familia de Nazaret de nuestra propia familia? ¿En qué se parecen?

3. ¿Cómo promovemos las familias de nuestras comunidades para que superen sus adversidades?

LECTURAS SEMANALES
diciembre 27–enero 1

L *San Juan, Apóstol y Evangelista*

M *Los Santos Inocentes*

M *1 Jn 2:3–11; Lc 2:22–35*

J *1 Jn 2:12–17; Lc 2:36–40*

V *1 Jn 2:18–21; Jn 1:1–18*

S *Santa María, Madre de Dios*

1 de enero de 2022 Santa María, Madre de Dios

Primera lectura
Números 6:22–27

En aquel tiempo, el Señor habló a Moisés y le dijo: / "Di a Aarón y a sus hijos: / 'De esta manera bendecirán a los israelitas: / El Señor te bendiga y te proteja, / haga resplandecer su rostro sobre ti y te conceda su favor. / Que el Señor te mire con benevolencia / y te conceda la paz'.

Así invocarán mi nombre sobre los israelitas / y yo los bendeciré".

Salmo responsorial
Salmo 67:2–3, 5, 6 y 8

R. El Señor tenga piedad y nos bendiga.

El Señor tenga piedad y nos bendiga, ilumine su rostro sobre nosotros; conozca la tierra tus caminos, todos los pueblos tu salvación. **R.**

Que canten de alegría las naciones, porque riges el mundo con justicia, riges los pueblos con rectitud, y gobiernas las naciones de la tierra. **R.**

Oh Dios, que te alaben los pueblos, que todos los pueblos te alaben. Que Dios nos bendiga; que le teman hasta los confines del orbe. **R.**

Segunda lectura
Gálatas 4:4–7

Hermanos: Al llegar la plenitud de los tiempos, envió Dios a su Hijo, nacido de una mujer, nacido bajo la ley, para rescatar a los que estábamos bajo la ley, a fin de hacernos hijos suyos.

Puesto que ya son ustedes hijos, Dios envió a sus corazones el Espíritu de su Hijo, que clama "¡Abbá!", es decir, ¡Padre! Así que ya no eres siervo, sino hijo; y siendo hijo, eres también heredero por voluntad de Dios.

Evangelio
Lucas 2:16–21

En aquel tiempo, los pastores fueron a toda prisa hacia Belén y encontraron a María, a José y al niño, recostado en el pesebre. Después de verlo, contaron lo que se les había dicho de aquel niño, y cuantos los oían quedaban maravillados. María, por su parte, guardaba todas estas cosas y las meditaba en su corazón.

Los pastores se volvieron a sus campos, alabando y glorificando a Dios por todo cuanto habían visto y oído, según lo que se les había anunciado.

Cumplidos los ocho días, circuncidaron al niño y le pusieron el nombre de Jesús, aquel mismo que había dicho el ángel, antes de que el niño fuera concebido.

Madre que no se cansa de esperar ni de amar

GUADALUPE, mujer de cuarenta años, quedó viuda en su pueblo natal, con siete hijos a su cuidado. El mayor tenía diecisiete años y el menor apenas tres meses. El sostén del hogar fue siempre su esposo. Su muerte la dejó en una situación muy vulnerable y sin trabajo. Guadalupe se puso a lavar y planchar ajeno. Lo que conseguía no alcanzaba para el gasto de tantos. Los dos hijos mayores, de diecisiete y quince años, dejaron la escuela y se pusieron a trabajar. Eran chicos, sin estudios, y los explotaban. Emigraron al norte buscando mejores oportunidades. Pensaron irse por corto tiempo, ahorrar algo de dinero y volver para sacar adelante a su familia. Siendo indocumentados en los Estados Unidos, trabajaron en la construcción y mandaban seguido el dinero que podían a su familia.

Como suele suceder, el tiempo se les alargó en años. El mayor se juntó con una mujer y los hermanos comenzaron a hacer vida separados. El corazón de Guadalupe cargaba una doble pena: la muerte de su esposo y la ausencia de sus dos hijos. Después de diez años, Guadalupe tenía un solo anhelo en su corazón: volver a ver y abrazar a sus hijos.

Después de varios intentos fallidos, consiguió una visa y partió tan pronto como pudo a los Estados Unidos para reencontrarlos. El mismo día del encuentro con sus hijos, los abrazó, los llenó de besos, y, como antes, se puso a cocinarles su comida favorita. ¡Estaban todos tan contentos! No había pasado ni una semana cuando sus hijos que se habían quedado en casa le pidieron que regresara, porque la necesitaban mucho. Guadalupe sentía dividido su corazón. Las cuatro semanas incompletas que pasó con los mayores se le convirtieron en hermosos recuerdos que atesoró toda su vida. Antes de regresar, habló con ellos para darles consejos y animarlos a hacer las cosas "como Dios manda". Les dijo también que volvería al año entrante.

El amor de una madre nunca desespera y es capaz de cualquier sacrificio con tal de ver a sus hijos crecer. Al escuchar que María "guardaba todas estas cosas en su corazón" me hace pensar que ella debió ser así. Supo atesorar cada momento de la vida con su hijo, para disfrutarlo durante su ausencia. Ella es madre de Dios y madre nuestra, que anhela vernos crecer, abrazarnos y disfrutar juntos, reunidos. Como toda mujer, María es una bendición de Dios para volvernos todos hermanos. (A.B.) ∎

VIVIENDO NUESTRA FE

En *Acogiendo al forastero entre nosotros: Unidad en la diversidad* (USCCB, 2000), los obispos de los Estados Unidos reconocen las difíciles circunstancias que deben soportar las personas que emigran a este país. Ellos hacen un llamado a acogerlas y a ser solidarios con una sincera hospitalidad, pero también a aprender de ellas y a crear en los espacios de la Iglesia una multiculturalidad que sea respetuosa, evangelizadora y que a todos enriquezca (ver página 38).

PARA REFLEXIONAR

1. ¿Qué aspectos de la maternidad celebra la cultura de usted? ¿Cuáles le parecen acordes al Evangelio?

2. ¿Cuáles figuras maternales han dejado huella en su propia experiencia de vida? ¿Qué valores femeninos promueve usted?

3. ¿Qué programas o actividades de apoyo realiza su parroquia para los inmigrantes y sus familias? ¿Cómo se integran las diversas culturas en el espacio de fe?

Primera lectura

Isaías 60:1–6

Levántate y resplandece, Jerusalén, / porque ha llegado tu luz / y la gloria del Señor alborea sobre ti. / Mira: las tinieblas cubren la tierra / y espesa niebla envuelve a los pueblos; / pero sobre ti resplandece el Señor / y en ti se manifiesta su gloria. / Caminarán los pueblos a tu luz / y los reyes, al resplandor de tu aurora.

Levanta los ojos y mira alrededor: / todos se reúnen y vienen a ti; / tus hijos llegan de lejos, a tus hijas las traen en brazos. / Entonces verás esto radiante de alegría; / tu corazón se alegrará, y se ensanchará, / cuando se vuelquen sobre ti los tesoros del mar / y te traigan las riquezas de los pueblos. / Te inundará una multitud de camellos y dromedarios, / procedentes de Madián y de Efá. / Vendrán todos los de Sabá / trayendo incienso y oro / y proclamando las alabanzas del Señor.

Salmo responsorial

Salmo 72:1–2, 7–8, 10–11, 12–13

R. Se postrarán ante ti, Señor, todos los pueblos de la tierra.

Dios mío, confía tu juicio al rey, tu justicia al hijo de reyes, para que rija a tu pueblo con justicia, a tus humildes con rectitud. **R.**

Que en sus días florezca la justicia y la paz hasta que falte la luna; que domine de mar a mar, del Gran Río al confín de la tierra. **R.**

Que los reyes de Tarsis y de las islas le paguen tributo. Que los reyes de Saba y de Arabia le ofrezcan sus dones; que se postren ante él todos los reyes, y que todos los pueblos le sirvan. **R.**

Él librará al pobre que clamaba, al afligido que no tenía protector; él se apiadará del pobre y del indigente, y salvará la vida de los pobres. **R.**

Segunda lectura

Efesios 3:2–3, 5–6

Hermanos: Han oído hablar de la distribución de la gracia de Dios, que se me ha confiado en favor de ustedes. Por revelación se me dio a conocer este misterio, que no había sido manifestado a los hombres en otros tiempos, pero que ha sido revelado ahora por el Espíritu a sus santos apóstoles y profetas: es decir, que por el Evangelio, también los paganos son coherederos de la misma herencia, miembros del mismo cuerpo y partícipes de la misma promesa en Jesucristo.

Evangelio

Mateo 2:1–12

Jesús nació en Belén de Judá, en tiempos del rey Herodes. Unos magos de Oriente llegaron entonces a Jerusalén y preguntaron: "¿Dónde está el rey de los judíos que acaba de nacer? Porque vimos surgir su estrella y hemos venido a adorarlo".

Al enterarse de esto el rey Herodes se sobresaltó y toda Jerusalén con él. Convocó entonces a los sacerdotes y a los *escribas del* pueblo y les preguntó dónde tenía que nacer el Mesías. Ellos le contestaron: "En Belén de Judá, porque así lo ha escrito el profeta: *Y tú, Belén, tierra de Judá, no eres en manera alguna la menor entre las ciudades ilustres de Judá, pues de ti saldrá un jefe, que será el pastor de mi pueblo, Israel*".

Entonces Herodes llamó en secreto a los magos, para que le precisaran el tiempo en que se les había aparecido la estrella y los mandó a Belén, diciéndoles: "Vayan a averiguar cuidadosamente qué hay de ese niño, y cuando lo encuentren, avísenme para que yo también vaya a adorarlo".

Después de oír al rey, los magos se pusieron en camino, y de pronto la estrella que habían visto surgir, comenzó a guiarlos, hasta que se detuvo encima de donde estaba el niño. Al ver de nuevo la estrella, se llenaron de inmensa alegría. Entraron en la casa y vieron al niño con María, su madre, y postrándose, lo adoraron. Después, abriendo sus cofres, le ofrecieron regalos: oro, incienso y mirra. Advertidos durante el sueño de que no volvieran a Herodes, regresaron a su tierra por otro camino.

Muéstrame tu estrella para seguirla hasta tu Reino

APARECIÓ UNA estrella; de esas estrellas que sólo observan los soñadores, los estudiosos, los sabios, los contemplativos. Muchos que viven encerrados, iluminados por luces artificiales, no descubren las estrellas. La estrella de Jesús se vio en muchas partes. No todo el que ve una estrella se dispone a seguirla. La luz que emanaba de la estrella de Jesús hizo que los estudiosos confirmaran sus hipótesis: ha llegado el esperado. Comenzaron una peregrinación como ocurre en muchas búsquedas humanas: con movilidad, corriendo riesgo, marchando hacia una meta. ¿Por qué estos hombres, tan lejos, vinieron desde el Oriente? No eran judíos, pertenecían a "las gentes". Esto podría significar: eran distintos, no eran elegidos, que quizá eran paganos.

En la historia humana, hay quienes han comenzado una peregrinación sin fe y han acabado arrodillados ante el misterio. El camino hacia una estrella puede hacernos empeñosos y determinados. De hecho, los magos, cuando dejan de ver la estrella, agrandaban su fe en lo que seguían, y, cuando reaparece de nuevo, sus corazones se llenaban de inmensa alegría.

Zacarías anunció que "nos visitaría el sol que nace de lo alto, para iluminar a los que viven en tinieblas y en sombra de muerte". Los que buscaban estrellas hallaron al sol. No sabemos qué expectativas de "rey" tenían los magos en su mente, es posible que esperaban una corte, un palacio; por eso, indagan primero con el rey temporal de Judea; pero en Herodes sólo hallaron tinieblas y desinformación; el rey debió consultar las esperanzas del pueblo con sus sabios: Nacería en Belén. La estrella señala el lugar preciso.

Belén no era una ciudad espectacular, pero aquel escenario de pobreza no desmotivó a los buscadores. Tampoco la fragilidad del Niño recostado en un pesebre ni la sencillez de sus padres. Se arrodillaron solemnemente y dejaron sus ofrendas. Sin criados, sin guardias, sin estorbos, lo adoraron, reconocieron al Niño al manantial de donde brota la salvación esperada al mundo entero. Debió durar largo el efecto de aquel encuentro, porque por la noche los ángeles los avisaron en sueños. Poco sabemos de su camino de regreso. Seguro fue un regreso misionero, porque no se puede encontrar la luz y no irradiarla. (P.A.) ∎

VIVIENDO NUESTRA FE

"Hoy el mago discierne con profundo asombro lo que contempla: el cielo en la tierra, la tierra en el cielo; el hombre en Dios y Dios en el hombre; aquel que no puede ser encerrado en todo el universo, lo descubre incluido en un cuerpo de niño" (San Pedro Crisólogo, *Sermón 160*, PL 52, 620). Añadamos la orientación de la Iglesia: "Es indispensable combatir, a nivel nacional e internacional, las violaciones de la dignidad de los niños y de las niñas causadas por la explotación sexual, por las personas dedicadas a la pedofilia y por las violencias de todo tipo infligidas a estas personas humanas, las más indefensas" (CDSI, 245).

PARA REFLEXIONAR

1. ¿Quiénes son auténticos buscadores de la Luz?

2. ¿A quién identifica usted como una estrella que lo haya conducido al sol?

3. ¿Cómo promueve su grupo de fe la dignidad y los derechos de los niños y niñas?

LECTURAS SEMANALES
3–8 de enero de 2022

L *1 Jn 3:22–4:6; Mt 4:12–17, 23–25*

M *1 Jn 4:7–10; Mc 6:34–44*

M *1 Jn 4:11–18; Mc 6:45–52*

J *1 Jn 4:19—5:4; Lc 4:14–22a*

V *1 Jn 5:5–13; Lc 5:12–16*

S *1 Jn 5:14–21; Jn 3:22–30*

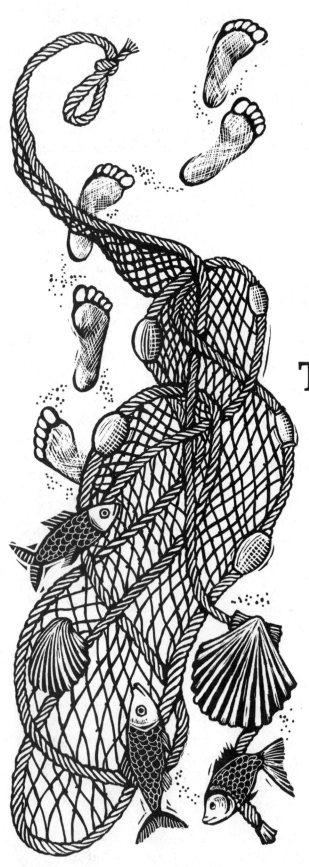

Tiempo Ordinario
en invierno

Salmo 147

12–20

¡Glorifica al Señor, Jerusalén,
y a Dios ríndele honores, oh Sión!

Él afirma las trancas de tus puertas,
y bendice a tus hijos en tu casa.
Él mantiene la paz en tus fronteras,
te da del mejor trigo en abundancia.

Él envía a la tierra su mensaje:
y su palabra corre velozmente.

Él nos manda la nieve como lana
y derrama la escarcha cual ceniza.

Como migajas de pan lanza el granizo,
se congelan las aguas con su frío.
Envía su palabra y se derriten,
sopla su viento y se echan a correr.

A Jacob le mostró su pensamiento,
sus mandatos y juicios a Israel.
No ha hecho cosa igual con ningún pueblo,
ni les ha confiado a otros sus proyectos.

Primera lectura

Isaías 40:1–5, 9–11

"Consuelen, consuelen a mi pueblo, / dice nuestro Dios. / Hablen al corazón de Jerusalén / y díganle a gritos que ya terminó el tiempo de su servidumbre / y que ya ha satisfecho por sus iniquidades, / porque ya ha recibido de manos del Señor / castigo doble por todos sus pecados".

Una voz clama: / "Preparen el camino del Señor en el desierto, / construyan en el páramo una calzada para nuestro Dios. / Que todo valle se eleve, / que todo monte y colina se rebajen; / que lo torcido se enderece y lo escabroso se allane. / Entonces se revelará la gloria del Señor / y todos los hombres la verán". / Así ha hablado la boca del Señor.

Sube a lo alto del monte, / mensajero de buenas nuevas para Sión; / alza con fuerza la voz, / tú que anuncias noticias alegres a Jerusalén. / Alza la voz y no temas; / anuncia a los ciudadanos de Judá: / "Aquí está su Dios. / Aquí llega el Señor, lleno de poder, / el que con su brazo lo domina todo. / El premio de su victoria lo acompaña / y sus trofeos lo anteceden. / Como pastor apacentará su rebaño; / llevará en sus brazos a los corderitos recién nacidos / y atenderá solícito a sus madres".

O bien: Is 42:1–4, 6–7.

Salmo responsorial

Salmo 96:1–2a, 2b–3, 7–8a, 9–10a y c

R. Cuenten las maravillas del Señor a todas las naciones.

Canten al Señor un cántico nuevo, canten al Señor, toda la tierra; canten al Señor, bendigan su nombre. **R.**

Proclamen día tras día su victoria, cuenten a los pueblos su gloria, sus maravillas a todas las naciones. **R.**

Familias de los pueblos, aclamen al Señor, aclamen la gloria y el poder del Señor, aclamen la gloria del nombre del Señor. **R.**

Póstrense ante el Señor en el atrio sagrado, tiemble en su presencia la tierra toda. Digan a los pueblos: "El Señor es rey, él gobierna a los pueblos rectamente". **R.**

Segunda lectura

Tito 2:11–14; 3:4–7

Querido hermano: La gracia de Dios se ha manifestado para salvar a todos los hombres y nos ha enseñado a renunciar a la vida sin religión y a los deseos mundanos, para que vivamos, ya desde ahora, de una manera sobria, justa y fiel a Dios, en espera de la gloriosa venida del gran Dios y salvador, Cristo Jesús, nuestra esperanza. Él se entregó por nosotros para redimirnos de todo pecado y purificarnos, a fin de convertirnos en pueblo suyo, fervorosamente entregado a practicar el bien.

Al manifestarse la bondad de Dios, nuestro Salvador, y su amor a los hombres, él nos salvó, no porque nosotros hubiéramos hecho algo digno de merecerlo, sino por su misericordia. Lo hizo mediante el bautismo, que nos regenera y nos renueva, por la acción del Espíritu Santo, a quien Dios derramó abundantemente sobre nosotros, por Cristo, nuestro Salvador. Así, justificados por su gracia, nos convertiremos en herederos, cuando se realice la esperanza de la vida eterna.

O bien: Hechos 10:34–38.

Evangelio

Lucas 3:15–16, 21–22

En aquel tiempo, como el pueblo estaba en expectación y todos pensaban que quizá Juan el Bautista era el Mesías, Juan los sacó de dudas, diciéndoles: "Es cierto que yo bautizo con agua, pero ya viene otro más poderoso que yo, a quien no merezco desatarles las correas de sus sandalias. Él los bautizará con el Espíritu Santo y con fuego".

Sucedió que entre la gente que se bautizaba, también Jesús fue bautizado. Mientras éste oraba, se abrió el cielo y el Espíritu Santo bajó sobre él en forma sensible, como de una paloma, y del cielo llegó una voz que decía: "Tú eres mi Hijo, el predilecto; en ti me complazco".

Enviados a servir

CELEBRAMOS siempre con alegría los bautizos de nuestros niños y catecúmenos en la Vigilia Pascual; se incorporan a Cristo y entran en la comunidad de la Iglesia. El sacramento nos ofrece la liberación y la salvación de Cristo. Pero celebrar el bautismo del Señor podría resultarnos un poco sorprendente: si Cristo mismo es la salvación, ¡él no necesita el bautismo! Y así lo reconocía Juan. Sin embargo, el bautismo del Señor ofrece una poderosa reflexión sobre la misión de Cristo, su unción, es decir, el reconocimiento de que es el Mesías, el Ungido de Dios, y sobre nuestra propia misión a la que nos compromete nuestro bautismo.

En la primera lectura del día se presenta al Siervo de Dios, el ungido por el Espíritu y se mencionan sus funciones: liberar a los cautivos, anunciar la buena noticia a los pobres, consolar a los afligidos. Es el pasaje que más tarde repetirá Jesús en la sinagoga de Nazaret, confirmando su identidad de profeta. Y es lo que confirman, al final del bautismo, las palabras de "Este es mi hijo amado; escúchenlo". Los textos representan un gran desafío, pues en nuestro propio bautismo, se nos dice también a nosotros que somos los siervos elegidos del Señor; por lo mismo, nos corresponden las mismas acciones: anunciar la buena noticia del amor de Dios; liberar a los oprimidos por las diversas circunstancias de la vida; consolar a los que sufren, abrir los ojos a quienes andan en la tiniebla de la mentira y la confusión.

Al contemplar al Señor, que se presenta a ser bautizado, recordamos nuestro propio bautismo y el hecho de que, en él, aceptamos la misión de Cristo. Esto no es algo que se pueda tomar a la ligera, pues dicen algo muy serio y exigente implicado en las palabras referidas a Cristo: "Éste es mi hijo amado". Ese eco nos alcanza a nosotros también: somos los hijos amados de Dios, y, por lo tanto, compartimos en esa misma misión. No estamos solos ni es por nuestra propia fuerza que lo hacemos, sino en la fuerza del Cristo que tomó todo lo nuestro y nos dio todo lo suyo: su ser hijo amado de Dios y su misión de amor y salvación. (A.B.) ∎

VIVIENDO NUESTRA FE

La Iglesia no cesa de recordar nuestra dignidad bautismal y misión: "Mediante el bautismo, los laicos son injertados en Cristo y hechos partícipes de su vida y de su misión" (CDSI, 541). Quizá en nuestra propia familia haya alguien que no conoce el amor paternal de Dios, o la solidaridad de Cristo ni la santidad del Espíritu Santo. Nunca olvidemos de quién somos.

PARA LA REFLEXIÓN

1. ¿En qué se nota que valoramos el sacramento del bautismo?

2. ¿Cómo cultiva usted su identidad bautismal?

3. ¿Qué hace su comunidad o grupo de fe para acompañar a los catecúmenos y recién bautizados?

LECTURAS SEMANALES
10–15 de enero

L *1 Sam 1:1–8; Mc 1:14–20*

M *1 Sam 1:9–20; Mc 1:21–28*

M *1 Sam 3:1–20; Mc 1:29–39*

J *1 Sam 4:1–11; Mc 1:40–45*

V *1 Sam 8:4–22a; Mc 2:1–12*

S *1 Sam 9:1–19: Mc 2:13–17*

Primera lectura

Isaías 62:1–5

Por amor a Sión no me callaré / y por amor a Jerusalén no me daré reposo, / hasta que surja en ella esplendoroso el justo / y brille su salvación como una antorcha.

Entonces las naciones verán tu justicia, / y tu gloria todos los reyes. / Te llamarán con un nombre nuevo, / pronunciado por la boca del Señor. / Serás corona de gloria en la mano del Señor / y diadema real en la palma de su mano.

Ya no te llamarán "Abandonada", / ni a tu tierra, "Desolada"; / a ti te llamarán "Mi complacencia" / y a tu tierra, "Desposada", / porque el Señor se ha complacido en ti / y se ha desposado con tu tierra.

Como un joven se desposa con una doncella, / se desposará contigo tu hacedor; / como el esposo se alegra con la esposa, / así se alegrará tu Dios contigo.

Salmo responsorial

Salmo 96:1–2a, 2b–3, 7–8a, 9–10a y c

R. Cuenten las maravillas del Señor a todas las naciones.

Canten al Señor un cántico nuevo, canten al Señor, toda la tierra; canten al Señor, bendigan su nombre. **R.**

Proclamen día tras día su victoria, cuenten a los pueblos su gloria, sus maravillas a todas las naciones. **R.**

Familias de los pueblos, aclamen al Señor, aclamen la gloria y el poder del Señor, aclamen la gloria del nombre del Señor. **R.**

Póstrense ante el Señor en el atrio sagrado, tiemble en su presencia la tierra toda. Digan a los pueblos: "El Señor es rey, él gobierna a los pueblos rectamente". **R.**

Segunda lectura

1 Corintios 12:4–11

Hermanos: Hay diferentes dones, pero el Espíritu es el mismo. Hay diferentes servicios, pero el Señor es el mismo. Hay diferentes actividades, pero Dios, que hace todo en todos, es el mismo.

En cada uno se manifiesta el Espíritu para el bien común. Uno recibe el don de la sabiduría; otro, el don de la ciencia. A uno se le concede el don de la fe; a otro, la gracia de hacer curaciones, y a otro más, poderes milagrosos. Uno recibe el don de profecía, y otro, el de discernir los espíritus. A uno se le concede el don de lenguas, y a otro, el de interpretarlas. Pero es uno solo y el mismo Espíritu el que hace todo eso, distribuyendo a cada uno sus dones, según su voluntad.

Evangelio

Juan 2:1–11

En aquel tiempo, hubo una boda en Caná de Galilea, a la cual asistió la madre de Jesús. Éste y sus discípulos también fueron invitados. Como llegara a faltar el vino, María le dijo a Jesús: "Ya no tienen vino". Jesús le contestó: "Mujer, ¿qué podemos hacer tú y yo? Todavía no llega mi hora". Pero ella dijo a los que servían: "Hagan lo que él les diga".

Había allí seis tinajas de piedra, de cien litros cada una, para las purificaciones de los judíos. Jesús dijo a los que servían: "Llenen de agua esas tinajas". Y las llenaron hasta el borde. Entonces les dijo: "Saquen ahora un poco y llévenselo al mayordomo".

Así lo hicieron, y en cuanto el encargado de la fiesta probó el agua convertida en vino, sin saber su procedencia, porque sólo los sirvientes la sabían, llamó al novio y le dijo: "Todo el mundo sirve primero el vino mejor, y cuando los invitados ya han bebido bastante, se sirve el corriente. Tú, en cambio, has guardado el vino mejor hasta ahora".

Esto que Jesús hizo en Caná de Galilea fue la primera de sus signos. Así manifestó su gloria y sus discípulos creyeron en él.

El poder de la intercesión

POCAS VECES caemos en cuenta el poder que tiene la intercesión por los demás. Hoy en el Evangelio de san Juan nos encontramos ante un episodio poco común, la falta de vino en una boda que se celebraba en Caná de Galilea. Tanto Jesús como su madre habían sido invitados. De pronto, ella se percata de que a los novios se les acabó el vino y estaban a punto de pasar una vergüenza pública con todos los asistentes. La madre se dirige a su hijo, Jesús, para pedirle que haga algo, su Hijo le dice que no puede hacer nada; pero su madre les dice a los sirvientes: "hagan lo que él les diga". Esta es la actitud que debemos tener en nuestra oración de intercesión, pedir siempre que se haga la voluntad de Dios, especialmente cuando ya hemos dado todos los pasos correspondientes que nos toca dar a cada uno de nosotros.

Por ser discípulos de Cristo, no podemos permanecer pasivos ante las necesidades de los demás; sobre todo frente a las de aquellos que más sufren, los pobres, los migrantes, los enfermos. Nuestra intercesión tiene que llevarnos al accionar correspondiente en la realidad que viven los protagonistas, de lo contrario, nos quedamos en un mero misticismo enajenante, porque no toca las realidades que nos toca vivir. Por ejemplo, si vemos que una familia no tiene que comer; nuestra intercesión tiene que ir acompañada del agotamiento de los recursos necesarios a nuestro alcance para suplir esa necesidad. Nuestra intercesión, en ocasiones, tendrá que materializarse en encontrar las posibilidades que estén a nuestro alrededor para ayudar a esas personas tan necesitadas. Cuando oramos por un enfermo, es necesario visitarlo, compartir con él, si es posible; pero al final, debemos tener la misma actitud de la Santísima Virgen María: que se haga siempre la voluntad de Dios, no la nuestra.

Otro de los puntos de la intercesión que nos presenta el evangelio de hoy, es que tengamos plena confianza en que Dios siempre escucha nuestra oración, por eso la elevamos con fe. Quizá algunas veces parece que Dios está como callado, como que no atiende nuestra intercesión. Sin embargo, tenemos que recordar que nuestros tiempos y perspectivas son muy diferentes a los del Padre celestial que nos ama y cuida de nosotros; de ahí la necesidad de que al final de nuestra oración agreguemos siempre: Señor, que se haga tu santa voluntad. (J.S.) ∎

VIVIENDO NUESTRA FE

El día de nuestro bautismo recibimos la triple misión de Cristo, sacerdote, profeta y rey. El sacerdocio común del que todos participamos nos otorga la facultad de elevar nuestras oraciones de intercesión por los demás; por eso, es necesario que reflexionemos sobre cómo hemos venido ejercitando nuestro sacerdocio. "Toda la comunidad de los creyentes es, como tal, sacerdotal. Los fieles ejercen su sacerdocio bautismal a través de su participación, cada uno según su vocación propia, en la misión de Cristo, sacerdote, profeta y rey" (CEC, 1546).

PARA REFLEXIONAR

1. ¿Ha intervenido usted por alguien? ¿Alguien ha intervenido por usted?

2. Por su sacerdocio bautismal, ¿qué tipo de sacrificios ha ofrecido por los demás?

3. ¿Con cuánta frecuencia se solidariza usted y su grupo con una causa de interés común?

LECTURAS SEMANALES
17–22 de enero

L *1 Sam 15:16–23; Mc 2:18–22*

M *1 Sam 16:1–13; Mc 2:23–28*

M *1 Sam 17:32–33, 37, 40–51; Mc 3:1–6*

J *1 Sam 18:6–9; 19:1–7; Mc 3:7–12*

V *1 Sam 24:3–21; Mc 3:13–19*

S *2 Sam 1:1–4, 11–12, 19, 23–27; Mc 3:20–21*

Primera lectura
Nehemías 8:2–4, 5–6, 8–10

En aquellos días, Esdras, el sacerdote, trajo el libro de la ley ante la asamblea, formada por los hombres, las mujeres y todos los que tenían uso de razón.

Era el día primero del mes séptimo, y Esdras leyó desde el amanecer hasta el mediodía, en la plaza que está frente a la puerta del Agua, en presencia de los hombres, las mujeres y todos los que tenían uso de razón. Todo el pueblo estaba atento a la lectura del libro de la ley. Esdras estaba de pie sobre un estrado de madera, levantado para esta ocasión. Esdras abrió el libro a la vista del pueblo, pues estaba en un sitio más alto que todos, y cuando lo abrió, el pueblo entero se puso de pie. Esdras bendijo entonces al Señor, el gran Dios, y todo el pueblo, levantando las manos, respondió: "¡Amén!", e inclinándose, se postraron rostro en tierra. Los levitas leían el libro de la ley de Dios con claridad y explicaban el sentido, de suerte que el pueblo comprendía la lectura.

Entonces Nehemías, el gobernador, Esdras, el sacerdote y escriba, y los levitas que instruían a la gente, dijeron a todo el pueblo: "Éste es un día consagrado al Señor, nuestro Dios. No estén ustedes tristes ni lloren (porque todos lloraban al escuchar las palabras de la ley). Vayan a comer espléndidamente, tomen bebidas dulces y manden algo a los que nada tienen, pues hoy es un día consagrado al Señor, nuestro Dios. No estén tristes, porque celebrar al Señor es nuestra fuerza".

Salmo responsorial
Salmo 19:8, 9, 10, 15

R. Tus palabras, Señor, son espíritu y vida.

La ley del Señor es perfecta y es descanso del alma; el precepto del Señor es fiel e instruye al ignorante. **R.**

Los mandatos del Señor son rectos y alegran el corazón; la norma del Señor es límpida y da luz a los ojos. **R.**

La voluntad del Señor es pura y eternamente estable; los mandamientos del Señor son verdaderos y eternamente justos. **R.**

Que te agraden las palabras de mi boca, y llegue a tu presencia el meditar de mi corazón, Señor, roca mía, redentor mío. **R.**

Segunda lectura
1 Corintios 12:12–14, 27

Hermanos: Así como el cuerpo es uno y tiene muchos miembros y todos ellos, a pesar de ser muchos, forman un solo cuerpo, así también es Cristo. Porque todos nosotros, seamos judíos o no judíos, esclavos o libres, hemos sido bautizados en un mismo Espíritu, para formar un solo cuerpo, y a todos se nos ha dado a beber del mismo Espíritu. Ustedes son el cuerpo de Cristo y cada uno es un miembro de él.

O bien: 1 Corintios 12:12–30.

Evangelio
Lucas 1:1–4; 4:14–21

Muchos han tratado de escribir la historia de las cosas que pasaron entre nosotros, tal y como nos las trasmitieron los que las vieron desde el principio y que ayudaron en la predicación. Yo también, ilustre Teófilo, después de haberme informado minuciosamente de todo, desde sus principios, pensé escribírtelo por orden, para que veas la verdad de lo que se te ha enseñado.

(Después de que Jesús fue tentado por el demonio en el desierto), impulsado por el Espíritu, volvió a Galilea. Iba enseñando en las sinagogas; todos lo alababan y su fama se extendió por toda la región. Fue también a Nazaret, donde se había criado. Entró en la sinagoga, como era su costumbre hacerlo los sábados, y se levantó para hacer la lectura. Se le dio el volumen del profeta Isaías, lo desenrolló y encontró el pasaje en que estaba escrito: *El espíritu del Señor está sobre mí, porque me ha ungido para llevar a los pobres la buena nueva, para anunciar la liberación a los cautivos y la curación a los ciegos, para dar libertad a los oprimidos y proclamar el año de gracia del Señor.*

Enrolló el volumen, lo devolvió al encargado y se sentó. Los ojos de todos los asistentes a la sinagoga estaban fijos en él. Entonces comenzó a hablar, diciendo: "Hoy mismo se ha cumplido este pasaje de la Escritura que acaban de oír".

---

25 de enero de 2022
Conversión de san Pablo
Hch 22:3–16, o bien: Hch 9:1–22; Mc 16:15–18

La misión mesiánica

HOY, EN el Evangelio de san Lucas, nos encontramos ante la aceptación pública de Jesús de la misión para la que fue enviado por su Padre ante la asamblea que lo observa atentamente. El principal componente de esa misión es el anuncio de la Buena Noticia de salvación a los pobres, justamente a esos que sufren opresión, marginación y escasez. En la misión mesiánica, los pobres se encuentran con Jesús-esperanza, la Palabra que les trae consuelo y alegría de parte de Dios, en medio del sufrimiento. Es la Palabra quien, a través de nosotros, manifiesta su socorro a los más necesitados. Esa Palabra es el Mesías que comparte el dolor y sufrimiento que padecen los explotados y olvidados de nuestra sociedad.

La tarea mesiánica de la Palabra es aportar la liberación a los cautivos y la curación a los ciegos. Jesús viene para liberarnos de los males que nos aquejan y esclavizan, de todo lo que nos deshumaniza. Esta liberación de los cautivos se refiere a la esclavitud a la que muchas veces somos sometidos en nuestras sociedades. Jesús desea liberarnos de la esclavitud económica, política, religiosa, social. Para esto, nos derrama su Espíritu, que cura nuestra ceguera y nos hace conscientes de las esclavitudes que padecemos, ésas que sufrimos en nuestra vida diaria. Contra ellas debemos luchar y caminar hasta nuestra emancipación, tanto corporal como espiritual.

Por ser discípulos de Cristo, somos también promotores de esa misión mesiánica en cada uno de nuestros ambientes, comenzando en nuestro hogar, siguiendo por nuestro trabajo y la comunidad de fe, etcétera. Busquemos modos de llevar esa Buena Noticia a todas las personas, especialmente a las más necesitadas. Jesucristo nos libera de todo prejuicio y poder que nos oprime, precisamente en esto consiste ser cristiano: ser partícipe de la misión de Cristo. Pidamos a nuestro Redentor que nos dé su Espíritu, para ser fieles a esta Buena Noticia para la humanidad agobiada y cansada. (J.S.) ■

VIVIENDO NUESTRA FE

Cultura Romeriana es una agrupación que promueve la fe más allá de la misa dominical bajo el legado de san Oscar Romero en El Salvador. Sus miembros multiplican las obras de caridad y apoyan la transparencia de la justicia para toda la sociedad. Se nutren del Evangelio que Monseñor Romero traducía diciendo: "Queridos hermanos, esta es la gloria de la Iglesia: llevar en sus entrañas toda la kénosis de Cristo. Y por eso tiene que ser humilde y pobre" (Homilía del 1 de octubre de 1978, vol. V, página 226).

PARA REFLEXIONAR

1. ¿Dónde se nota operando la misión mesiánica de Cristo?

2. ¿Cómo ha participado usted en dicha misión? ¿Qué está haciendo para ello?

3. ¿Su comunidad y grupo de fe hace resplandecer la misión de Cristo en los más pobres?

---

26 de enero de 2022
Santos Timoteo y Tito
2 Tim 1:1–8 o bien: Tit 1:1–5; Sal 96:1–2a. 2b–3.
7–8a. 10; Mc 4:1–20

LECTURAS SEMANALES
24–29 de enero

L *2 Sam 5:1–7, 10; Mc 3:22–30*

M *Conversión de san Pablo*

M *Santos Timoteo y Tito, Obispos*

J *2 Sam 7:18–19, 24–29; Mc 4:21–25*

V *2 Sam 11:1–4a, 5–10a, 13–17; Mc 4:26–34*

S *2 Sam 12:1–7a, 10–17; Mc 4:35–41*

30 de enero de 2022   IV Domingo del Tiempo Ordinario

Primera lectura

Jeremías 1:4–5, 17–19

En tiempo de Josías, el Señor me dirigió estas palabras: / "Desde antes de formarte en el seno materno, te conozco; / desde antes de que nacieras, / te consagré como profeta para las naciones. / Cíñete y prepárate; / ponte en pie y diles lo que yo te mando. / No temas, no titubees delante de ellos, / para que yo no te quebrante.

Mira: hoy te hago ciudad fortificada, / columna de hierro y muralla de bronce, / frente a toda esta tierra, / así se trate de los reyes de Judá, como de sus jefes, / de sus sacerdotes o de la gente del campo. / Te harán la guerra, pero no podrán contigo, / porque yo estoy a tu lado para salvarte".

Salmo responsorial

Salmo 71:1–2, 3–4a, 5–6ab

R. Mi boca anunciará tu salvación, Señor.

A ti, Señor, me acojo: no quede yo derrotado para siempre; tú que eres justo, líbrame y ponme a salvo, inclina a mí tu oído, y sálvame. **R.**

Se tú mi roca de refugio, el alcázar donde me salve, porque mi peña y mi alcázar eres tú. Dios mío, líbrame de la mano perversa. **R.**

Porque tú, Dios mío, fuiste mi esperanza y mi confianza, Señor, desde mi juventud. En el vientre materno ya me apoyaba en ti, en el seno tú me sostenías. **R.**

Segunda lectura

1 Corintios 13:4–13

Hermanos: El amor es comprensivo, el amor es servicial y no tiene envidia; el amor no es presumido ni se envanece; no es grosero ni egoísta; no se irrita ni guarda rencor; no se alegra con la injusticia, sino que goza con la verdad. El amor disculpa sin límites, confía sin límites, espera sin límites, soporta sin límites.

El amor dura por siempre; en cambio, el don de profecía se acabará; el don de lenguas desaparecerá y el don de ciencia dejará de existir, porque nuestros dones de ciencia y de profecía son imperfectos. Pero cuando llegue la consumación, todo lo imperfecto desaparecerá.

Cuando yo era niño, hablaba como niño, sentía como niño y pensaba como niño; pero cuando llegué a ser hombre, hice a un lado las cosas de niño. Ahora vemos como en un espejo y oscuramente, pero después será cara a cara. Ahora sólo conozco de una manera imperfecta, pero entonces conoceré a Dios como él me conoce a mí. Ahora tenemos estas tres virtudes: la fe, la esperanza y el amor; pero el amor es la mayor de las tres.

O bien: 1 Corintios 12:31—13:13.

Evangelio

Lucas 4:21–30

En aquel tiempo, después de que Jesús leyó en la sinagoga un pasaje del libro de Isaías, dijo: "Hoy mismo se ha cumplido este pasaje de la Escritura que ustedes acaban de oír". Todos le daban su aprobación y admiraban la sabiduría de las palabras que salían de sus labios, y se preguntaban: "¿No es éste el hijo de José?"

Jesús les dijo: "Seguramente me dirán aquel refrán: 'Médico, cúrate a ti mismo' y haz aquí, en tu propia tierra, todos esos prodigios que hemos oído que has hecho en Cafarnaúm". Y añadió: "Yo les aseguro que nadie es profeta en su tierra. Había ciertamente en Israel muchas viudas en los tiempos de Elías, cuando faltó la lluvia durante tres años y medio, y hubo un hambre terrible en todo el país; sin embargo, a ninguna de ellas fue enviado Elías, sino a una viuda que vivía en Sarepta, ciudad de Sidón. Había muchos leprosos en Israel, en tiempos del profeta Eliseo; sin embargo, ninguno de ellos fue curado sino Naamán, que era de Siria".

Al oír esto, todos los que estaban en la sinagoga se llenaron de ira, y levantándose, lo sacaron de la ciudad y lo llevaron hasta un barranco del monte, sobre el que estaba construida la ciudad, para despeñarlo. Pero él, pasando por en medio de ellos, se alejó de ahí.

> **2 de febrero de 2022**
> Presentación del Señor
> *Mal 3:1–4; Heb 2:14–18; Lc 2:22–40*
> *o bien 2:22–32*

El camino perfecto

¿CUÁL ES el camino para ser feliz, para vivir en la paz y armonía cristianas? Pablo, en la segunda lectura de hoy, nos muestra ese camino; lo antepone a todo, incluso a las virtudes de la fe y de la esperanza; es el amor.

En un cántico único y especial, san Pablo va señalando las características de este camino, que nos aprovecha repasar. "El amor es comprensivo, servicial y sin envidia". Si estas cualidades las ponemos en cada una de nuestras acciones, podremos experimentar la cercanía de Dios. Comprender a los demás significa ponerse en el lugar del otro, su realidad, el ambiente en que vive o los problemas que lo rodean. Cuando somos conscientes de las circunstancias de los otros, nuestra actitud es la comprensión. De su lado, la persona comprendida siente una actitud de agradecimiento, aunque no lo manifieste de momento. Comprender a la otra persona nos lleva a servirle de todo corazón, sin esperar nada a cambio. Servir nos llena de gozo y satisfacción, sobre todo cuando lo hacemos con los más necesitados. La comprensión y el servicio nos guarda de envidiar los dones con los que Dios ha dotado a otro ser humano.

El apóstol Pablo prosigue con otras notas de ese camino de perfección. Anota que "el amor no se alegra con la injusticia, sino que se goza en la verdad". Muchas veces sin darnos cuenta, podemos ser injusto con alguien, incluso con nosotros mismos; de ahí la importancia de estar atento para que no nos pase, tenemos que ser testigos de la verdad, aunque esto nos traiga críticas y rechazo de algunas personas.

Pero sin duda, la cúspide de este camino de perfección llega al final de su cántico: "El amor disculpa sin límites, confía sin límites, espera sin límites, soporta sin límite". El perdón, es una gracia especial del amor. Por eso tenemos que pedirla constantemente, para poder perdonar siempre. La confianza es el reflejo y práctica constante de una persona que ama, así me haya defraudado, tengo que confiar siempre en el ser humano, como lo hace Dios conmigo. La esperanza nos mantiene optimistas en nuestro camino de perfeccionamiento y nos motiva a soportar maltratos e injusticias a lo largo de nuestra ruta. Por eso, procuremos mantener la conciencia de vivir continuamente en la presencia de Dios, para crecer en su amor infinito. (J.S.) ■

VIVIENDO NUESTRA FE

El amor trasciende la realización personal y se extiende al tejido social. Por lo mismo, debe ser un ingrediente fundamental de todo entramado educativo. "La doctrina social es un instrumento necesario para una eficaz educación cristiana al amor, la justicia, la paz, así como para madurar la conciencia de los deberes morales y sociales en el ámbito de las diversas competencias culturales y profesionales" (CDSI, 532).

PARA REFLEXIONAR

1. ¿Dónde percibe usted el amor como san Pablo lo describe?

2. ¿En qué nota que es el amor cristiano lo que a usted lo lleva a hablar y actuar?

3. ¿Qué acciones emprende su comunidad de fe para educar en el amor cristiano a los niños, jóvenes y adultos?

LECTURAS SEMANALES
31 de enero–5 de febrero

L *2 Sam 15:13–14, 30; 16:5–13; Mc 5:1–20*

M *2 Sam 18:9–10, 14b, 24–25a, 30—19:3; Mc 5:21–43*

M *Presentación del Señor*

J *1 Re 2:1–4, 10–12; Mc 6:7–13*

V *Sir 47:2–11; Mc 6:14–29*

S *1 Re 3:4–13; Mc 6:30–34*

6 de febrero de 2022 V Domingo del Tiempo Ordinario

Primera lectura

Isaías 6:1–2, 3–8

El año de la muerte del rey Ozías, vi al Señor, sentado sobre un trono muy alto y magnífico. La orla de su manto llenaba el templo. Había dos serafines junto a él, con seis alas cada uno, que se gritaban el uno al otro:

"Santo, santo, santo es el Señor, Dios de los ejércitos; / su gloria llena toda la tierra".

Temblaban las puertas al clamor de su voz y el templo se llenaba de humo. Entonces exclamé:

"¡Ay de mí!, estoy perdido, / porque soy un hombre de labios impuros, / que habito en medio de un pueblo de labios impuros, / porque he visto con mis ojos al Rey y Señor de los ejércitos".

Después voló hacia mí uno de los serafines. Llevaba en la mano una brasa, que había tomado del altar con unas tenazas. Con la brasa me tocó la boca, diciéndome:

"Mira: Esto ha tocado tus labios. / Tu iniquidad ha sido quitada / y tus pecados están perdonados".

Escuché entonces la voz del Señor que decía: "¿A quién enviaré? ¿Quién irá de parte mía?" Yo le respondí: "Aquí estoy, Señor, envíame."

Salmo responsorial

Salmo 138:1–2a, 2bc–3, 4–5, 7c–8

R. Delante de los ángeles tañeré para ti, Señor.

Te doy gracias, Señor, de todo corazón; porque cuando te hablaba, me escuchaste. Delante de los ángeles tañeré para ti, me postraré hacia tu santuario. **R.**

Daré gracias a tu nombre: por tu misericordia y tu lealtad, porque tu promesa supera tu fama. Cuando te hablaba, me escuchaste. Acreciste el valor en mi alma. **R.**

Que te den gracias, Señor, los reyes de la tierra, al escuchar el oráculo de tu boca; canten los caminos del Señor, porque la gloria del Señor es grande. **R.**

Extiendes tu brazo y tu derecha me salva. El Señor, completará sus favores conmigo: Señor, tu misericordia es eterna, no abandones la obra de tus manos. **R.**

Segunda lectura

1 Corintios 15:3–8, 11

Hermanos: Les transmití, ante todo, lo que yo mismo recibí: que Cristo murió por nuestros pecados, como dicen las Escrituras; que fue sepultado y que resucitó al tercer día, según estaba escrito; que se le apareció a Pedro y luego a los Doce; después se apareció a más de quinientos hermanos reunidos, la mayoría de los cuales vive aún y otros ya murieron. Más tarde se le apareció a Santiago y luego a todos los apóstoles.

Finalmente, se me apareció también a mí, que soy como un aborto. De cualquier manera, sea yo, sean ellos, esto es lo que nosotros predicamos y esto mismo lo que ustedes han creído.

O bien: 1 Corintios 15:1–11.

Evangelio

Lucas 5:1–11

En aquel tiempo, Jesús estaba a orillas del lago de Genesaret y la gente se agolpaba en torno suyo para oír la palabra de Dios. Jesús vio dos barcas queestaban junto a la orilla. Los pescadores habían desembarcado y estaban lavando las redes. Subió Jesús a una de las barcas, la de Simón, le pidió que la alejara un poco de tierra, y sentado en la barca, enseñaba a la multitud.

Cuando acabó de hablar, dijo a Simón: "Lleva la barca mar adentro y echen sus redes para pescar". Simón replicó: "Maestro, hemos trabajado toda la noche y no hemos pescado nada; pero, confiado en tu palabra, echaré las redes". Así lo hizo y cogieron tal cantidad de pescados, que las redes se rompían. Entonces hicieron señas a sus compañeros, que estaban en la otra barca, para que vinieran a ayudarlos. Vinieron ellos y llenaron tanto las dos barcas, que casi se hundían.

Al ver esto, Simón Pedro se arrojó a los pies de Jesús y le dijo: "¡Apártate de mí, Señor, porque soy un pecador!" Porque tanto él como sus compañeros estaban llenos de asombro al ver la pesca que habían conseguido. Lo mismo les pasaba a Santiago y a Juan, hijos de Zebedeo, que eran compañeros de Simón.

Entonces Jesús le dijo a Simón: "No temas; desde ahora serás pescador de hombres". Luego llevaron las barcas a tierra, y dejándolo todo; lo siguieron.

Mar adentro

EL EVANGELIO de hoy nos invita a remar mar adentro, a no quedarnos en las orillas, sino a dejar nuestra zona de confort, confiando siempre en la palabra de Jesús.

Puede suceder que en nuestras comunidades cristianas nos hayamos vuelto conformistas, practicando una fe cómoda y reaccionando a lo que vaya surgiendo. Sin embargo, hoy escuchamos a Jesús invitándonos a salir de nuestra comodidad; nos reta a poner nueva energía en la tarea de evangelizar en las periferias más necesitadas; nos sacude la indiferencia o el conformismo de brazos cruzados. "Lleven la barca mar adentro y echen las redes para pescar". Es necesario confiar en esa invitación del Maestro, y adentrarnos en lugares nuevos, tal vez desconocidos. Es necesario lanzar las redes con todo el brazo.

Puede ser que en ocasiones las estrategias y pedagogías pastorales que hemos utilizado no hayan sido las adecuadas para la misión, y el fracaso es rotundo. Por eso, la necesidad de escuchar las indicaciones del Maestro, de aprender posibles estrategias que puedan funcionar, de nunca cerrarnos en que todo tiene que ser según mi forma de pensar y de la manera que lo he venido haciendo siempre. Abramos el oído, escuchemos a Jesús y lancemos la red.

Puede ser también que haya habido resultados positivos, mejores de los que habíamos anticipado cuando anunciamos la Buena Nueva. En ocasiones, la misión tiene tanta demanda, que invitamos a otros a que se nos unan para poder sacarla adelante. Pero ¿qué fue lo que hicimos diferente para ese resultado? ¡Si somos más pecadores que Pedro! Escuchar a Jesús; lanzar la red.

Hay que dejar que la palabra del Maestro, su Espíritu de vida, nos indique el método pastoral y las estrategias adecuadas para que el Evangelio sea recibido. Más que nunca, hoy es importante atrevernos mar adentro para llevar la Buena Nueva a tantos y diferentes ambientes a nuestro alrededor. Abramos el oído a la voz del Maestro y echemos las redes cuando él nos lo indique. (J.S.) ■

VIVIENDO NUESTRA FE

La acción pastoral de la Iglesia nunca es ajena a la transformación de la sociedad conforme a la verdad del Evangelio. *El Compendio de la Doctrina Social de la Iglesia* lo establece claramente: "El mensaje social del Evangelio debe orientar la Iglesia a desarrollar una doble tarea pastoral: ayudar a los hombres a descubrir la verdad y elegir el camino a seguir; y animar el compromiso de los cristianos de testimoniar, con solícito servicio, el Evangelio en campo social" (525).

PARA REFLEXIONAR

1. ¿Dónde nota usted que es más necesaria la palabra del Evangelio?

2. ¿Cómo ha enriquecido su vida cristiana la lectura del Evangelio?

3. ¿Cuáles son los "ambientes periféricos" a los que su grupo de fe lleva el Evangelio?

LECTURAS SEMANALES
7–12 de febrero

L *1 Re 8:1–7, 9–13; Mc 6:53–56*

M *1 Re 8:22–23, 27–30; Mc 7:1–13*

M *1 Re 10:1–10; Mc 7:14–23*

J *1 Re 11:4–13; Mc 7:24–30*

V *1 Re 11:29–32; 12:19; Mc 7:31–37*

S *1 Re 12:26–32; 13:33–34; Mc 8:1–10*

Primera lectura

Jeremías 17:5–8

Esto dice el Señor:

"Maldito el hombre que confía en el hombre, / que en él pone su fuerza / y aparta del Señor su corazón. / Será como un cardo en la estepa, / que nunca disfrutará de la lluvia. / Vivirá en la aridez del desierto, / en una tierra salobre e inhabitable.

Bendito el hombre que confía en el Señor / y en él pone su esperanza. / Será como un árbol plantado junto al agua, / que hunde en la corriente sus raíces; / cuando llegue el calor, no lo sentirá / y sus hojas se conservarán siempre verdes; / en año de sequía no se marchitará ni dejará de dar frutos".

Salmo responsorial

Salmo 1:1–2, 3, 4 y 6

R. (Sal 40 [39]: 5a) Dichoso el hombre que ha puesto su confianza en el Señor.

Dichoso el hombre que no sigue el consejo de los impíos, ni entra por la senda de los pecadores, ni se sienta en la reunión de los cínicos; sino que su gozo es la ley del Señor, y medita su ley día y noche. **R.**

Será como un árbol plantado al borde de la acequia: da fruto en su sazón y no se marchitan sus hojas; y cuanto emprende tiene buen fin. **R.**

No así los impíos, no así; serán paja que arrebata el viento. Porque el Señor protege el camino de los justos, pero el camino de los impíos acaba mal. **R.**

Segunda lectura

1 Corintios 15:12, 16–20

Hermanos:

Si hemos predicado que Cristo resucitó de entre los muertos, ¿cómo es que algunos de ustedes andan diciendo que los muertos no resucitan? Porque si los muertos no resucitan, tampoco Cristo resucitó. Y si Cristo no resucitó, es vana la fe de ustedes; y por lo tanto, aún viven ustedes en pecado, y los que murieron en Cristo, perecieron. Si nuestra esperanza en Cristo se redujera tan sólo a las cosas de esta vida, seríamos los más infelices de todos los hombres. Pero no es así, porque Cristo resucitó, y resucitó como la primicia de todos los muertos.

Evangelio

Lucas 6:17, 20-26

En aquel tiempo, Jesús descendió del monte con sus discípulos y sus apóstoles y se detuvo en un llano. Allí se encontraba mucha gente, que había venido tanto de Judea y de Jerusalén, como de la costa de Tiro y de Sidón.

Mirando entonces a sus discípulos, Jesús les dijo: / Dichosos ustedes los pobres, / porque de ustedes es el Reino de Dios. / Dichosos ustedes los que ahora tienen hambre, / porque serán saciados. / Dichosos ustedes los que lloran ahora, / porque al fin reirán.

Dichosos serán ustedes cuando los hombres los aborrezcan y los expulsen de entre ellos, y cuando los insulten y maldigan por causa del Hijo del hombre. Alégrense ese día y salten de gozo, porque su recompensa será grande en el cielo. Pues así trataron sus padres a los profetas.

Pero, ¡ay de ustedes, los ricos, / porque ya tienen ahora su consuelo! / ¡Ay de ustedes, los que se hartan ahora, / porque después tendrán hambre! / ¡Ay de ustedes, los que ríen ahora, / porque llorarán de pena! / ¡Ay de ustedes, cuando todo el mundo los alabe, / porque de ese modo trataron sus padres a los falsos profetas!"

La felicidad en el sufrimiento

A SIMPLE vista, parece contradictorio lo que Jesús nos enseña en el evangelio; declara dichosos a los pobres, a los que tienen hambre, a los que lloran. ¿Cómo ser dichoso en medio de penas y dolores que laceran? Cristo nos da una vía: unir nuestro dolor al del Cristo crucificado, para que él nos lo transforme en redención. Jesús deseaba llegar al sufrimiento de la cruz, aunque su humanidad estaba aterrada por ese momento terrible. Él sabía que, por su calvario, él lograría liberarnos de nuestros pecados. El sentido del sufrimiento consiste en descubrir en él la cercanía de Dios; asumir nuestra impotencia y comenzar a experimentar el bálsamo de la libertad que él nos dispensa y nos acerca a su Reino.

Cuando pasamos hambre por causa de las injusticias de este mundo, Dios nos sacia con su gracia y misericordia, sin importar las circunstancias que nos toque vivir. Cuando lloramos por el dolor que sufrimos, encontramos nuestro consuelo en la pasión y resurrección del Señor. Ciertamente, lo que para el mundo parece una contradicción o una maldición, en Dios, es el medio de llegar a la salvación; ya que el sufrimiento también puede purificarnos, fortalecer nuestra fe y ayudarnos a ver más allá de este tiempo y espacio. Nos hace ver con esperanza la eternidad.

Ahora bien, cuando este sufrimiento es padecido como consecuencia del desarrollo de nuestra voz profética, cuando por anunciar la Buena Nueva en medio de circunstancias adversas recibimos reproches, maldiciones o insultos; Dios nos dice que tenemos que alegrarnos, ya que nuestra recompensa será grande en el Reino de los Cielos. Ser testigo fiel del anuncio de la Buena Nueva muchas veces incomoda las diferentes clases sociales, políticas, religiosas, económicas; pero es ahí donde tenemos que ser fieles al anuncio del Evangelio, esa es la misión que recibimos el día de nuestro bautismo y la cual fortalecimos en nuestra confirmación; sin importar que ello nos acarree rechazos, críticas, acusaciones de todo tipo, etcétera. Sintámonos dichosos cuando esto nos pase, porque nuestra recompensa será grande en la vida eterna. Que Dios nos dé la gracia de la fidelidad a la hora de la prueba, que así sea. (J.S.) ■

VIVIENDO NUESTRA FE

El Evangelio exige fidelidad a su integridad. Esta fidelidad que la Iglesia tiene muy presente pide leer las Escrituras para redescubrir el rostro misericordioso del Señor y cotejarlas con la realidad. Es un ejercicio de integridad. *Evangelii gaudium* anota: "El imperativo de escuchar el clamor de los pobres se hace carne en nosotros cuando se nos estremecen las entrañas ante el dolor ajeno. Releamos algunas enseñanzas de la Palabra de Dios sobre la misericordia, para que resuenen con fuerza en la vida de la Iglesia" (EG, 193).

PARA REFLEXIONAR

1. ¿Qué sufrimientos son causados por anunciar el Evangelio fielmente?

2. ¿Ha experimentado usted el gozo de anunciar el Evangelio?

3. ¿Qué retos confronta su comunidad de fe para mantener íntegro el anuncio del Evangelio?

LECTURAS SEMANALES
14–19 de febrero

L *Sant 1:1–11; Mc 8:11–13*

M *Sant 1:12–18; Mc 8:14–21*

M *Sant 1:19–27; Mc 8:22–26*

J *Sant 2:1–9; Mc 8:27–33*

V *Sant 2:14–24, 26; Mc 8:34—9:1*

S *Sant 3:1–10; Mc 9:2–13*

20 de febrero de 2022   VII Domingo del Tiempo Ordinario

Primera lectura
1 Samuel 26:2, 7–9, 12–13, 22–23

En aquellos días, Saúl se puso en camino con tres mil soldados israelitas, bajó al desierto de Zif en persecución de David y acampo en Jakilá.

David y Abisay fueron de noche al campamento enemigo y encontraron a Saúl durmiendo entre los carros; su lanza estaba clavada en tierra, junto a su cabecera, y en torno a él dormían Abner y su ejército. Abisay dijo entonces a David: "Dios te está poniendo al enemigo al alcance de tu mano. Deja que lo clave ahora en tierra con un solo golpe de su misma lanza. No hará falta repetirlo". Pero David replicó: "No lo mates. ¿Quién puede atentar contra el ungido del Señor y quedar sin pecado?"

Entonces cogió David la lanza y el jarro de agua de la cabecera de Saúl y se marchó con Abisay. Nadie los vio, nadie se enteró y nadie despertó; todos siguieron durmiendo, porque el Señor les había enviado un sueño profundo.

David cruzó de nuevo el valle y se detuvo en lo alto del monte, a gran distancia del campamento de Saúl. Desde ahí gritó: "Rey Saúl, aquí está tu lanza, manda a alguno de tus criados a recogerla. El Señor le dará a cada uno según su justicia y su lealtad, pues él te puso hoy en mis manos, pero yo no quise atentar contra el ungido del Señor".

Salmo responsorial
Salmo 103 (102):1–2, 3–4, 8 y 10, 12–13

R. (8a) El Señor es compasivo y misericordioso.

Bendice, alma mía, al Señor, y todo mi ser a su santo nombre. Bendice, alma mía, al Señor, y no olvides sus beneficios. **R.**

Él perdona todas tus culpas y cura todas tus enfermedades; el rescata tu vida de la fosa, y te colma de gracia y de ternura. **R.**

El Señor es compasivo y misericordioso, lento a la ira y rico en clemencia; no nos trata como merecen nuestros pecados ni nos paga según nuestras culpas. **R.**

Como dista el oriente del ocaso, así aleja de nosotros nuestros delitos; Como un padre siente ternura por sus hijos, siente el Señor ternura por sus fieles. **R.**

Segunda lectura
1 Corintios 15:45–49

Hermanos:

La Escritura dice que *el* primer *hombre*, Adán, *fue un ser que tuvo vida;* el último Adán es espíritu que da la vida. Sin embargo, no existe primero lo vivificado por el Espíritu, sino lo puramente humano; lo vivificado por el Espíritu viene después.

El primer hombre, hecho de tierra, es terreno; el segundo viene del cielo. Como fue el hombre terreno, así son los hombres terrenos; como es el hombre celestial, así serán los celestiales. Y del mismo modo que fuimos semejantes al hombre terreno, seremos también semejantes al hombre celestial.

Evangelio
Lucas 6:27–38

En aquel tiempo, Jesús dijo a sus discípulos: "Amen a sus enemigos, hagan el bien a los que los aborrecen, bendigan a quienes los maldicen y oren por quienes los difaman. Al que te golpee en una mejilla, preséntale la otra; al que te quite el manto, déjalo llevarse también la túnica. Al que te pida, dale; y al que se lleve lo tuyo, no se lo reclames.

Traten a los demás como quieran que los traten a ustedes; porque si aman sólo a los que los aman, ¿qué hacen de extraordinario? También los pecadores aman a quienes los aman. Si hacen el bien sólo a los que les hacen el bien, ¿qué tiene de extraordinario? Lo mismo hacen los pecadores. Si prestan solamente cuando esperan cobrar, ¿qué hacen de extraordinario? También los pecadores prestan a otros pecadores, con la intención de cobrárselo después.

Ustedes, en cambio, amen a sus enemigos, hagan el bien y presten sin esperar recompensa. Así tendrán un gran premio y serán hijos del Altísimo, porque él es bueno hasta con los malos y los ingratos. Sean misericordiosos, como su Padre es misericordioso.

No juzguen y no serán juzgados; no condenen y no serán condenados; perdonen y serán perdonados. Den y se les dará: recibirán una medida buena, bien sacudida, apretada y rebosante en los pliegues de su túnica. Porque con la misma medida con que midan, serán medidos".

La misma medida

EL EVANGELIO de hoy nos presenta una especie de compendio de las actitudes del discípulo de Jesús y aunque podríamos resumirlas en el amor, conviene repasar sus palabras.

El Señor nos pide amar a los enemigos, cosa que no es tan sencilla, sobre todo cuando nos han hecho mucho daño. Pide hacer el bien a quienes nos aborrecen, lo que siempre será un verdadero reto. Pero sin duda, la clave para no caer en la tentación que el enemigo nos pone a lo largo de nuestra vida es la de no juzgar, y menos condenar, a alguien por su forma de pensar o actuar, simplemente porque difiere de las nuestras.

En nuestras comunidades de fe, podemos caer en la tentación de juzgar a una persona, a un líder o al mismo pastor, sin darnos cuenta del pecado que cometemos. Hagamos conciencia de que solamente la persona y Dios conocen las batallas que ella está librando en esos momentos. Peor aún, algunas veces llegamos a condenar a alguien ¡hasta por el bien que hace una persona! Hoy nuestro Señor en el evangelio nos pide no juzgar a nadie de nuestra familia, trabajo o comunidad de fe. Nos pide no condenar, pues tanto el juzgar como el condenar le competen solamente a Dios.

El Señor también nos manda a sus discípulos perdonar a todos aquellos que nos ofenden. Cuando logramos otorgar perdón y pedir perdón al que hemos ofendido, nos liberamos de un peso enorme que abruma nuestro espíritu. Jesús va más allá, nos dice que perdonemos para ser perdonados; nos lo pone como un requisito, y resuena en el Padrenuestro. Estas actitudes son las medidas que tienen que estar bien organizadas en nuestra vida diaria, ya que es la vía para que no seamos juzgados o condenados; es la medida exacta para recibir siempre el perdón. Porque con la misma medida que midamos, nos medirán; si juzgamos y condenamos a alguien, también nosotros seremos juzgados y condenados; si perdonamos a los demás, también recibiremos perdón. Que con la gracia de Dios logremos ser discípulos fieles de Cristo Jesús. (J.S.) ■

VIVIENDO NUESTRA FE

El perdón es un componente esencial en el tejido social e internacional. El magisterio de la Iglesia establece lo siguiente: "El perdón recíproco no debe anular las exigencias de la justicia, ni mucho menos impedir el camino que conduce a la verdad: justicia y verdad representan, en cambio, los requisitos concretos de la reconciliación" (CDSI, 518).

PARA REFLEXIONAR

1. ¿Con qué medios se alimenta el odio y el rencor? ¿Con cuáles el perdón?

2. ¿Cómo lucha usted para evitar prejuicios y reprobaciones?

3. ¿Cómo alienta su comunidad de fe la autoestima y el aprecio a los demás?

LECTURAS SEMANALES
21–26 de febrero

L *Sant 3:13–18; Mc 9:14–29*

M *1 Pe 5:1–4; Mt 16:13–19*

M *Sant 4:13–17; Mc 9:38–40*

J *Sant 5:1–6; Mc 9:41–50*

V *Sant 5:9–12; Mc 10:1–12*

S *Sant 5:13–20; Mc 10:13–16*

Primera lectura

Eclesiástico o Sirácide 27:4–7

Al agitar el cernidor, aparecen las basuras; / en la discusión aparecen los defectos del hombre. / En el horno se prueba la vasija del alfarero; / la prueba del hombre está en su razonamiento. / El fruto muestra cómo ha sido el cultivo de un árbol; / la palabra muestra la mentalidad del hombre. / Nunca alabes a nadie antes de que hable, / porque ésa es la prueba del hombre.

Salmo responsorial

Salmo 92 (91):2–3, 13–14, 15–16

R. (cf. 2a) Es bueno darte gracias, Señor.

Es bueno dar gracias al Señor y tocar para tu nombre, oh Altísimo, proclamar por la mañana tu misericordia y de noche tu fidelidad. **R.**

El justo crecerá como una palmera, se alzará como un cedro del Líbano: plantado en la casa del Señor, crecerá en los atrios de nuestro Dios. **R.**

En la vejez seguirá dando fruto y estará lozano y frondoso, para proclamar que el Señor es justo, que en mi Roca no existe la maldad. **R.**

Segunda lectura

1 Corintios 15:54–58

Hermanos:

Cuando nuestro ser corruptible y mortal se revista de incorruptibilidad e inmortalidad, entonces se cumplirá la palabra de la Escritura: *La muerte ha sido aniquilada por la victoria. ¿Dónde está, muerte, tu victoria? ¿Dónde está, muerte, tu aguijón?* El aguijón de la muerte es el pecado y la fuerza del pecado es la ley. Gracias a Dios, que nos ha dado la victoria por nuestro Señor Jesucristo.

Así pues, hermanos míos muy amados, estén firmes y permanezcan constantes, trabajando siempre con fervor en la obra de Cristo, puesto que ustedes saben que sus fatigas no quedarán sin recompensa por parte del Señor.

Evangelio

Lucas 6:39-45

En aquel tiempo, Jesús propuso a sus discípulos este ejemplo: "¿Puede acaso un ciego guiar a otro ciego? ¿No caerán los dos en un hoyo? El discípulo no es superior a su maestro; pero cuando termine su aprendizaje, será como su maestro.

¿Por qué ves la paja en el ojo de tu hermano y no la viga que llevas en el tuyo? ¿Cómo te atreves a decirle a tu hermano: 'Déjame quitarte la paja que llevas en el ojo', si no adviertes la viga que llevas en el tuyo? ¡Hipócrita! Saca primero la viga que llevas en tu ojo y entonces podrás ver, para sacar la paja del ojo de tu hermano.

No hay árbol bueno que produzca frutos malos, ni árbol malo que produzca frutos buenos. Cada árbol se conoce por sus frutos. No se recogen higos de las zarzas, ni se cortan uvas de los espinos. El hombre bueno dice cosas buenas, porque el bien está en su corazón, y el hombre malo dice cosas malas, porque e está en su corazón, pues la boca habla de lo que está lleno el corazón".

Cuando el bien está en tu corazón

EL EVANGELIO de hoy nos invita a reflexionar sobre las cosas que hay en nuestro corazón, ya que dependiendo de lo que tengamos en él, será lo que salga de nuestra boca. Cada acción que realizamos, cada palabra que decimos, cada pensamiento que tenemos es el reflejo de lo que habita en nuestro corazón. Cuando nuestro corazón está lleno de bondad, misericordia, gozo, paz, armonía, equilibrio, esperanza y sobre todo amor, sin duda que las palabras, pensamientos y acciones que brotan de nuestro interior, servirán para la edificación de nuestra propia naturaleza humana, la cual tiene que estar siempre enfocada en el servicio a los demás, especialmente a los pobres, enfermos, marginados y explotados. Cuando Dios habita en nuestro corazón, nuestro accionar siempre está lleno de misericordia y bondad; nunca juzgamos a nadie ni criticamos al hermano; por el contrario, somos comprensivos y lo ayudamos y compartimos su angustia, dolor o desesperación.

Pero cuando nuestro corazón está lleno de odio, envidia, soberbia, rivalidad, egoísmo; así serán las palabras que salen de nuestra boca y las acciones que realizamos con los demás. Un corazón en el que Dios está ausente está condenado a la soledad y al sufrimiento, porque no ve sino cosas negativas de y para las personas que lo rodean. Causa tristeza ver incluso líderes cristianos que tienen un corazón alejado de Dios, sus pensamientos y acciones van orientadas a intereses egoístas o institucionales, que no favorecen el bien común.

Por ser discípulos de Cristo, debemos sentirnos invitados por este evangelio a vivir con un corazón puro, siempre dispuesto a servir y amar a todos los que nos rodean; comenzando por nosotros mismos, siguiendo por nuestra familia y luego con toda nuestra comunidad. Imploremos al Espíritu Santo que transforme y viva siempre en nuestro corazón, para que cada palabra que sale de nuestros labios lleve consuelo al afligido, libertad al cautivo, esperanza al que se siente solo, alegría al triste, fortaleza al débil, paz al que vive en guerra y amor acuantos nos rodean. Esto es lo que nos reclama nuestra vida cristiana: nutrir nuestro corazón con el Sumo Bien para bendecir al hermano de palabra y de obra. (J.S.) ■

VIVIENDO NUESTRA FE

La tradición de la Iglesia reconoce que la bendición de Dios se derrama no sólo sobre las personas sino sobre todo lo que rodea la vida humana. En el *Compendio de la Doctrina Social de la Iglesia*, nos llama considerar esto. "Las condiciones que aseguran plenitud a la vida humana son, en todo el Antiguo Testamento, objeto de la bendición divina. Dios quiere garantizar al hombre los bienes necesarios para su crecimiento, la posibilidad de expresarse libremente, el resultado positivo del trabajo, la riqueza de relaciones entre seres semejantes" (428).

PARA REFLEXIONAR

1. ¿Qué actitudes favorecen la presencia de Dios en una persona? ¿Cuáles no?

2. ¿Cómo experimenta usted la bendición de Dios? ¿Cómo la transmite?

3. ¿Qué apoyos tiene su comunidad de fe para promover la justicia y paz sociales?

LECTURAS SEMANALES
28 de febrero–5 de marzo

L *1 Pe 1:3–9; Mc 10:17–27*

M *1 Pe 1:10–16; Mc 10:28–31*

M *Miércoles de Ceniza*

J *Dt 30:15–20; Lc 9:22–25*

V *Is 58:1–9a; Mt 9:14–15*

S *Is 58:9b–14; Lc 5:27–32*

Cuaresma

Salmo 50
7–11, 14–19

Tú ves que malo soy de nacimiento,
pecador desde el seno de mi madre.
Tú quieres rectitud de corazón,
enséñame en secreto lo que es sabio.

Rocíame con agua y seré limpio
lávame y seré blanco cual la nieve.
Haz que sienta otra vez júbilo y gozo
y que bailen los huesos que moliste.
Aparta tu semblante de mis faltas,
borra en mí todo rastro de malicia.

Dame tu salvación que regocija,
manten en mí un alma generosa.
Indicaré el camino a los desviados,
a ti se volverán los descarriados.

De la muerte presérvame, Señor,
y aclamará mi lengua tu justicia.
Señor, abre mis labios
y cantará mi boca tu alabanza.

Un sacrificio no te gustaría,
ni querrás, si te ofrezco, un holocausto.
Un corazón contrito te presento;
no desdeñes un alma destrozada.

2 de marzo de 2022 Miércoles de Ceniza

Primera lectura

Joel 2:12–18

Esto dice el Señor: / "Todavía es tiempo. / Vuélvanse a mí de todo corazón, / con ayunos, con lágrimas y llanto; / enluten su corazón y no sus vestidos.

Vuélvanse al Señor Dios nuestro, / porque es compasivo y misericordioso, / lento a la cólera, rico en clemencia, / y se conmueve ante la desgracia.

Quizá se arrepienta, se compadezca de nosotros / y nos deje una bendición, / que haga posibles las ofrendas y libaciones / al Señor, nuestro Dios.

Toquen la trompeta en Sión, promulguen un ayuno, / convoquen la asamblea, reúnan al pueblo, / santifiquen la reunión, junten a los ancianos, / convoquen a los niños, aun a los niños de pecho. / Que el recién casado deje su alcoba / y tálamo la recién casada.

Entre el vestíbulo y el altar lloren los sacerdotes, / ministros del Señor, diciendo: / 'Perdona, Señor, perdona a tu pueblo. / No entregues tu heredad a la burla de las naciones. / Que no digan los paganos: ¿Dónde está el Dios de Israel?' "

Y el Señor se llenó de celo por su tierra / y tuvo piedad de su pueblo.

Salmo responsorial

Salmo 51:3–4, 5–6a, 12–13, 14, 17

R. Misericordia, Señor, hemos pecado.

Por tu inmensa compasión y misericordia, Señor, apiádate de mí y olvida mis ofensas. Lávame bien de todos mis delitos y purifícame de mis pecados. **R.**

Puesto que reconozco mis culpas, tengo siempre presentes mis pecados. Contra ti solo pequé, Señor, haciendo lo que a tus ojos era malo. **R.**

Crea en mí, Señor, un corazón puro, un espíritu nuevo para cumplir tus mandamientos. No me arrojes, Señor, lejos de ti, ni retires de mí tu santo espíritu. **R.**

Devuélveme tu salvación, que regocija, y mantén en mí un alma generosa. Señor, abre mis labios y cantará mi boca tu alabanza. **R.**

Segunda lectura

2 Corintios 5:20—6:2

Hermanos: Somos embajadores de Cristo, y por nuestro medio, es Dios el que los exhorta a ustedes. En nombre de Cristo pedimos que se reconcilien con Dios. Al que nunca cometió pecado, Dios lo hizo "pecado" por nosotros, para que, unidos a él, recibamos la salvación de Dios y nos volvamos justos y santos.

Como colaboradores que somos de Dios, los exhortamos a no echar su gracia en saco roto. Porque el Señor dice: *En el tiempo favorable te escuché y en el día de la salvación te socorrí.* Pues bien, ahora es el tiempo favorable; ahora es el día de la salvación.

Evangelio

Mateo 6:1–6, 16–18

En aquel tiempo, Jesús dijo a sus discípulos: "Tengan cuidado de no practicar sus obras de piedad delante de los hombres para que los vean. De lo contrario, no tendrán recompensa con su Padre celestial.

Por lo tanto, cuando des limosna, no lo anuncies con trompeta, como hacen los hipócritas en las sinagogas y por las calles, para que los alaben los hombres. Yo les aseguro que ya recibieron su recompensa. Tú, en cambio, cuando des limosna, que no sepa tu mano izquierda lo que hace la derecha, para que tu limosna quede en secreto; y tu Padre, que ve lo secreto, te recompensará.

Cuando ustedes hagan oración, no sean como los hipócritas, a quienes les gusta orar de pie en las sinagogas y en las esquinas de las plazas, para que los vea la gente. Yo les aseguro que ya recibieron su recompensa. Tú, en cambio, cuando vayas a orar, entra en tu cuarto, cierra la puerta y ora ante tu Padre, que está allí, en lo secreto; y tu Padre, que ve lo secreto, te recompensará.

Cuando ustedes ayunen, no pongan cara triste, como esos hipócritas que se descuidan la apariencia de su rostro, para que la gente note que están ayunando. Yo les aseguro que ya recibieron su recompensa. Tú, en cambio, cuando ayunes, perfúmate la cabeza y lávate la cara, para que no sepa la gente que estás ayunando, sino tu Padre, que está en lo secreto; y tu Padre, que ve lo secreto, te recompensará".

¿Nos sabemos pecadores?

EL MIÉRCOLES de Ceniza nos recuerda que necesitamos reconciliación. Hoy responderemos al Salmo, "Misericordia, Señor: Hemos pecado". Al imponernos la ceniza nos dirán: "Arrepiéntete y cree en el Evangelio". Antes de participar en la celebración, necesitamos una auténtica revisión de vida, reflexionar nuestra condición: ¿Nos reconocemos pecadores? ¿Será que en un mundo donde todo se relativiza, donde se vale todo, ya no nos sabemos pecadores? ¿Será que dejamos de prestar atención al pecado, sobre todo al nuestro? Con tanto que ha pasado en los últimos meses en nuestro mundo y nuestra sociedad; con tanto sufrimiento del que hemos sido testigos; con tanta violencia y división: ¿Será que llegó la hora de prestar mejor atención a lo que hace el pecado entre nosotros? Necesitamos hacer una pausa antes de recibir la ceniza y considerar qué significa la misericordia de la que hablan las lecturas en nuestras vidas, nuestras familias y las comunidades donde vivimos.

San Pablo nos exhorta a la reconciliación. Nos dice que no debemos "echar en saco roto la gracia de Dios". Empezamos la Cuaresma, aprovechemos esta oportunidad de volver a Dios como un "tiempo favorable". Todo nos recordará que es un tiempo de revisar los pendientes de reconciliación que hay en mi vida, los resentimientos, los argumentos, todo aquello que nos divide y separa.

Miremos el ejemplo de Jesús en el Evangelio. Hoy nos dice cómo empezar este camino de revisión, de reconciliación, de descubrir cómo el pecado ensombrece el alma, endurece el corazón. Nos explica que este camino de reflexión lo tenemos que hacer a solas, lejos de la mirada de los demás, lo tenemos que hacer por nosotros y nosotras mismas no por el qué dirán o porque otros se den cuenta. Así dice Jesús: "Cuando vayas a rezar, entra en tu aposento, cierra la puerta y reza a tu Padre".

Jesús nos dice busca un lugar en silencio y a solas. Eso es lo que necesitamos, ese silencio, ese espacio de intimidad con Dios donde no podemos disimular, donde Dios nos mira con amor y nos invita a ser honestos. Dios ve en lo "escondido" y allí nos dará la recompensa de la reconciliación. La Cuaresma es el tiempo perfecto para ir en silencio y junto con Dios revisar qué hay en nuestro corazón. (T.M.) ∎

VIVIENDO NUESTRA FE

La Iglesia nos invita incesantemente a la reconciliación sacramental que impulsa la social, pues el pecado, en cualquiera de sus formas, nos aleja de los demás. "La verdadera reconciliación se alcanza de manera proactiva, 'formando una nueva sociedad basada en el servicio a los demás, más que en el deseo de dominar; una sociedad basada en compartir con otros lo que uno posee, más que en la lucha egoísta de cada uno por la mayor riqueza posible; una sociedad en la que el valor de estar juntos como seres humanos es definitivamente más importante que cualquier grupo menor, sea este la familia, la nación, la raza o la cultura'" (Papa Francisco, *Fratelli tutti*, 229)

PARA REFLEXIONAR

1. ¿Qué efectos tiene en la persona que posee una saludable conciencia del pecado?

2. ¿Qué debe hacer usted al inicio de esta Cuaresma, para que sea un tiempo favorable?

3. ¿Qué ejercicios o prácticas de su comunidad de fe ayudan a la reconciliación social?

Primera lectura

Deuteronomio 26:4–10

En aquel tiempo, dijo Moisés al pueblo: "Cuando presentes las primicias de tus cosechas, el sacerdote tomará el cesto de tus manos y lo pondrá ante el altar del Señor, tu Dios. Entonces tú dirás estas palabras ante el Señor, tu Dios:

'Mi padre fue un arameo errante, que bajó a Egipto y se estableció allí con muy pocas personas; pero luego creció hasta convertirse en una gran nación, potente y numerosa.

Los egipcios nos maltrataron, nos oprimieron y nos impusieron una dura esclavitud. Entonces clamamos al Señor, Dios de nuestros padres, y el Señor escuchó nuestra voz, miró nuestra humillación, nuestros trabajos y nuestra angustia. El Señor nos sacó de Egipto con mano poderosa y brazo protector, con un terror muy grande, entre señales y portentos; nos trajo a este país y nos dio esta tierra, que mana leche y miel. Por eso ahora yo traigo aquí las primicias de la tierra que tú, Señor, me has dado'.

Una vez que hayas dejado tus primicias ante el Señor, te postrarás ante él para adorarlo".

Salmo responsorial

Salmo 91:1–2, 10–11, 12–13, 14–15

R. Está conmigo, Señor, en la tribulación.

Tú que habitas al amparo del Altísimo, que vives a la sombra del Omnipotente, di al Señor: "Refugio mío, alcázar mío, Dios mío, confío en Ti". **R.**

No se acercará la desgracia, ni la plaga llegará hasta tu tienda, porque a sus ángeles ha dado órdenes para que te guarden en tus caminos. **R.**

Te llevará en sus palmas, para que tu pie no tropiece en la piedra; caminarás sobre áspides y víboras, pisotearás leones y dragones. **R.**

"Se puso junto a mí: lo libraré; lo protegeré porque conoce mi nombre, me invocará y lo escucharé. Con él estaré en la tribulación, lo defenderé, lo glorificaré". **R.**

Segunda lectura

Romanos 10:8–13

Hermanos: La Escritura afirma: *Muy a tu alcance, en tu boca y en tu corazón, se encuentra la salvación*, esto es, el asunto de la fe que predicamos. Porque basta que cada uno declare con su boca que Jesús es el Señor y que crea en su corazón que Dios lo resucitó de entre los muertos, para que pueda salvarse.

En efecto, hay que creer con el corazón para alcanzar la santidad y declarar con la boca para alcanzar la salvación. Por eso dice la Escritura: *Ninguno que crea en él quedará defraudado*, porque no existe diferencia entre judío y no judío, ya que uno mismo es el Señor de todos, espléndido con todos los que lo invocan, pues *todo el que invoque al Señor como a su Dios, será salvado por él.*

Evangelio

Lucas 4:1–13

En aquel tiempo, Jesús, lleno del Espíritu Santo, regresó del Jordán y, conducido por el mismo Espíritu, se internó en el desierto, donde permaneció durante cuarenta días y fue tentado por el demonio.

No comió nada en aquellos días, y cuando se completaron, sintió hambre. Entonces el diablo le dijo: "Si eres el Hijo de Dios, dile a esta piedra que se convierta en pan". Jesús le contestó: "Está escrito: *No sólo de pan vive el hombre*".

Después lo llevó el diablo a un monte elevado y en un instante le hizo ver todos los reinos de la tierra y le dijo: "A mí me ha sido entregado todo el poder y la gloria de estos reinos, y yo los doy a quien quiero. Todo esto será tuyo, si te arrodillas y me adoras". Jesús le respondió: *"Está escrito: Adorarás al Señor, tu Dios, y a él sólo servirás".*

Entonces lo llevó a Jerusalén, lo puso en la parte más alta del templo y le dijo: "Si eres el Hijo de Dios, arrójate desde aquí, porque está escrito: *Los ángeles del Señor tienen órdenes de cuidarte y de sostenerte en sus manos, para que tus pies no tropiecen con las piedras".* Pero Jesús le respondió: "También está escrito: *No tentarás al Señor, tu Dios".*

Concluidas las tentaciones, el diablo se retiró de él, hasta que llegara la hora.

Un lugar para la fe

EL LIBRO del Éxodo narra la experiencia de Israel como pueblo migrante. Como algunos latinos en los Estados Unidos, Israel conoció el maltrato y la opresión. Los judíos celebran la fidelidad de Dios que los sacó de Egipto, del lugar del sufrimiento. La liturgia de hoy nos recuerda el lugar de la fe en nuestras vidas. Israel aprendió y luego olvidó, y luego volvió a recordar que Dios es fiel. La historia de salvación nos invita siempre a hacer memoria de la fidelidad de Dios, de cómo Dios ha caminado a nuestro lado aún en los momentos más oscuros de nuestras vidas. La Cuaresma es tiempo de hacer memoria, de reconocer el lugar de la fe en nuestras vidas.

Israel aprendió a confiar en Dios, eso es creer. La Cuaresma es un tiempo privilegiado para revisar nuestra fe: ¿Cómo está mi vida de fe? ¿En qué creo, cómo creo? Leemos el Salmo de hoy tras haber enfrentado una pandemia que impactó a nuestro mundo de muchas maneras, dice el Salmo que "no se te acercará la desgracia, ni la plaga llegará hasta tu tienda". Pero ¡si llegó la plaga a nuestra tienda, a nuestras comunidades y familias! Sin embargo, aquí estamos porque Dios guardó nuestros caminos. Recuperaremos la esperanza en la medida que recuperemos nuestra fe. Pablo nos dice eso "nadie que cree en él quedará defraudado".

Hoy nos encontramos con Jesús enfrentando las tentaciones en el desierto. Jesús nos muestra cómo vivir en clave de fe. A cada una de las tentaciones que le presentó el diablo, Jesús ofrece una respuesta de fe. Jesús tiene hambre, cómo la han tenido algunos entre nuestro pueblo latino este tiempo tan difícil, y, sin embargo, sabe que "no sólo de pan vive" el ser humano. Jesús sabe, como los migrantes, que no es suficiente el sustento material, que se necesita "la Palabra de Dios" que alienta, que consuela, que anima a seguir adelante. El diablo lo reta a rendirle culto, como nuestra sociedad tan materialista nos pide culto al dinero, al tener, al poder, pero Jesús dice "sólo a Dios rendirás culto". Nos recuerda que hay que vivir para Dios. Y finalmente, le responde al diablo con toda la fuerza de su fe, "no tentarás al Señor". Su fe es tan fuerte, que le permite superar la tentación. ¡Que así sea nuestra fe! (T.M.) ∎

VIVIENDO NUESTRA FE

La esperanza es una virtud cristiana tocante a los bienes supraterrenales. La Iglesia nos enseña que "la promesa de Dios y la resurrección de Jesucristo suscitan en los cristianos la esperanza fundada que para todas las personas humanas está preparada una morada nueva y eterna, una tierra en la que habita la justicia… Esta esperanza, en vez de debilitar, debe más bien estimular la solicitud en el trabajo relativo a la realidad presente" (CDSC, 56).

PARA REFLEXIONAR

1. ¿En qué se manifiesta la fe de los cristianos?

2. ¿Cuáles son las convicciones de vida más arraigadas de usted?

3. ¿Qué actividades de su comunidad de fe siembran esperanza en la sociedad?

LECTURAS SEMANALES
7–12 de marzo

L *Lev 19:1–2.11–18; Mt 25:31–46*

M *Is 55:10–11; Mt 6:7–15*

M *Jon 3:1–10; Lc 11:29–32*

J *Est C:12, 14–16, 23–25; Mt 7:7–12*

V *Ez 18:21–28; Mt 5:20–26*

S *Dt 26:16–19; Mt 5:43–48*

Primera lectura

Génesis 15:5–12, 17–18

En aquellos días, Dios sacó a Abram de su casa y le dijo: "Mira el cielo y cuenta las estrellas, si puedes". Luego añadió: "Así será tu descendencia".

Abram creyó lo que el Señor le decía y, por esa fe, el Señor lo tuvo por justo. Entonces le dijo: "Yo soy el Señor, el que te sacó de Ur, ciudad de los caldeos, para entregarte en posesión esta tierra". Abram replicó: "Señor Dios, ¿cómo sabré que voy a poseerla?" Dios le dijo: "Tráeme una ternera, una cabra y un carnero, todos de tres años; una tórtola y un pichón".

Tomó Abram aquellos animales, los partió por la mitad y puso las mitades una enfrente de la otra, pero no partió las aves. Pronto comenzaron los buitres a descender sobre los cadáveres y Abram los ahuyentaba.

Estando ya para ponerse el sol, Abram cayó en un profundo letargo, y un terror intenso y misterioso se apoderó de él. Cuando se puso el sol, hubo densa oscuridad y sucedió que un brasero humeante y una antorcha encendida, pasaron por entre aquellos animales partidos.

De esta manera hizo el Señor, aquel día, una alianza con Abram, diciendo:

"A tus descendientes doy esta tierra, / desde el río de Egipto / hasta el gran río Eufrates".

Salmo responsorial

Salmo 27:1, 7–8a, 8b–9abc, 13–14

R. El Señor es mi luz y mi salvación.

El Señor es mi luz y mi salvación, ¿a quién temeré? El Señor es la defensa de mi vida, ¿quién me hará temblar? **R.**

Escúchame, Señor, que te llamo; ten piedad, respóndeme. Oigo en mi corazón: "Busca mi rostro". **R.**

Tu rostro buscaré, Señor, no me escondas tu rostro. No rechaces con ira a tu siervo, que tú eres mi auxilio. **R.**

Espero gozar de la dicha del Señor en el país de la vida. Espera en el Señor, sé valiente, ten ánimo, espera en el Señor. **R.**

Segunda lectura

Filipenses 3:17—4:1

Hermanos: Sean todos ustedes imitadores míos y observen la conducta de aquellos que siguen el ejemplo que les he dado a ustedes. Porque, como muchas veces se lo he dicho a ustedes, y ahora se lo repito llorando, hay muchos que viven como enemigos de la cruz de Cristo. Esos tales acabarán en la perdición, porque su dios es el vientre, se enorgullecen de lo que deberían avergonzarse y sólo piensan en cosas de la tierra.

Nosotros, en cambio, somos ciudadanos del cielo, de donde esperamos que venga nuestro salvador, Jesucristo. Él transformará nuestro cuerpo miserable en un cuerpo glorioso, semejante al suyo, en virtud del poder que tiene para someter a su dominio todas las cosas.

Hermanos míos, a quienes tanto quiero y extraño: ustedes, hermanos míos amadísimos, que son mi alegría y mi corona, manténganse fieles al Señor.

O bien: Filipenses 3:20—4:1.

Evangelio

Lucas 9:28–36

En aquel tiempo, Jesús se hizo acompañar de Pedro, Santiago y Juan, y subió a un monte para hacer oración. Mientras oraba, su rostro cambió de aspecto y sus vestiduras se hicieron blancas y relampagueantes. De pronto aparecieron conversando con él dos personajes, rodeados de esplendor: eran Moisés y Elías. Y hablaban de la muerte que le esperaba en Jerusalén.

Pedro y sus compañeros estaban rendidos de sueño; pero, despertándose, vieron la gloria de Jesús y de los que estaban con él. Cuando éstos se retiraban, Pedro le dijo a Jesús: "Maestro, sería bueno que nos quedáramos aquí y que hiciéramos tres chozas: una para ti, una para Moisés y otra para Elías", sin saber lo que decía.

No había terminado de hablar, cuando se formó una nube que los cubrió; y ellos, al verse envueltos por la nube, se llenaron de miedo. De la nube salió una voz que decía: "Éste es mi Hijo, mi escogido; escúchenlo". Cuando cesó la voz, se quedó Jesús solo.

Los discípulos guardaron silencio y por entonces no dijeron a nadie nada de lo que habían visto.

Una experiencia fuerte de Dios

EN NUESTRA liturgia de hoy contemplamos la Transfiguración de Jesús. Las lecturas de este domingo nos invitan a recordar esos momentos cuando supimos con absoluta certeza que Dios estaba con nosotros, como Pedro supo reconocer en el momento de la Transfiguración: "Aquí está Dios". Son momentos de alianza con Dios. Igual que Abraham todos tenemos momentos cuando supimos que Dios había hecho una alianza con nosotros. En esos momentos de absoluta claridad, de presencia de Dios, sabemos que Dios cumplirá sus promesas, porque en esos momentos como Abraham le hemos creído a Dios.

La liturgia nos invita una y otra vez a hacer memoria, a no olvidar estos momentos de alianza. Pablo en la segunda lectura nos dice lo mismo, no olviden que "somos ciudadanos del cielo". Nos recuerda que somos algo más, que Dios nos transformará también a nosotros. Al contemplar el evangelio de hoy, reconozcamos que Jesús también nos enseña cómo recordar. Primero, se toma el tiempo para "subir a la montaña", para estar a solas. Allí le descubren sus discípulos en un diálogo con los profetas, está haciendo memoria con Moisés y Elías. Ésta es una conversación que ilumina, que le muestra a Jesús lo que va a vivir, recordando sabe quién es, recordando sabe qué tiene que hacer: irá a Jerusalén. Jesús tuvo una visión de lo que vendría en un diálogo con los profetas de la alianza. Hay veces que hay que recordar para saber por dónde ir.

El diálogo entre Moisés, Elías y Jesús se convirtió en un momento de revelación de la gloria de Dios. Los discípulos están tan sobrecogidos, que ofrecen hacer "tres tiendas", ¡hay que quedarnos aquí, ¡qué no se nos pase el momento! Pobres, porque están atónitos, que hasta el evangelista dice "no sabían lo que decían" y justo allí, escucharon una voz que hablaba desde la nube: "éste es mi Hijo, el escogido, escúchenlo".

Un momento de alianza, una experiencia de Dios absoluta. Seguro que los discípulos recordarían este momento muchas veces, cuando las cosas se complicaron, cuando los persiguieron, cuando la comunidad no se podía poner de acuerdo. Como ellos, necesitamos regresar a las experiencias fuertes que hemos tenido de Dios, a los momentos de alianza, para saber por dónde, para poder con lo que sigue. (T.M.) ∎

VIVIENDO NUESTRA FE

El papa Francisco nos recomienda una vida de oración y discernimiento. En su exhortación apostólica *Gaudete et exsultate*, sobre el llamado a la santidad habla de esto; para conocer tu misión, dice: "Inténtalo escuchando a Dios en la oración y reconociendo los signos que él te da. Pregúntale siempre al Espíritu qué espera Jesús de ti en cada momento de tu existencia y en cada opción que debas tomar, para discernir el lugar que eso ocupa en tu propia misión" (GE, 23).

PARA REFLEXIONAR

1. ¿Cuáles son las experiencias fuertes de Dios que reconozco como momento de alianza?

2. ¿Qué compromiso necesito hacer para subir a la montaña de la oración?

3. ¿Cómo aliento a mi comunidad y mi familia a escuchar a Jesús, el Hijo escogido por Dios?

---

19 de marzo de 2022
San José, Esposo de la Bienaventurada Virgen María
*2 Sam 7:4–5a, 12–14a, 16; Rom 4:13, 16–18, 22;
Mt 1:16, 18–21, 24a, o bien Lc 2:41–51a*

LECTURAS SEMANALES
14–19 de marzo

L *Dan 9:4b–10; Lc 6:36–38*

M *Is 1:10.16–20; Mt 23:1–12*

M *Jer 18:18–20; Mt 20:17–28*

J *Jer 17:5–10; Lc 16:19–31*

V *Gen 37:3–28; Mt 21:33–43.45–46*

S *San José, Esposo de la BVM*

Primera lectura

Éxodo 3:1–8, 13–15

En aquellos días, Moisés pastoreaba el rebaño de su suegro, Jetró, sacerdote de Madián. En cierta ocasión llevó el rebaño más allá del desierto, hasta el Horeb, el monte de Dios, y el Señor se le apareció en una llama que salía de un zarzal. Moisés observó con gran asombro que la zarza ardía sin consumirse y se dijo: "Voy a ver de cerca esa cosa tan extraña, por qué la zarza no se quema".

Viendo el Señor que Moisés se había desviado para mirar, lo llamó desde la zarza: "¡Moisés, Moisés!" Él respondió: "Aquí estoy". Le dijo Dios: "¡No te acerques! Quítate las sandalias, porque el lugar que pisas es tierra sagrada". Y añadió: "Yo soy el Dios de tus padres, el Dios de Abraham, el Dios de Isaac y el Dios de Jacob".

Entonces Moisés se tapó la cara, porque tuvo miedo de mirar a Dios. Pero el Señor le dijo: "He visto la opresión de mi pueblo en Egipto, he oído sus quejas contra los opresores y conozco bien sus sufrimientos. He descendido para librar a mi pueblo de la opresión de los egipcios, para sacarlo de aquellas tierras y llevarlo a una tierra buena y espaciosa, una tierra que mana leche y miel".

Moisés le dijo a Dios: "Está bien. Me presentaré a los hijos de Israel y les diré: 'El Dios de sus padres me envía a ustedes'; pero cuando me pregunten cuál es su nombre, ¿qué les voy a responder?"

Dios le contestó a Moisés: "Mi nombre es Yo-soy"; y añadió: "Esto les dirás a los israelitas: 'Yo-soy me envía a ustedes'. También les dirás: 'El Señor, el Dios de sus padres, el Dios de Abraham, el Dios de Isaac, el Dios de Jacob, me envía a ustedes'. Este es mi nombre para siempre. Con este nombre me han de recordar de generación en generación".

Salmo responsorial

Salmo 103:1–2, 3–4

R. El Señor es compasivo y misericordioso.

Bendice, alma mía, al Señor, y todo mi ser a su santo nombre. Bendice, alma mía, al Señor, y no olvides sus beneficios. **R.**

Él perdona todas tus culpas y cura todas tus enfermedades; el rescata tu vida de la fosa, y te colma de gracia y de ternura. **R.**

Segunda lectura

1 Corintios 10:1–6, 10–12

Hermanos: No quiero que olviden que en el desierto nuestros padres estuvieron todos bajo la nube, todos cruzaron el mar Rojo y todos se sometieron a Moisés, por una especie de bautismo en la nube y en el mar. Todos comieron el mismo alimento milagroso y todos bebieron de la misma bebida espiritual, porque bebían de una roca espiritual que los acompañaba, y la roca era Cristo. Sin embargo, la mayoría de ellos desagradaron a Dios y murieron en el desierto.

Todo esto sucedió como advertencia para nosotros, a fin de que no codiciemos cosas malas como ellos lo hicieron. No murmuren ustedes como algunos de ellos murmuraron y perecieron a manos del ángel exterminador. Todas estas cosas les sucedieron a nuestros antepasados como un ejemplo para nosotros y fueron puestas en las Escrituras como advertencia para los que vivimos en los últimos tiempos. Así pues, el que crea estar firme, tenga cuidado de no caer.

Evangelio

Lucas 13:1–9

En aquel tiempo, algunos hombres fueron a ver a Jesús y le contaron que Pilato había mandado matar a unos galileos, mientras estaban ofreciendo sus sacrificios. Jesús les hizo este comentario: "¿Piensan ustedes que aquellos galileos, porque les sucedió esto, eran más pecadores que todos los demás galileos? Ciertamente que no; y si ustedes no se arrepienten, perecerán de manera semejante. Y aquellos dieciocho que murieron aplastados por la torre de Siloé, ¿piensan acaso que eran más culpables que todos los demás habitantes de Jerusalén? Ciertamente que no; y si ustedes no se arrepienten, perecerán de manera semejante".

Entonces les dijo esta parábola: "Un hombre tenía una higuera plantada en su viñedo; fue a buscar higos y no los encontró. Dijo entonces al viñador: 'Mira, durante tres años seguidos he venido a buscar higos en esta higuera y no los he encontrado. Córtala. ¿Para qué ocupa la tierra inútilmente?' El viñador le contestó: 'Señor, déjala todavía este año; voy a aflojar la tierra alrededor y a echarle abono, para ver si da fruto. Si no, el año que viene la cortaré'".

Una llamada que envía

HOY CONTEMPLAMOS el llamado de Moisés. Tratemos de ubicarnos a su lado. Primero, maravillados por esta zarza de "espectáculo admirable", cómo la llama él cuando la encuentra sin consumirse al arder. Luego, en esa contemplación escuchemos a Dios que le habla y le dice: "Quítate las sandalias… el lugar que pisas es sagrado". Así, Moisés reverente, admirado, escucha el "Yo soy" de Dios. Moisés baja el rostro, se lo cubre, ¡se trata de Dios! Y entonces, Dios le dice que ha visto la opresión de su pueblo, que Moisés tiene que ir a sacarlo de Egipto. Dios le encomienda una misión porque supo contemplar, reverenciar y escuchar.

Reconozcamos los momentos de nuestro llamado en el de Moisés: primero hay que notar, que saber ver las señales a nuestro alrededor como la zarza; segundo, hay que contemplar, admirar lo que vemos reconociendo que estamos en un espacio sagrado; tercero, hay que darle a Dios su lugar, "quitarnos las sandalias", llenos de admiración y reverencia; y luego hay que escuchar. Cuando atravesamos esos momentos reconocemos que Dios no nos pide quedarnos allí admirados, de rodillas, sino que nos manda a remediar la opresión que nos rodea, a responder a los clamores de nuestro pueblo.

El evangelio de hoy nos ofrece más claves sobre el llamado a la misión. Nos encontramos a Jesús en diálogo sobre quién es pecador y quién no, y para explicar ofrece la parábola de la higuera. La triste higuera no ha dado fruto en tres años, el dueño por eso pide que se corte, ya que "ocupaba terreno de balde". Sin embargo, el viñador intercede por ella: le dará otra oportunidad con fertilizante y más agua, a ver si da fruto. Nosotros y nosotras somos la higuera, no es suficiente ocupar el terreno de balde, ¡hay que dar fruto!

Estamos en tierra sagrada, tenemos la obligación de que nuestra fe se transforme en misión, que nuestras familias y comunidades salgan de la opresión y el sufrimiento precisamente porque tenemos fe. Somos enviados a ser discípulos misioneros, creyentes, que transforman. (T.M.) ∎

VIVIENDO NUESTRA FE

Las circunstancias de nuestro mundo demandan "dar frutos", actuar a los discípulos de Cristo, no cruzarse de brazos. El papa Francisco nos recuerda: "Cada día se nos ofrece una nueva oportunidad, una etapa nueva. No tenemos que esperar todo de los que nos gobiernan, sería infantil. Gozamos de un espacio de corresponsabilidad capaz de iniciar y generar nuevos procesos y transformaciones. Seamos parte activa en la rehabilitación y el auxilio de las sociedades heridas" (*Fratelli tutti*, 77).

PARA REFLEXIONAR

1. ¿Dónde se notan más los frutos de la caridad cristiana?

2. ¿Cómo cultiva usted su capacidad de adorar y reverenciar lo sagrado?

3. ¿Qué frutos le pide el entorno social al grupo o comunidad de fe de su parroquia?

---

25 de marzo de 2022
Anunciación del Señor
Is 7:10–14; 8:10; Heb 10:4–10; Lc 1:26–38

LECTURAS SEMANALES
21–26 de marzo

L *2 Re 5:1–15a; Lc 4:24–30*

M *Dan 3:25. 34–43; Mt 18:21–35*

M *Dt 4:1.5–9; Mt 5:17–19*

J *Jer 7:23–28; Lc 11:14–23*

V *Anunciación del Señor*

S *Os 6:1–6; Lc 18:9–14*

Primera lectura

Éxodo 17:3–7

En aquellos días, el pueblo, torturado por la sed, fue a protestar contra Moisés, diciéndole: "¿Nos has hecho salir de Egipto para hacernos morir de sed a nosotros, a nuestros hijos y a nuestro ganado?" Moisés clamó al Señor y le dijo: "¿Qué puedo hacer con este pueblo? Sólo falta que me apedreen". Respondió el Señor a Moisés: "Preséntate al pueblo, llevando contigo a algunos de los ancianos de Israel, toma en tu mano el cayado con que golpeaste el Nilo y vete. Yo estaré ante ti, sobre la peña, en Horeb. Golpea la peña y saldrá de ella agua para que beba el pueblo".

Así lo hizo Moisés a la vista de los ancianos de Israel y puso por nombre a aquel lugar Masá y Meribá, por la rebelión de los hijos de Israel y porque habían tentado al Señor, diciendo: "¿Está o no está el Señor en medio de nosotros?"

Salmo responsorial

Salmo 94:1–2, 6–7, 8–9

Segunda lectura

Romanos 5:1–2, 5–8

Hermanos: Ya que hemos sido justificados por la fe, mantengámonos en paz con Dios, por mediación de nuestro Señor Jesucristo. Por él hemos obtenido, con la fe, la entrada al mundo de la gracia, en el cual nos encontramos; por él, podemos gloriarnos de tener la esperanza de participar en la gloria de Dios.

La esperanza no defrauda, porque Dios ha infundido su amor en nuestros corazones por medio del Espíritu Santo, que él mismo nos ha dado. En efecto, cuando todavía no teníamos fuerzas para salir del pecado, Cristo murió por los pecadores en el tiempo señalado.

Difícilmente habrá a1guien que quiera morir por un justo, aunque puede haber alguno que esté dispuesto a morir por una persona sumamente buena. Y la prueba de que Dios nos ama está en que Cristo murió por nosotros, cuando aún éramos pecadores.

Evangelio

Juan 4:5–15, 19–26, 39, 40–42

En aquel tiempo, llegó Jesús a un pueblo de Samaria, llamado Sicar, cerca del campo que dio Jacob a su hijo José. Ahí estaba el pozo de Jacob. Jesús, que venía cansado del camino, se sentó sin más en el brocal del pozo. Era cerca del mediodía.

Entonces llegó una mujer de Samaria a sacar agua y Jesús le dijo: "Dame de beber". (Sus discípulos habían ido al pueblo a comprar comida). La samaritana le contestó" "¿Cómo es que tú, siendo judío, me pides de beber a mí, que soy samaritana?" (Porque los judíos no tratan a los samaritanos). Jesús le dijo: "Si conocieras a quién es el que te pide de beber, tú le pedirías a él, y él te daría agua viva".

La mujer le respondió: "Señor, ni siquiera tienes con qué sacar agua y el pozo es profundo. ¿Cómo vas a darme agua viva? ¿Acaso eres tú más que nuestro padre Jacob, que nos dio este pozo, del que bebieron él, sus hijos y sus ganados?" Jesús le contestó: "El que bebe de esta agua vuelve a tener sed. Pero el que beba del agua que yo le daré, nunca más tendrá sed; el agua que yo le daré se convertirá dentro de él en un manantial capaz de dar la vida eterna".

La mujer le dijo: "Señor, dame de esa agua para que no vuelva a tener sed ni tenga que venir hasta aquí a sacarla. Ya veo que eres profeta. Nuestros padres dieron culto en este monte y ustedes dicen que el sitio donde se debe dar culto está en Jerusalén".

Jesús le dijo: "Créeme, mujer, que se acerca la hora en que ni en este monte ni en Jerusalén adorarán al Padre. Ustedes adoran lo que no conocen; nosotros adoramos lo que conocemos. Porque la salvación viene de los judíos. Pero se acerca la hora, y ya está aquí, en que los que quieran dar culto verdadero adorarán al Padre en espíritu y en verdad, porque así es como el Padre quiere que se le dé culto. Dios es espíritu, y los que lo adoran deben hacerlo en espíritu y en verdad".

La mujer le dijo: "Ya sé que va a venir el Mesías (es decir, Cristo). Cuando venga, él nos dará razón de todo". Jesús le dijo: "Soy yo, el que habla contigo".

Muchos samaritanos de aquel poblado creyeron en Jesús por el testimonio de la mujer: 'Me dijo todo lo que he hecho'. Cuando los samaritanos llegaron a donde él estaba, le rogaban que se quedara con ellos, y se quedó allí dos días. Muchos más creyeron en él al oír su palabra. Y decían a la mujer: "Ya no creemos por lo que tú nos has contado, pues nosotros mismos lo hemos oído y sabemos que él es, de veras, el salvador del mundo".

O bien: Juan 4:5–42.

La conversación como conversión

EN LA PRIMERA lectura nos encontramos con Israel en el camino del Éxodo. La dureza del camino les hizo olvidar las maravillas que Dios había hecho en Egipto, ahora añoran la seguridad inclusive de la opresión, le reclaman a Moisés: "¿Nos has hecho salir de Egipto para hacernos morir de sed?". Se acabaron las provisiones y la ilusión; en el camino olvidaron lo que Dios hizo, ahora sólo tienen sed. Empezaron a dudar de que Dios estaba con ellos. Moisés, como buen líder, intercede por su gente. Le pide a Dios una señal, y Dios lo concede –Masá y Meribá– son los lugares donde sale agua de las piedras para que no se les olvide que Dios está con ellos.

Igual que Israel en el camino de la fe en nuestras familias y comunidades, tenemos momentos donde sentimos que vamos solos, donde pensamos que Dios se ha olvidado de nosotros, donde lamentamos haber iniciado este nuevo camino. Cuántas familias migrantes no se han lamentado: "¿Y para esto salimos de nuestra tierra?".

La lectura del evangelio nos ofrece más que el signo del agua que brota de la peña presentado por Moisés a Israel para esos momentos en los que dudamos. Hoy se nos revela una persona en uno de los diálogos más hermosos de la vida de Jesús: la conversación con la samaritana. Allí está, Dios invitándonos a una constante cultura de encuentro. Dios se encuentra con nosotros en lo cotidiano: Jesús estaba allí sentando a un lado del manantial. Jesús es quien inicia la conversación, quien irrumpe en la cotidianidad de nuestras vidas seamos quién seamos, le pide de beber a la samaritana. Ella, muy auténtica, le dice extrañada: "¿Cómo tú me hablas a mí, samaritana?"; casi le dice, si supieras quién soy no hablarías conmigo. Hay brecha y distancia en esta relación, ella lo sabe. "¿Qué querrá éste?", seguro que se preguntó. Pero Jesús no se detiene; "si conocieras el don de Dios". Ella, sigue sin convencerse, hasta le repudia que ni "cubeta" tiene. Jesús insiste, hay otro tipo de agua, que no necesita cubeta, que está en lo más profundo, la que verdaderamente quita la sed –como la que Dios le dio a los Israelitas en Meribá; ésa que nos confirma que Dios está con nosotros.

Sigue el diálogo, el encuentro; Jesús le dice quién es a la samaritana; ella le dice que espera al que ha de venir, y en esta conversación transformadora, Jesús se revela "Soy yo". La samaritana ya no se sorprende. En el diálogo se fue dando cuenta que Dios estaba con ella, que no tendría ya nunca sed. Gracias a eso, ahora puede ser misionera, segura de que Dios está con ella, y puede anunciarlo a sus paisanos; se ha encontrado con Dios. (T.M.) ∎

VIVIENDO NUESTRA FE

En el ámbito laboral cabe también fomentar una cultura de encuentro, pues el trabajo teje relaciones no sólo para la producción económica sino para la realización de las personas. Así, toda empresa ha de buscar no sólo objetivos económicos, sino también sociales: "El objetivo de la empresa se debe llevar a cabo en términos y con criterios económicos, pero sin descuidar los valores auténticos que permiten el desarrollo concreto de la persona y de la sociedad" (CDSI, 338).

PARA REFLEXIONAR

1. ¿En qué momentos de la vida se siente "la ausencia" de Dios?

2. ¿Quién, como Moisés o Jesús, le ha ayudado a usted a saciar la sed profunda?

3. ¿Cómo participa el grupo o comunidad en el diálogo de encuentro con la sociedad civil?

Primera lectura

Josué 5:9, 10–12

En aquellos días, el Señor dijo a Josué: "Hoy he quitado de encima de ustedes el oprobio de Egipto".

Los israelitas acamparon en Guilgal, donde celebraron la Pascua, al atardecer del día catorce del mes, en la llanura desértica de Jericó. El día siguiente a la Pascua, comieron del fruto de la tierra, panes ázimos y granos de trigo tostados. A partir de aquel día, cesó el maná. Los israelitas ya no volvieron a tener maná, y desde aquel año comieron de los frutos que producía la tierra de Canaán.

Salmo responsorial

Salmo 34:2–3, 4–5, 6–7

Segunda lectura

2 Corintios 5:17–21

Hermanos: El que vive según Cristo es una criatura nueva; para él todo lo viejo ha pasado. Ya todo es nuevo.

Todo esto proviene de Dios, que nos reconcilió consigo por medio de Cristo y que nos confirió el ministerio de la reconciliación. Porque, efectivamente, en Cristo, Dios reconcilió al mundo consigo y renunció a tomar en cuenta los pecados de los hombres, y a nosotros nos confió el mensaje de la reconciliación Por eso, nosotros somos embajadores de Cristo, y por nuestro medio, es Dios mismo el que los exhorta a ustedes. En nombre de Cristo les pedimos que se reconcilien con Dios.

Al que nunca cometió pecado, Dios lo hizo "pecado" por nosotros, para que, unidos a él, recibamos la salvación de Dios y nos volvamos justos y santos.

Evangelio

Lucas 15:1–3, 11–32

En aquel tiempo, se acercaban a Jesús los publicanos y los pecadores para escucharlo. Por lo cual los fariseos y los escribas murmuraban entre sí: "Este recibe a los pecadores y come con ellos".

Jesús les dijo entonces esta parábola: "Un hombre tenía dos hijos, y el menor de ellos le dijo a su Padre: 'Padre, dame la parte de la herencia que me toca'. Y él les repartió los bienes.

No muchos días después, el hijo menor, juntando todo lo suyo, se fue a un país lejano y allá derrochó su fortuna, viviendo de una manera disoluta. Después de malgastarlo todo, sobrevino en aquella región una gran hambre y él empezó a padecer necesidad. Entonces fue a pedirle trabajo a un habitante de aquel país, el cual lo mandó a sus campos a cuidar cerdos. Tenía ganas de hartarse con las bellotas que comían los cerdos, pero no lo dejaban que se las comiera.

Se puso entonces a reflexionar y se dijo: '¡Cuántos trabajadores en casa de mi padre tienen pan de sobra, y yo, aquí, me estoy muriendo de hambre! Me levantaré, volveré a mi padre y le diré: Padre, he pecado contra el cielo y contra ti; ya no merezco llamarme hijo tuyo. Recíbeme como a uno de tus trabajadores'.

Enseguida se puso en camino hacia la casa de su padre. Estaba todavía lejos, cuando su padre lo vio y se enterneció profundamente. Corrió hacia él, y echándole los brazos al cuello, lo cubrió de besos. El muchacho le dijo: 'Padre, he pecado contra el cielo y contra ti; ya no merezco llamarme hijo tuyo'.

Pero el padre les dijo a sus criados: '¡Pronto!, traigan la túnica más rica y vístansela; pónganle un anillo en el dedo y sandalias en los pies; traigan el becerro gordo y mátenlo. Comamos y hagamos una fiesta, porque este hijo mío estaba muerto y ha vuelto a la vida, estaba perdido y lo hemos encontrado'. Y empezó el banquete.

El hijo mayor estaba en el campo y al volver, cuando se acercó a la casa, oyó la música y los cantos. Entonces llamó a uno de los criados y le preguntó qué pasaba. Éste le contestó: 'Tu hermano ha regresado y tu padre mandó matar el becerro gordo, por haberlo recobrado sano y salvo'. El hermano mayor se enojó y no quería entrar.

Salió entonces el padre y le rogó que entrara; pero él replicó: '¡Hace tanto tiempo que te sirvo, sin desobedecer jamás una orden tuya, y tú no me has dado nunca ni un cabrito para comérmelo con mis amigos! Pero eso sí, viene ese hijo tuyo, que despilfarró tus bienes con malas mujeres, y tú mandas matar el becerro gordo'.

El padre repuso: 'Hijo, tú siempre estás conmigo y todo lo mío es tuyo. Pero era necesario hacer fiesta y regocijarnos, porque este hermano tuyo estaba muerto y ha vuelto a la vida, estaba perdido y lo hemos encontrado' ".

Ser buenos como Dios

HOY JESÚS nos ofrece una de las parábolas más hermosas para decirnos quién es Dios. Pareciera que ante las murmuraciones de quienes lo rodean, Jesús escucha y nos lo podemos imaginar diciendo: "¿En verdad quieren saber cómo es Dios? Pues aquí les ofrezco este relato, presten atención porque Dios es como el padre de estos dos hijos". Muchos padres y madres se encontrarán reflejados en el evangelio de hoy, y muchos hijos e hijas encontrarán a la figura parental – mamá, papá, abuelo o abuela– en el amor de este padre por sus dos hijos. Jesús, nos ofrece esta parábola para entender cómo es Dios. Esta parábola debería llamarse la "Parábola del padre bueno" en vez del "hijo pródigo" por la forma en cómo describe la relación del padre con sus hijos.

Empieza el relato con el hijo que pide la herencia, el padre no duda, confía y reparte los bienes. Sin duda, sabía qué clase de hijos tenía; es difícil imaginar cómo tan fácilmente acepta darle la parte de la herencia en vida al hijo que la pide. ¿Cuántos padres o madres tienen esta capacidad de confiar que Dios transformará el corazón de sus hijos? ¿Qué se necesita para confiar en la siguiente generación así? Luego nos encontramos con el padre a la espera, sondeando el horizonte; probablemente desde el inicio sabía que el hijo acabaría regresando. ¿Cuántos padres o madres están en vela, noche tras noche, esperando el regreso del hijo o de la hija que se fue con su porción de la vida de familia? Este padre vigilante es el primero en ver venir a su hijo porque sabe que volverá. Y Jesús cuenta que el padre se "conmovió". ¿Qué extraña reacción? Cuántos papás saldrían molestos, con la voz en alto, reprochando, "¡Lo sabía, sabía que no podrías"! Pero este padre del que habla Jesús no es así; se conmueve; no es orgulloso, al revés, corre al encuentro del hijo. No le pregunta qué hizo con el dinero, dónde ha estado, porqué se tardó tanto. Simplemente lo abraza, lo besa, le muestra todo su cariño. No de balde el hijo le responde sorprendido: "No merezco llamarme tu hijo". Pero el padre ignora esa confesión, más bien le organiza una fiesta para celebrar su retorno. Así es el Dios que nos ofrece Jesucristo.

Pero los hijos e hijas de Dios que somos, no siempre recibimos tal bondad y generosidad con entusiasmo. El hijo que regresa estaría sorprendido y arrepentido. Pero su hermano, no soporta la fiesta, no soporta la injusticia. ¿Cómo es que su padre está tan feliz? ¿Por qué no hay consecuencias? ¿De qué le ha aprovechado su fidelidad? Una vez más nos debe conmover la reacción del Padre: "Todo lo mío es tuyo" y "Ven alégrate con nosotros".

Hoy nos invita Jesucristo a ser buenos como este padre, sin orgullo, con confianza. Así es el Dios de Jesús. (T.M.) ■

VIVIENDO NUESTRA FE

El papa Francisco nos dice que el llamado a la santidad es para las personas de a pie, las de todos los días. "Me gusta ver la santidad en el pueblo de Dios paciente: a los padres que crían con tanto amor a sus hijos, en esos hombres y mujeres que trabajan para llevar el pan a su casa, en los enfermos, en las religiosas ancianas que siguen sonriendo" (GE, 7). Hoy muchas familias latinas encontrarán en la figura del padre bueno a su propio padre, madre, tío o hermano.

PARA REFLEXIONAR

1. ¿Qué experiencias de la generosidad de Dios percibe usted en su entorno?

2. ¿Qué huella ha dejado en usted la bondad sin límites de Dios?

3. ¿Cuáles marcas o señales distinguen a la comunidad de bautizados?

LECTURAS SEMANALES
28 de marzo–2 de abril

L *Is 65:17–21; Jn 4:43–54*

M *Ez 47:1–9, 12; Jn 5:1–16*

M *Is 49:8–15; Jn 5:17–30*

J *Ex 32:7–14; Jn 5:31–47*

V *Sab 2:1a, 12–22; Jn 7:1–2, 10, 25–30*

S *Jer 11:18–20; Jn 7:40–53*

27 de marzo de 2022   IV Domingo de Cuaresma, Año A

Primera lectura

1 Samuel 16:1, 6 –7, 10 –13

En aquellos días, dijo el Señor a Samuel: "Ve a la casa de Jesé, en Belén, porque de entre sus hijos me he escogido un rey. Llena, pues, tu cuerno de aceite para ungirlo y vete".

Cuando llegó Samuel a Belén y vio a Eliab, el hijo mayor de Jesé, pensó: "Éste es, sin duda, el que voy a ungir como rey". Pero el Señor le dijo: "No te dejes impresionar por su aspecto ni por su gran estatura, pues yo lo he descartado, porque yo no juzgo como juzga el hombre. El hombre se fija en las apariencias, pero el Señor se fija en los corazones".

Así fueron pasando ante Samuel siete de los hijos de Jesé; pero Samuel dijo: "Ninguno de éstos es el elegido del Señor". Luego le preguntó a Jesé: "¿Son éstos todos tus hijos?" Él respondió: "Falta el más pequeño, que está cuidando el rebaño". Samuel le dijo: "Hazlo venir, porque no nos sentaremos a comer hasta que llegue". Y Jesé lo mandó llamar.

El muchacho era rubio, de ojos vivos y buena presencia. Entonces el Señor dijo a Samuel: "Levántate y úngelo, porque éste es". Tomó Samuel el cuerno con el aceite y lo ungió delante de sus hermanos. A partir de aquel día, el espíritu del Señor estuvo con David.

Salmo responsorial

Salmo 23:1–3a, 3b–4, 5, 6

R. El Señor es mi pastor, nada me falta.

El Señor es mi pastor, nada me falta: / en verdes praderas me hace recostar; / me conduce hacia fuentes tranquilas / y repara mis fuerzas. **R.**

Me guía por el sendero justo, / por el honor de su nombre. / Aunque camine por cañadas oscuras, / nada temo, porque tú vas conmigo: / tu vara y tu cayado me sosiegan. **R.**

Preparas una mesa ante mí, / enfrente de mis enemigos; / me unges la cabeza con perfume, / y mi copa rebosa. **R.**

Tu bondad y tu misericordia me acompañan todos los días de mi vida, / y habitaré en la casa del Señor / por años sin término. **R.**

Segunda lectura

Efesios 5:8 –14

Hermanos: En otro tiempo ustedes fueron tinieblas, pero ahora, unidos al Señor, son luz. Vivan, por lo tanto, como hijos de la luz. Los frutos de la luz son la bondad, la santidad y la verdad. Busquen lo que es agradable al Señor y no tomen parte en las obras estériles de los que son tinieblas.

Al contrario, repruébenlas abiertamente; porque, si bien las cosas que ellos hacen en secreto da rubor aun mencionarlas, al ser reprobadas abiertamente, todo queda en claro, porque todo lo que es iluminado por la luz se convierte en luz.

Por eso se dice: *Despierta, tú que duermes; levántate de entre los muertos y Cristo será tu luz.*

Evangelio

Juan 9:1, 6–9, 13–17, 34–38

En aquel tiempo, Jesús vio al pasar a un ciego de nacimiento. Escupió en el suelo, hizo lodo con la saliva, se lo puso en los ojos al ciego y le dijo: "Vé a lavarte en la piscina de Siloé (que significa 'Enviado'). El fue, se lavó y volvió con vista.

Entonces los vecinos y los que lo habían visto antes pidiendo limosna, preguntaban: "¿No es éste el que se sentaba a pedir limosna?" Unos decían: "Es el mismo". Otros: "No es él, sino que se le parece". Pero él decía: "Yo soy".

Llevaron entonces ante los fariseos al que había sido ciego. Era sábado el día en que Jesús hizo lodo y le abrió los ojos. También los fariseos le preguntaron cómo había adquirido la vista. Él les contestó: "Me puso lodo en los ojos, me lavé y veo". Algunos de los fariseos comentaban: "Ese hombre no viene de Dios, porque no guarda el sábado". Otros replicaban: "¿Cómo puede un pecador hacer semejantes prodigios?" Y había división entre ellos. Entonces volvieron a preguntarle al ciego: "Y tú, ¿qué piensas del que te abrió los ojos?" Él les contestó: "Que es un profeta". Le replicaron: "Tú eres puro pecado desde que naciste, ¿cómo pretendes darnos lecciones?" Y lo echaron fuera.

Supo Jesús que lo habían echado fuera, y cuando lo encontró, le dijo: "¿Crees tú en el Hijo del hombre?" El contestó: "¿Y quién es, Señor, para que yo crea en él?" Jesús le dijo: "Ya lo has visto; el que está hablando contigo, ése es". Él dijo: "Creo, Señor". Y postrándose, lo adoró.

O bien: Juan 9:1–41.

Confiemos en los jóvenes

LOS JÓVENES sobresalen entre los personajes de las lecturas de este domingo. En la primera lectura nos encontramos a Samuel con los hijos de Jesé. Una y otra vez, está confiado en que ha encontrado al ungido, y cada vez Dios le responde, "No te fijes en las apariencias, sino en lo que está en su corazón". Finalmente, parece que se habían acabado los muchachos y Jesé le responde que faltaba el más joven. Cuando llega David, Dios le confirma a Samuel, "Es éste". Hoy Dios nos pone el ejemplo de confianza y elección sobre la juventud. Cuántas veces tanto Samuel como Jesé, dudaron que Dios ungiría a uno tan joven; sin embargo, así fue.

En la lectura del evangelio, Jesús tiene un encuentro con otro joven, un hijo, el ciego de nacimiento. Jesús demuestra que su ceguera no es culpa de nadie. Lo toca, haciendo un acto de sanación concreto, le unta barro y lo manda a lavarse. El joven le cree, y regresa con la vista recuperada. Sigue el interrogatorio: "¿Cómo es que se te han abierto los ojos?". La respuesta tendríamos que hacerla nuestra: "Hice lo que Jesús me indicó". Este joven nos pone el ejemplo, sólo basta hacer lo que Jesús nos pide. Pero los jueces, al igual que Jesé y Samuel, no confían en este hijo, y mandan traer a sus padres. Ellos, por miedo o por lo que sea, responden que es mayor y que él explique lo sucedido. El joven regresa, y confirma su experiencia, da testimonio, fue Jesús les responde y lo defiende: "Si es un pecador, no lo sé, sólo sé que yo era ciego y ahora veo". La experiencia de Jesús lo transformó de ciego en discípulo valiente del Señor. Hasta les dice después de repetir lo sucedido: "¿Para qué quieren oírlo otra vez? ¿También ustedes quieren ser discípulos suyos?". Aguanta la prueba, no duda de su experiencia de Jesús.

Jesús le sale al encuentro, como a tantos jóvenes dispuestos a seguirle, y le pregunta, "¿Crees tú?". Así les pregunta a tantos jóvenes en nuestra Iglesia, y el otro confiesa: "¡Creo, Señor!", postrándose ante él.

Hoy recordemos a los jóvenes en nuestras parroquias, en grupos juveniles, dando testimonio de sus vidas transformadas en el Señor; sirviendo a los demás con valentía y compasión, presentes en la Adoración, alegres en la liturgia. Estamos invitados a confiar en ellos. Los jóvenes han sido elegidos por Dios, confiemos como Dios lo hizo en David, para que no seamos ciegos como los fariseos del evangelio. (T.M.) ■

VIVIENDO NUESTRA FE

La Iglesia nos solicita capacitar a los jóvenes para que se adapten a las cambiantes circunstancias generacionales. "Los jóvenes deben aprender a actuar autónomamente, a hacerse capaces de asumir responsablemente la tarea de afrontar con la competencia adecuada los riesgos vinculados a un contexto económico cambiante y frecuentemente imprevisible en sus escenarios de evolución" (CDSI, 290).

PARA REFLEXIONAR

1. ¿Dónde nota usted desconfianza o falta de apoyo para los jóvenes?

2. ¿Qué personas lo han apoyado a usted para salir adelante en la vida?

3. ¿Cómo apoya su parroquia o comunidad de fe la educación integral de los jóvenes?

Primera lectura

Isaías 43:16–21

Esto dice el Señor, que abrió un camino en el mar / y un sendero en las aguas impetuosas, / el que hizo salir a la batalla / a un formidable ejército de carros y caballos, / que cayeron y no se levantaron, / y se apagaron como una mecha que se extingue:

"No recuerden lo pasado ni piensen en lo antiguo; / yo voy a realizar algo nuevo. / Ya está brotando. ¿No lo notan? / Voy a abrir caminos en el desierto / y haré que corran los ríos en la tierra árida. / Me darán gloria las bestias salvajes, / los chacales y las avestruces, / porque haré correr agua en el desierto, / y ríos en el yermo, / para apagar la sed de mi pueblo escogido. / Entonces el pueblo que me he formado / proclamará mis alabanzas".

Salmo responsorial

Salmo 126:1–2ab, 2cd–3, 4–5, 6

R. El Señor ha estado grande con nosotros, y estamos alegres.

Cuando el Señor cambió la suerte de Sión, nos parecía soñar: la boca se nos llenaba de risas, la lengua de cantares. **R.**

Hasta los gentiles decían: "El Señor ha estado grande con ellos". El Señor ha estado grande con nosotros, y estamos alegres. **R.**

Que el Señor cambie nuestra suerte, como los torrentes de Negueb. Los que sembraban con lágrimas cosechan entre cantares. **R.**

Al ir, iba llorando, llevando la semilla; al volver, vuelve cantando, trayendo sus gavillas. **R.**

Segunda lectura

Filipenses 3:8–14

Hermanos: Todo lo que era valioso para mí, lo consideré sin valor a causa de Cristo. Más aún, pienso que nada vale la pena en comparación con el bien supremo, que consiste en conocer a Cristo Jesús, mi Señor, por cuyo amor he renunciado a todo, y todo lo considero como basura, con tal de ganar a Cristo y de estar unido a él, no porque haya obtenido la justificación que proviene de la ley, sino la que procede de la fe en Cristo Jesús, con la que Dios hace justos a los que creen.

Y todo esto, para conocer a Cristo, experimentar la fuerza de su resurrección, compartir sus sufrimientos y asemejarme a él en su muerte, con la esperanza de resucitar con él de entre los muertos.

No quiero decir que haya logrado ya ese ideal o que sea ya perfecto, pero me esfuerzo en conquistarlo, porque Cristo Jesús me ha conquistado. No, hermanos, considero que todavía no lo he logrado. Pero eso sí, olvido lo que he dejado atrás, y me lanzo hacia adelante, en busca de la meta y del trofeo al que Dios, por medio de Cristo Jesús, nos llama desde el cielo.

Evangelio

Juan 8:1–11

En aquel tiempo, Jesús se retiró al monte de los Olivos y al amanecer se presentó de nuevo en el templo, donde la multitud se le acercaba; y él, sentado entre ellos, les enseñaba.

Entonces los escribas y fariseos le llevaron a una mujer sorprendida en adulterio, y poniéndola frente a él, le dijeron: "Maestro, esta mujer ha sido sorprendida en flagrante adulterio. Moisés nos manda en la ley apedrear a estas mujeres. ¿Tú que dices?"

Le preguntaban esto para ponerle una trampa y poder acusarlo. Pero Jesús se agachó y se puso a escribir en el suelo con el dedo. Pero como insistían en su pregunta, se incorporó y les dijo: "Aquél de ustedes que no tenga pecado, que le tire la primera piedra". Se volvió a agachar y siguió escribiendo en el suelo.

Al oír aquellas palabras, los acusadores comenzaron a escabullirse uno tras otro, empezando por los más viejos, hasta que dejaron solos a Jesús y a la mujer, que estaba de pie, junto a él.

Entonces Jesús se enderezó y le preguntó: "Mujer, ¿dónde están los que te acusaban? ¿Nadie te ha condenado?" Ella le contestó: "Nadie, Señor". Y Jesús le dijo: "Tampoco yo te condeno. Vete y ya no vuelvas a pecar".

Seguir adelante

EL PROFETA Isaías nos reta a descubrir la transformación que Dios ya está obrando entre nosotros: "Miren que realizo algo nuevo, ya está brotando, ¿no lo notan?". Hoy estamos llamados a confiar en que Dios puede transformar todo lo que ha sucedido en nuestras vidas y ofrecernos un camino nuevo por delante. Hay una invitación a dejar las ataduras de lo de antaño, de lo antiguo, en nuestras vidas en nuestras comunidades, lo que nos ha restado dignidad, lo que nos separa de la comunidad, lo que desgasta nuestra caridad. Así lo vemos en el intercambio de Jesús con la mujer acusada de adulterio.

En el evangelio nos encontramos con Jesús rodeado de fariseos y escribas exigiendo apedrear a la mujer adúltera como lo pedía la Ley de Moisés. Jesús nos muestra el rostro misericordioso de Dios, dispuesto a dejar atrás lo que nos separa de su amor y ofrecernos un camino nuevo. Cuestiona a sus interlocutores, "El que esté libre de pecado, que tire la primera piedra". Fácil imaginar las piedras cayendo al lado de los acusadores. También nosotros y nosotras, tendríamos que reflexionar sobre las piedras que tenemos apretadas en el puño, sobre el juico que hacemos de los demás sin descubrirnos igualmente necesitados del perdón de Dios. Aquí Jesús también nos pregunta a nosotros si estamos libres de pecado. El rencor puede ser el lado oscuro de la comunidad latina, la incapacidad de dejar atrás rencillas o conflictos del pasado, la incapacidad de perdonar y seguir adelante. Señalar a los "pecadores" divide y lastima a nuestras familias. Hoy Jesús nos pide otra cosa.

Se van los acusadores uno por uno; soltaron sus piedras. Queda aquella mujer con Jesús. Entonces Jesús la mira y le confirma "yo tampoco te condeno". Pero no le dice que siga igual, más bien la invita —sigue para adelante— no peques más.

El encuentro con Jesús transforma el pasado y nos ofrece un camino por delante. Dice san Pablo que Jesús "obtuvo el premio" para nosotros. Como él, debemos buscar sólo una cosa: olvidarnos de lo que queda atrás y lanzarnos a lo que está adelante que es la vida en Cristo. (T.M.) ∎

VIVIENDO NUESTRA FE

La Iglesia recién a publicado el *Nuevo Directorio para la Catequesis* (2021). El sacramento de la reconciliación es una parte fundamental de nuestra vida sacramental. El directorio recuerda que la evangelización es un proceso que necesita caridad, testimonio y conversión. Anota que "mediante una educación permanente de la fe, la celebración de los sacramentos y el ejercicio de la caridad alimentan en los fieles el don de la comunión y despiertan la misión, enviando a todos los discípulos de Cristo a anunciar el Evangelio con obras y palabras" (NDC, 31).

PARA REFLEXIONAR

1. ¿Qué prejuicios sociales, religiosos y culturales impiden valorar y comprender a los demás?

2. ¿Cómo le ha impulsado el sacramento de la reconciliación a encontrarse con Cristo?

3. ¿Qué impide el crecimiento y desarrollo de su comunidad de fe?

LECTURAS SEMANALES
4–9 de abril

L *Dn 13:1–9, 15–17, 19–30, 33–62 o 13:41c–62; Jn 8:12–20*

M *Nm 21:4–9; Jn 8:21–30*

M *Dn 3:14–20, 91–92, 95; Jn 8:31–42*

J *Gen 17:3–9; Jn 8:51–59*

V *Jer 20:10–13; Jn 10:31–42*

S *Ez 37:21–28; Jn 11:45–57*

Primera lectura

Ezequiel 37:12–14

Esto dice el Señor Dios: "Pueblo mío, yo mismo abriré sus sepulcros, los haré salir de ellos y los conduciré de nuevo a la tierra de Israel.

Cuando abra sus sepulcros y los saque de ellos, pueblo mío, ustedes dirán que yo soy el Señor.

Entonces les infundiré a ustedes mi espíritu y vivirán, los estableceré en su tierra y ustedes sabrán que yo, el Señor, lo dije y lo cumplí".

Salmo responsorial

Salmo 130:1–2, 3–4, 5–7ab, 7cd–8

Segunda lectura

Romanos 8:8–11

Hermanos: Los que viven en forma desordenada y egoísta no pueden agradar a Dios. Pero ustedes no llevan esa clase de vida, sino una vida conforme al Espíritu, puesto que el Espíritu de Dios habita verdaderamente en ustedes.

Quien no tiene el Espíritu de Cristo, no es de Cristo. En cambio, si Cristo vive en ustedes, aunque su cuerpo siga sujeto a la muerte a causa del pecado, su espíritu vive a causa de la actividad salvadora de Dios.

Si el Espíritu del Padre, que resucitó a Jesús de entre los muertos, habita en ustedes, entonces el Padre, que resucitó a Jesús de entre los muertos, también les dará vida a sus cuerpos mortales, por obra de su Espíritu que habita en ustedes.

Evangelio

Juan 11:3–7, 17, 20–27, 33–45

En aquel tiempo, Marta y María, las dos hermanas de Lázaro, le mandaron decir a Jesús: "Señor, el amigo a quien tanto quieres está enfermo". Al oír esto, Jesús dijo: "Esta enfermedad no acabará en la muerte, sino que servirá para la gloria de Dios, para que el Hijo de Dios sea glorificado por ella".

Jesús amaba a Marta, a su hermana y a Lázaro. Sin embargo, cuando se enteró de que Lázaro estaba enfermo, se detuvo dos días más en el lugar en que se hallaba. Después dijo a sus discípulos: "Vayamos otra vez a Judea".

Cuando llegó Jesús, Lázaro llevaba ya cuatro días en el sepulcro. Apenas oyó Marta que Jesús llegaba, salió a su encuentro; pero María se quedó en casa. Le dijo Marta a Jesús: "Señor, si hubieras estado aquí, no habría muerto mi hermano. Pero aún ahora estoy segura de que Dios te concederá cuanto le pidas".

Jesús le dijo: "Tu hermano resucitará". Marta respondió: "Ya sé que resucitará en la resurrección del último día". Jesús le dijo: "Yo soy la resurrección y la vida. El que cree en mí, aunque haya muerto, vivirá; y todo aquel que está vivo y cree en mí, no morirá para siempre. ¿Crees tú esto?" Ella le contestó: "Sí, Señor. Creo firmemente que tú eres el Mesías, el Hijo de Dios, el que tenía que venir al mundo".

Jesús se conmovió hasta lo más hondo y preguntó: "¿Dónde lo han puesto?" Le contestaron: "Ven, Señor, y lo verás". Jesús se puso a llorar y los judíos comentaban: "De veras ¡cuánto lo amaba!" Algunos decían: "¿No podía éste, que abrió los ojos al ciego de nacimiento, hacer que Lázaro no muriera?"

Jesús, profundamente conmovido todavía, se detuvo ante el sepulcro, que era una cueva, sellada con una losa. Entonces dijo Jesús: "Quiten la losa". Pero Marta, la hermana del que había muerto, le replicó: "Señor, ya huele mal, porque lleva cuatro días". Le dijo Jesús: "¿No te he dicho que si crees, verás la gloria de Dios?" Entonces quitaron la piedra.

Jesús levantó los ojos a lo alto y dijo: "Padre, te doy gracias porque me has escuchado. Yo ya sabía que tú siempre me escuchas; pero lo he dicho a causa de esta muchedumbre que me rodea, para que crean que tú me has enviado". Luego gritó con voz potente: "¡Lázaro, sal de ahí?" Y Salió el muerto, atados con vendas las manos y los pies, y la cara envuelta en un sudario. Jesús les dijo: "Desátenlo, para que pueda andar".

Muchos de los judíos que habían ido a casa de Marta y María, al ver lo que había hecho Jesús, creyeron en él.

O bien: Juan 11:1–45.

¿Cree usted esto?

A UN DOMINGO de la Semana Mayor, hoy las lecturas nos recuerdan el poder de Dios sobre la muerte. Nos encontramos con los sepulcros de los que habla el profeta Ezequiel y que Dios abrirá, y con el sepulcro que abre Jesús para resucitar a Lázaro. Dios nos invita a salir de todos los sepulcros de nuestras vidas. Jesús nos ayudará a salir.

Betania es un lugar especial para Jesús, allí viven sus amigos, Marta, María y Lázaro. Los tres le acogían en su hogar para descansar. Había algo especial entre ellos, un cariño verdaderamente entrañable porque aquí nos encontramos a un Jesús conmovido hasta las lágrimas por el dolor de sus amigas Marta y María ante la muerte de su hermano Lázaro. Claro que Jesús sabía que lo podría sacar del sepulcro, pero lloró con ellas porque era un bueno amigo. Tal vez precisamente por esta amistad las hermanas se atreven a reprochar: "Señor si hubieras estado aquí no habría muerto mi hermano". Cuando suceden tragedias o momentos difíciles en nuestra vida, también nosotros reprochamos la sentida ausencia de Dios. Sentimos que no estuvo con nosotros. Pero Dios puede más que todo eso. Jesús escucha a las hermanas de Lázaro y no se molesta, sólo pregunta, nos pregunta: "Yo soy resurrección y la vida… ¿Crees esto?". Marta, una mujer, lo confiesa, "Si, Señor, yo creo que tú eres el Mesías". Esta confesión es la transición a lo que Jesús hará enseguida. Sabiendo que sus amigas creen, ahora se acerca al sepulcro, llama a Lázaro. Y, ¡el muerto salió!

Jesús hoy también nos llama a sacar del sepulcro la vida que hemos dado por muerta, todo aquello que por desconfianza o duda pensamos que ya no vibra. Jesús nos pide que saquemos, esos sueños de un mundo mejor, esa compasión que transforma al mundo, esa reconciliación que creíamos imposible, y nos ordena "desatarla y dejarla andar". Jesús es Señor de la vida. Tenemos que revisar nuestra fe en el Dios de la vida, Pablo nos recuerda hoy que el "Espíritu que resucitó a Jesús de entre los muertos habita en nosotros". Como preparación para la Semana Santa valdría la pena revisar nuestra fe en la resurrección.
(T.M.) ■

VIVIENDO NUESTRA FE

Hay personas que enfrentan adversidades de varios tipos, incluyendo algunas congénitas. Teniendo esto en cuenta, el Papa señala: "Una sociedad humana y fraterna es capaz de preocuparse para garantizar de modo eficiente y estable que todos sean acompañados en el recorrido de sus vidas, no sólo para asegurar sus necesidades básicas, sino para que puedan dar lo mejor de sí, aunque su rendimiento no sea el mejor, aunque vayan lento, aunque su eficiencia sea poco destacada" (Papa Francisco, *Fratelli tutti*, 110).

PARA REFLEXIONAR

1. ¿Dónde son visibles las personas con discapacidad?

2. ¿Experimenta usted el llamado de Jesús, resurrección y vida? ¿Cómo responde usted?

3. ¿Qué hace su grupo o comunidad de fe para favorecer a personas con discapacidad?

Evangelio

Lucas 19:28–40

En aquel tiempo, Jesús, acompañado de sus discípulos, iba camino de Jerusalén, y al acercarse a Betfagé y a Betania, junto al monte llamado de los Olivos, envió a dos de sus discípulos, diciéndoles: "Vayan al caserío que está frente a ustedes. Al entrar, encontrarán atado un burrito que nadie ha montado todavía. Desátenlo y tráiganlo aquí. Si alguien les pregunta por qué lo desatan, díganle: 'El Señor lo necesita'".

Fueron y encontraron todo como el Señor les había dicho. Mientras desataban el burro, los dueños les preguntaron: "¿Por qué lo desamarran?" Ellos contestaron: "El Señor lo necesita". Se llevaron, pues, el burro, le echaron los mantos e hicieron que Jesús montara en él.

Conforme iba avanzando, la gente tapizaba el camino con sus mantos, y cuando ya estaba cerca la bajada del monte de los Olivos, la multitud de discípulos, entusiasmados, se pusieron a alabar a Dios a gritos por todos los prodigios que habían visto, diciendo: / "*¡Bendito el rey / que viene en el nombre del Señor! / ¡Paz en el cielo / y gloria en las alturas!*"

Algunos fariseos que iban entre la gente le dijeron: "Maestro, reprende a tus discípulos". Él les replicó: "Les aseguro que si ellos se callan, gritarán las piedras".

Primera lectura

Isaías 50:4–7

En aquel entonces, dijo Isaías: / "El Señor me ha dado una lengua experta, / para que pueda confortar al abatido / con palabras de aliento.

Mañana tras mañana, el Señor despierta mi oído, / para que escuche yo, como discípulo. / El Señor Dios me ha hecho oír sus palabras / y yo no he opuesto resistencia / ni me he echado para atrás.

Ofrecí la espalda a los que me golpeaban, / la mejilla a los que me tiraban de la barba. / No aparté mi rostro de los insultos y salivazos.

Pero el Señor me ayuda, / por eso no quedaré confundido, / por eso endureció mi rostro como roca / y sé que no quedaré avergonzado".

Salmo responsorial

Salmo 22:8–9, 17–18a, 19–20, 23–24

R. Dios mío, Dios mío, ¿por qué me has abandonado?

Al verme, se burlan de mí, hacen visajes, menean la cabeza: "Acudió al Señor, que lo ponga a salvo; que lo libre, si tanto lo quiere". **R.**

Me acorrala una jauría de mastines, me cerca una banda de malhechores; me taladran las manos y los pies, puedo contar mis huesos. **R.**

Se reparten mi ropa, echan a suerte mi túnica. Pero tú, Señor, no te quedes lejos; fuerza mía, ven corriendo a ayudarme. **R.**

Contaré tu fama a mis hermanos, en medio de la asamblea te alabaré. Fieles del Señor, alábenlo, linaje de Jacob, glorifíquenlo, témanle, linaje de Israel. **R.**

Segunda lectura

Filipenses 2:6–11

Cristo, siendo Dios, / no consideró que debía aferrarse / a las prerrogativas de su condición divina, / sino que, por el contrario, se anonadó a sí mismo, / tomando la condición de siervo, / y se hizo semejante a los hombres. / Así, hecho uno de ellos, se humilló a sí mismo / y por obediencia aceptó incluso la muerte, / y una muerte de cruz.

Por eso Dios lo exaltó sobre todas las cosas / y le otorgó el nombre que está sobre todo nombre, / para que, al nombre de Jesús, todos doblen la rodilla / en el cielo, en la tierra y en los abismos, / y todos reconozcan públicamente que Jesucristo es el Señor, / para gloria de Dios Padre.

Evangelio

Lucas 22:14—23:56

Llegada la hora de cenar, se sentó Jesús con sus discípulos y les dijo: "Cuánto he deseado celebrar esta Pascua con ustedes, antes de padecer, porque yo les aseguro que ya no la volveré a celebrar, hasta que tenga cabal cumplimiento en el Reino de Dios". Luego tomó una copa de vino, pronunció la acción de gracias y dijo: "Tomen esto y repártanlo entre ustedes, porque les aseguro que ya no volveré a beber del fruto de la vid hasta que venga el Reino de Dios".

Tomando después un pan, pronunció la acción de gracias, lo partió y se lo dio, diciendo: "Esto es mi cuerpo, que se entrega por ustedes. Hagan esto en memoria mía". Después de cenar, hizo lo mismo con una copa de vino, diciendo: "Esta copa es la nueva alianza, sellada con mi sangre, que se derrama por ustedes".

"Pero miren: la mano del que me va a entregar está conmigo en la mesa. Porque el Hijo del hombre va a morir, según lo decretado; pero ¡ay de aquel hombre por quien será entregado!" Ellos empezaron a preguntarse quién de ellos podía ser el que lo iba a traicionar.

Después los discípulos se pusieron a discutir sobre cuál de ellos debería ser considerado como el más importante. Jesús les dijo: "Los reyes de los paganos los dominan, y los que ejercen la autoridad se hacen llamar bienhechores. Pero ustedes no hagan eso, sino todo lo contrario: que el mayor entre ustedes actúe como si fuera el menor, y el que gobierna, como si fuera un servidor. Porque ¿quién vale más, el que está a la mesa o el que sirve? ¿Verdad que es el que está a la mesa? Pues yo estoy en medio de ustedes como el que sirve. Ustedes han perseverado conmigo en mis pruebas, y yo les voy a dar el Reino, como mi Padre me lo dio a mí, para que coman y beban a mi mesa en el Reino, y se siente cada uno en un trono, para juzgar a las doce tribus de Israel".

Luego añadió: "Simón, Simón, mira que Satanás ha pedido permiso para zarandearlos como trigo; pero yo he orado por ti, para que tu fe no desfallezca; y tú, una vez convertido, confirma a tus hermanos". El le contestó: "Señor, estoy dispuesto a ir contigo incluso a la cárcel y a la muerte". Jesús le replicó: "Te digo, Pedro, que hoy, antes de que cante el gallo, habrás negado tres veces que me conoces".

Después les dijo a todos ellos: "Cuando los envié sin provisiones, sin dinero ni sandalias, ¿acaso les faltó algo?" Ellos contestaron: "Nada". El añadió: "Ahora, en cambio, el que tenga dinero o provisiones, que los tome; y el que no tenga espada, que venda su manto y compre una. Les aseguro que conviene que se cumpla esto que está escrito de mí: *Fue contado entre los malhechores*, porque se acerca el cumplimiento de todo lo que se refiere a mí". Ellos dijeron: "Señor, aquí hay dos espadas". El les contestó: "¡Basta ya!"

Salió Jesús, como de costumbre, al monte de los Olivos y lo acompañaron los discípulos. Al llegar a ese sitio, les dijo: "Oren, para no caer en la tentación". Luego se alejó de ellos a la distancia de un tiro de piedra y se puso a orar de rodillas, diciendo: "Padre, si quieres, aparta de mí esta amarga prueba; pero que no se haga mi voluntad, sino la tuya". Se le apareció entonces un ángel para confortarlo; él, en su angustia mortal, oraba con mayor insistencia, y comenzó a sudar gruesas gotas de sangre, que caían hasta el suelo. Por fin terminó su oración, se levantó, fue hacia sus discípulos y los encontró dormidos por la pena. Entonces les dijo: "¿Por qué están dormidos? Levántense y oren para no caer en la tentación".

Todavía estaba hablando, cuando llegó una turba encabezada por Judas, uno de los Doce, quien se acercó a Jesús para besarlo. Jesús le dijo: "Judas, ¿con un beso entregas al Hijo del hombre?"

Al darse cuenta de lo que iba a suceder, los que estaban con él dijeron: "Señor, ¿los atacamos con la espada?" Y uno de ellos hirió a un criado del sumo sacerdote y le cortó la oreja derecha. Jesús intervino, diciendo: "¡Dejen! ¡Basta!" Le tocó la oreja y lo curó.

Después Jesús dijo a los sumos sacerdotes, a los encargados del templo y a los ancianos que habían venido a arrestarlo: "Han venido a aprehenderme con espadas y palos, como si fuera un bandido. Todos los días he estado con ustedes en el templo y no me echaron mano. Pero ésta es su hora y la del poder de las tinieblas".

Ellos lo arrestaron, se lo llevaron y lo hicieron entrar en la casa del sumo sacerdote. Pedro lo seguía desde lejos. Encendieron fuego en medio del patio, se sentaron alrededor y Pedro se sentó también con ellos. Al verlo sentado junto a la lumbre, una criada se le quedó mirando y dijo: "Éste también estaba con él". Pero él lo negó, diciendo: "No lo conozco, mujer". Poco después lo vio otro y le dijo: "Tú también eres uno de ellos". Pedro replicó: "¡Hombre, no lo soy!" Y como después de una hora, otro insistió: "Sin duda que éste también estaba con él, porque es galileo". Pedro contestó: "¡Hombre, no sé de qué hablas!" Todavía estaba hablando, cuando cantó un gallo.

El Señor, volviéndose, miró a Pedro. Pedro se acordó entonces de las palabras que el Señor le había dicho: 'Antes de que cante el gallo, me negarás tres veces', y saliendo de allí se soltó a llorar amargamente.

Los hombres que sujetaban a Jesús se burlaban de él, le daban golpes, le tapaban la cara y le preguntaban: "¿Adivina quién te ha pegado?" Y proferían contra él muchos insultos.

Al amanecer se reunió el consejo de los ancianos con los sumos sacerdotes y los escribas. Hicieron comparecer a Jesús ante el sanedrín y le dijeron: "Si tú eres el Mesías, dínoslo". Él les contestó: "Si se lo digo, no lo van a creer, y si les pregunto, no me van a responder. Pero ya desde ahora, el Hijo del hombre está sentado a la derecha de Dios todopoderoso". Dijeron todos: "Entonces, ¿tú eres el Hijo de Dios?" Él les contestó: "Ustedes mismos lo han dicho: sí lo soy". Entonces ellos dijeron: "¿Qué necesidad tenemos ya de testigos? Nosotros mismos lo hemos oído de su boca". El consejo de los ancianos, con los sumos sacerdotes y los escribas, se levantaron y llevaron a Jesús ante Pilato.

Entonces comenzaron a acusarlo, diciendo: "Hemos comprobado que éste anda amotinando a nuestra nación y oponiéndose a que se pague tributo al César y diciendo que él es el Mesías rey".

Pilato preguntó a Jesús: "¿Eres tú el rey de los judíos?" Él le contestó: "Tú lo has dicho". Pilato dijo a los sumos sacerdotes y a la turba: "No encuentro ninguna culpa en este hombre". Ellos insistían con más fuerza, diciendo: "Solivianta al pueblo enseñando por toda la Judea, desde Galilea hasta aquí". Al oír esto, Pilato preguntó si era galileo, y al enterarse de que era de la jurisdicción de Herodes, se lo remitió, ya que Herodes estaba en Jerusalén precisamente por aquellos días.

Herodes, al ver a Jesús, se puso muy contento, porque hacía mucho tiempo que quería verlo, pues había oído hablar mucho de él y esperaba presenciar algún milagro suyo. Le hizo muchas preguntas, pero él no le contestó ni una palabra. Estaban ahí los sumos sacerdotes y los escribas, acusándolo sin cesar. Entonces Herodes, con su escolta, lo trató con desprecio y se burló de él, y le mandó poner una vestidura blanca. Después se lo remitió a Pilato. Aquel mismo día se hicieron amigos Herodes y Pilato, porque antes eran enemigos.

Pilato convocó a los sumos sacerdotes, a las autoridades y al pueblo, y les dijo: "Me han traído a este hombre, alegando que alborota al pueblo; pero yo lo he interrogado delante de ustedes y no he encontrado en él ninguna de las culpas de que lo acusan. Tampoco Herodes, porque me lo ha enviado de nuevo. Ya ven que ningún delito digno de muerte se ha probado. Así pues, le aplicaré un escarmiento y lo soltaré".

Con ocasión de la fiesta, Pilato tenía que dejarles libre a un preso. Ellos vociferaron en masa, diciendo: "¡Quita a ése! ¡Suéltanos a Barrabás!" A éste lo habían metido en la cárcel por una revuelta acaecida en la ciudad y un homicidio.

Pilato volvió a dirigirles la palabra, con la intención de poner en libertad a Jesús; pero ellos seguían gritando: "¡Crucifícalo, crucifícalo!" Él les dijo por tercera vez: "¿Pues qué ha hecho de malo? No he encontrado en él ningún delito que merezca la muerte; de modo que le aplicaré un escarmiento y lo soltaré". Pero ellos insistían, pidiendo a gritos que lo crucificara. Como iba creciendo el griterío, Pilato decidió que se cumpliera su petición; soltó al que le pedían, al que había sido encarcelado por revuelta y homicidio, y a Jesús se lo entregó a su arbitrio.

Mientras lo llevaban a crucificar, echaron mano a un cierto Simón de Cirene, que volvía del campo, y lo obligaron a cargar la cruz, detrás de Jesús. Lo iba siguiendo una gran multitud de hombres y mujeres, que se golpeaban el pecho y lloraban por él. Jesús se volvió hacia las mujeres y les dijo: "Hijas de Jerusalén, no lloren por mí; lloren por ustedes y por sus hijos, porque van a venir días en que se dirá: '¡Dichosas las estériles y los vientres que no han dado a luz y los pechos que no han criado!' Entonces dirán a los montes: 'Desplómense sobre nosotros', y a las colinas: 'Sepúltennos', porque si así tratan al árbol verde, ¿qué pasará con el seco?"

Conducían, además, a dos malhechores, para ajusticiarlos con él. Cuando llegaron al lugar llamado "la Calavera", lo crucificaron allí, a él y a los malhechores, uno a su derecha y el otro a su izquierda. Jesús decía desde la cruz: "Padre, perdónalos, porque no saben lo que hacen". Los soldados se repartieron sus ropas, echando suertes.

El pueblo estaba mirando. Las autoridades le hacían muecas, diciendo: "A otros ha salvado; que se salve a sí mismo, si él es el Mesías de Dios, el elegido". También los soldados se burlaban de Jesús, y acercándose a él, le ofrecían vinagre y le decían: "Si tú eres el rey de los judíos, sálvate a ti mismo". Había, en efecto, sobre la cruz, un letrero en griego, latín y hebreo, que decía: "Éste es el rey de los judíos".

Uno de los malhechores crucificados insultaba a Jesús, diciéndole: "Si tú eres el Mesías, sálvate a ti mismo y a nosotros". Pero el otro le reclamaba, indignado: "¿Ni siquiera temes tú a Dios estando en el mismo suplicio? Nosotros justamente recibimos el pago de lo que hicimos. Pero éste ningún mal ha hecho". Y le decía a Jesús: "Señor, cuando llegues a tu Reino, acuérdate de mí". Jesús le respondió: "Yo te aseguro que hoy estarás conmigo en el paraíso".

Era casi el mediodía, cuando las tinieblas invadieron toda la región y se oscureció el sol hasta las tres de la tarde. El velo del templo se rasgó a la mitad. Jesús, clamando con voz potente, dijo: "¡Padre, en tus manos encomiendo mi espíritu!" Y dicho esto, expiró.

[Aquí se arrodillan todos y se hace una breve pausa].

El oficial romano, al ver lo que pasaba, dio gloria a Dios, diciendo: "Verdaderamente este hombre era justo". Toda la muchedumbre que había acudido a este espectáculo, mirando lo que ocurría, se volvió a su casa dándose golpes de pecho. Los conocidos de Jesús se mantenían a distancia, lo mismo que las mujeres que lo habían seguido desde Galilea, y permanecían mirando todo aquello.

Un hombre llamado José, consejero del sanedrín, hombre bueno y justo, que no había estado de acuerdo con la decisión de los judíos ni con sus actos, que era natural de Arimetea, ciudad de Judea, y que aguardaba el Reino de Dios, se presentó ante Pilato para pedirle el cuerpo de Jesús. Lo bajó de la cruz, lo envolvió en una sábana y lo colocó en un sepulcro excavado en la roca, donde no habían puesto a nadie todavía. Era el día de la Pascua y ya iba a empezar el sábado. Las mujeres que habían seguido a Jesús desde Galilea lo acompañaron para ver el sepulcro y cómo colocaban el cuerpo. Al regresar a su casa, prepararon perfumes y ungüentos, y el sábado guardaron reposo, conforme al mandamiento.

O bien: Lucas 23:1–49.

¿Espectadores o testigos?

LAS LECTURAS del Domingo de Ramos hablan de "mucha gente", de "muchedumbre" o de "la masa de los discípulos". Muchos son simples espectadores de la predicación y de los milagros de Jesús otros son auténticos testigos. Necesitamos preguntarnos al inicio de esta Semana Mayor, ¿qué tipo de testigo de Jesús somos nosotros? ¿Seremos como los espectadores de un estadio que aclamamos a nuestro equipo cuando está ganando para luego buscar la salida antes de que termine el partido porque sabemos que perderán? ¿Seremos acompañantes que se quedan con los amigos o las amigas, en las buenas y en las malas?

Alrededor del mundo inicia la liturgia del Domingo de Ramos con palmas, unas entretejidas, otras sencillas, pero con ellas se nos invita a todos a recrear la entrada triunfal a Jerusalén. ¿Qué vítores hubiéramos gritado nosotros, nosotras? ¡Estamos con él! ¡Somos de Jesús! Fácil ser, como dice la Escritura, parte de la "masa de los discípulos" cuando todo está a favor. Pero el evangelio nos narra cómo cambia este ambiente, esa última cena dónde Jesús identifica a un traidor, la oración en el monte de los Olivos, luego el juicio y el camino al Calvario. Allí las masas entusiastas se convierten en muchedumbres sedientas de un espectáculo de sacrificio. ¿Serían algunas de las mismas del Domingo de Ramos? ¿Será que la masa de los discípulos se esparció en cuanto cambió la suerte de Jesús dejándolo a la suerte de una muchedumbre que no lo había aceptado?

Sin embargo, en el camino al Calvario aparecen otras acompañantes. Ellas están dispuestas a quedarse con Jesús, aunque las critiquen o les griten, o las abucheen. A ellas Jesús les dirige las únicas palabras que ofrece mientras carga su cruz, "Hijas de Jerusalén no lloren por mí". Cuando llega Jesús al lugar de la crucifixión, sigue el "pueblo mirando", la "muchedumbre había acudido al espectáculo". Pero al mismo tiempo, vemos a las mujeres que lo acompañaron desde Galilea, llegaron hasta el Calvario y luego inclusive acompañaron a José de Arimatea al sepulcro a examinar y ver cómo colocaban su cuerpo. Estas mujeres no son espectadoras, son acompañantes de Jesús, dispuestas a jugarse la suerte por él. Al pueblo latino no nos sorprende que sean mujeres las que han acompañado las últimas horas de vida de Jesús. Las madres, abuelas, tías siempre son las que visitan en la cárcel, las que están en el hospital, las que consuelan la pérdida. Estas mujeres que se vuelven Evangelio nos ponen el ejemplo. ¿Qué seremos, espectadores o testigos? (T.M.) ■

VIVIENDO NUESTRA FE

Es necesario educarnos en la ternura. Incluso en el ámbito político se debe amar con ternura. El papa Francisco solicita que "en medio de la actividad política, los más pequeños, los más débiles, los más pobres deben enternecernos: tienen "derecho" de llenarnos el alma y el corazón. Sí, ellos son nuestros hermanos y como tales tenemos que amarlos y tratarlos" (*Fratelli tutti*, 194).

PARA REFLEXIONAR

1. ¿En qué situaciones reconoce usted que se necesita verdadero compromiso social?

2. ¿Cómo ha experimentado usted el valor y la perseverancia de las mujeres latinas?

3. ¿Qué muestras de ternura solidaria brinda el grupo o comunidad de fe parroquial?

LECTURAS SEMANALES
11–16 de abril

L *Is 42: 1–7; Jn 12: 1–11*

M *Is 49: 1–6; Jn 13: 21–33. 36–38*

M *Is 50: 4–9; Mt 26: 14–25*

J *Triduo Pascual*

V *Triduo Pascual*

S *Triduo Pascual*

Triduo Pascual

Salmo 90

1–6, 8–11, 14–16

Tú que habitas al amparo del Altísimo,
a la sombra del todopoderoso,
dile al Señor: mi amparo, mi refugio
en ti, mi Dios, yo pongo mi confianza.

Él te libra del lazo
del cazador que busca destruirte;
te cubre con sus alas
y será su plumaje tu refugio.

No temerás los miedos de la noche
ni la flecha disparada de día,
ni la peste que avanza en las tinieblas
ni la plaga que azota a pleno sol.

Aunque caigan mil hombres a tu lado
y diez mil a tu diestra,
tú permaneces fuera de peligro;
su lealtad te escuda y te protege.

Basta que tengas tus ojos abiertos
y verás el castigo del impío
tú que dices: "Mi amparo es el Señor"
y que haces del Altísimo tu asilo.

No podrá la desgracia dominarte
ni la plaga acercarse a tu morada:
pues ha dado a sus ángeles la orden
de protegerte en todos tus caminos.

En sus manos te habrán de sostener
para que no tropiece
tu pie en alguna piedra;
andarás sobre víboras y leones
y pisarás cachorros y dragones.

Pues a mí se acogió, lo libraré,
lo protegeré, pues mi nombre conoció.
Me llamará, yo le responderé
y estaré con él en la desgracia.

Lo salvaré y lo enalteceré.
Lo saciaré de días numerosos
y haré que pueda ver mi salvación.

Tres días santísimos

El Triduo Pascual celebra los días más sagrados de los cristianos. El paso de Jesús de la muerte a la vida. El paso de Jesús de Nazaret, el predicador carismático de Galilea, a Jesús el Cristo resucitado revelando a plenitud que "verdaderamente es el Hijo de Dios", como dijo aquel centurión al pie de la cruz. El misterio de nuestra fe nos revela que Jesús se encarnó entre nosotros, que nos enseñó cómo vivir de acuerdo con la clave del Reino de Dios, que murió por su amor por toda la humanidad y que triunfó sobre la muerte; todo esto está contenido en nuestra celebración de tres días. Por eso, en el corazón del Triduo todos renovamos nuestros compromisos bautismales, nuestros compromisos de fe. Por eso, recibimos a los nuevos miembros de nuestra familia cristiana en esta semana. Por eso, consagramos los Crismas que ungen, confirman y ordenan cuando celebramos los sacramentos del bautismo, confirmación, unción de los enfermos y orden sacerdotal.

En las tradiciones de las familias latinas, durante la Semana Mayor la participación en las celebraciones litúrgicas se hacía con solemnidad, casi como quien acompaña a una familia que ha perdido un ser querido. Se silenciaban el radio y la televisión, las abuelas se vestían de negro. Obligado el Viacrucis y los cantos que recuerdan que necesitamos pedir perdón porque nos sabemos pecadores. También esta semana usamos muchos signos, velas, agua, palmas, en nuestras familias horneamos pan para ser bendecido el Jueves Santo, ofrecemos altares para el Viacrucis, llevamos nuestras cubetas de agua y nuestras velas a la Vigilia Pascual. Los signos de nuestra fe son importantes esta semana. Nos recuerdan que somos de Jesús.

Esta semana estamos invitados a reconocernos en cada uno de los personajes de los relatos evangélicos que escucharemos; todos tenemos algo de ellos. Vale la pena este ejercicio. Seamos Pedro cuando Jesús le lava los pies, luego cuando lo niega, y finalmente cuando escucha al gallo cantar tres veces. Seamos Juan, atento a lo que sucede en la última cena y luego al pie de la cruz recibiendo la encomienda de cuidar a la madre de Jesús. Seamos Pilato, calculador, titubeante, que al final cede por no perder popularidad. Seamos el centurión verdugo y luego testigo. Seamos los discípulos que después de cenar con Jesús no se pudieron quedar despiertos en el monte de Olivos, aunque había llegado la hora. Pero, sobre todo, seamos cada una de las mujeres que nombra el evangelio, María Magdalena, Salomé, María, la madre de Jesús, caminando con él al Calvario, destrozadas por su muerte en la cruz, y luego asombradas con la noticia de una tumba vacía. Estas mujeres como las madres, hermanas, abuelas y tías en nuestras familias latinas este Triduo Pascual tienen algo que enseñarnos. Acompañémoslas de cerca.

Jueves Santo

Misa crismal: Isaías 61:1–3a, 6a, 8b–9; Salmo 88 (87): 21–22, 25, 27; Apocalipsis 1:5–8; Lucas 4:16–21

Misa de la Cena del Señor: Éxodo 12:1–8, 11–14; Salmo 115 (115); 1 Corintios 11:23–26; Juan 13:1–15

Recordar para servir. Hoy Jesús nos invita una vez más a la mesa para recordar, para ser comunidad. Jesús pasó una buena parte de su vida activa en conversación con sus amigos, sus discípulos, en torno a una mesa. Pedía que lo invitarán a su casa, se sentaba a comer con la gente, a conversar. Más de una vez, sus detractores, esos curiosos que ni se van ni se quedan pero que están al pendiente de todo, hasta lo criticaron porque comía y bebía. Es significativo que su ministerio inicia en torno a una mesa, en las bodas de Caná, dónde su primer milagro es asegurar que hubiera más vino y termina en la última cena que hoy celebramos, recordándonos que él es vino; él es el pan y el vino que se sirven en todas nuestras mesas eucarísticas. La mesa, las comidas, era un lugar importante para Jesús, tanto que nuestra santa misa se celebra siempre como un banquete, el altar es la mesa de la Eucaristía, de la acción de gracias. Hay tres elementos claves que estamos invitados a reflexionar el día de hoy: convocar, recordar y servir.

Los relatos de la última cena nos convocan, nos invitan a participar, a estar allí. De la misma manera que somos invitados a una comida con la familia, dónde todos tienen un lugar en la mesa, hasta los traidores como Judas o los que niegan su amistad como Pedro. La mesa del Señor es un lugar de acogida, de conversación, de amistad, de encuentro. Las familias latinas nos identificamos con esta mesa, seas quien seas, haya pasado lo que sea, cuando la abuela o la madre nos convocan podemos dejar a un lado diferencias y rencillas y nos volvemos uno en torno a la mesa. La Iglesia es familia eucarística, es en torno a la Cena del Señor que su identidad y su misión se revela.

Los convocados descubrimos en el texto de san Pablo que necesitamos recordar. La carta a los Corintios nos ofrece el texto de la institución eucarística, cuando Jesús alza el cáliz y nos pide: "Hagan esto en memoria mía". Hacemos la memoria de Jesús: nos reunimos en torno a su palabra, nos hace capaces de perdonar como él lo hizo, lo percibimos presente entre nosotros, servimos como él lo hizo, nos entregamos por nuestros amigos. Recordar a Jesús es hacerlo presente, es dar testimonio en lo pequeño y concreto.

Finalmente nos encontramos a Jesús cuando se quita el manto, se ciñe la toalla y con una jofaina se pone a lavarles los pies a los discípulos. Los discípulos han de haber quedado atónitos, una y otra vez Jesús les compartió que los últimos serán los primeros, que el primero entre ellos tenía que servir a los demás, pero ahora lo confirma. En esta última noche entre ellos, les ofrece un ejemplo concreto, se trata de servir, no hay otra forma de seguirlo. Jesús les afirma que, si él, como su Maestro y Señor, les lava los pies, entonces ellos, nosotros, deben lavarse los pies unos a otros, vayan y "hagan ustedes lo mismo". La Eucaristía dominical siempre es un envió a servir a la comunidad a hacer realidad el sueño de Dios en nuestro mundo.

La comida es particularmente central dentro de la comunidad latina, nos convoca, nos reconcilia, nos hace familia. Pidamos hoy que estas experiencias nos inviten a la comunidad de la Cena del Señor que es la Iglesia para que podamos transformar la realidad a como Dios la sueña.

Viernes Santo
Isaías 52:13—53:12; Salmo 31 (30);
Hebreos 4:14–16;5:7–9; Juan 18:1—19:42

Dios sufre en su pueblo. El Viernes Santo siempre ha sido uno de los días más sobresalientes en las comunidades latinas. Participar en el Viacrucis, en la celebración de las Siete palabras, y finalmente en el Pésame a la Virgen es una tradición que se pasa de una generación a otra en muchas familias. Participamos con un repertorio de cantos que acompaña estas celebraciones, llenos de duelo, arrepentimiento, pérdida. El arte cristiano latinoamericano complementa la experiencia: rostros de Jesús con la corona de espinas, el dolor clavado en su rostro, crucifijos vencidos, ensangrentados. Los hogares latinos hacen eco de este día en sus altares caseros, nuestras estampas religiosas y novenas. Más recientemente, hemos visto en las noticias que nuestros migrantes viajan con un rosario, un cristo, que los oficiales en la frontera se los confiscan. Esta pérdida nos duele, estos migrantes no sólo son ultrajados en su dignidad, se miran despojados de los signos que les recuerdan que no están solos. Necesitamos saber que Cristo sufre con nosotros.

El día de hoy es un día de luto. Jesús murió, y nos arrodillamos en la celebración litúrgica. Adoramos la cruz donde murió. Qué admirable sacrificio el de nuestro Señor, un Dios que sufre con su pueblo, un Dios que sabe lo que se siente en el sufrimiento, el desprecio, el fracaso de la cruz. Un Dios que entiende. Además, nada conmueve más que una madre que ha perdido a su hijo, nuestra Madre Santísima, hoy es la Dolorosa, la que sufre, la que acompaña a su hijo hasta que expira su último aliento. Acompañamos a María en todas las madres que han perdido a sus hijos de tantas maneras.

Las mujeres que acompañan a Jesús hasta el Calvario vinieron desde Galilea con él; ahora lloran porque no lo quieren perder; lo miran traspasado en la cruz; se agrupan con su madre para repartirse la pérdida más dolorosa que pueda haber. Esas mujeres hoy nos enseñan algo, nos muestran el camino de la resiliencia del discipulado. Su amor es tan grande, su deseo de acompañar al que sufre es tan fuerte que pierden el miedo. Que no nos sorprendan porque las tenemos entre nosotros. En las madres de la Plaza de Mayo en Argentina, que exigieron saber el paradero de sus hijos pese a la represión militar, en las madres centroamericanas que en caravana exigen saber qué fue de sus hijos migrantes, en las madres que se forman afuera de los centros de detención y las cárceles con la frente en alto porque, aunque presos, son hijos suyos a los que visitan.

Hoy acompañamos a María, a Salomé, a María Magdalena desde el juicio de Jesús, escuchando los a la gente gritar, "Crucifícalo"; caminemos con ellas en el camino de la cruz al calvario, consolemos su llanto, y finalmente, quedémonos en la cruz a su lado, sufriendo con ellas las pérdidas de tantos hijos. En silencio acompañemos a todas las madres de nuestro pueblo que sufren.

Vigilia Pascual en la Noche Santa

Génesis 1:1—2:2 o 1:1, 26–31a; Génesis 22:1–18 o 22:1–2, 9a, 10–13, 15–18; Éxodo 14:15—15:1; Isaías 54:5–14; Isaías 55:1–11; Baruc 3:9–15, 32—4:4; Ezequiel 36:16–17a, 18–28; Romanos 6:3–11; Lucas 24:1–12

Un pueblo que camina. En la Vigilia pascual leemos la historia de salvación desde la creación en el Génesis hasta los relatos de la resurrección del Señor. Las lecturas tienen una cadencia litúrgica de lectura, salmo y oración. Escuchamos, participamos, nos ponemos de pie, una y otra vez. Son una peregrinación por la historia, recordándonos una y otra vez que Dios ha caminado siempre con su pueblo. Somos una Iglesia peregrina acompañada de su Dios. Hoy hagamos eco de las experiencias de peregrinación del pueblo latino, la experiencia de migración, de salida de sus hogares en América Latina hace una, dos o tres generaciones. La experiencia de exilio para aquellas familias que la frontera cruzó cuando fue anexado el suroeste a los Estados Unidos. Las experiencias de peregrinación a los santuarios marianos como el de Guadalupe. Somos un pueblo que camina consciente de que Dios va con nosotros. Que las lecturas hoy nos recuerden a Dios presente, acompañante, consolador. Sabernos caminantes es muy importante porque Pascua es un paso, es cruzar un umbral, es atreverse a creer, es seguir adelante.

El fuego nuevo es un signo fuerte de la liturgia Pascual, signo de Jesús, luz que brilla en las tinieblas. Esta Noche Santa cómo nos lo recuerda el pregón pascual, es la noche que Jesús vence a la muerte, es la noche que la vida es más fuerte que cualquier sufrimiento humano. Es una noche de alegría, de esperanza, de promesa. ¡Esto es resurrección!

Una vez más para cruzar el umbral, para poder dejar atrás el Viacrucis, del Viernes Santo, tenemos que acompañar a las mujeres esa madrugada de domingo. Tenían que hacer los ritos del sepulcro que habían quedado pendientes el viernes por ser sábado, pero ser seguidora de Jesús en ese momento era peligroso; la turba y las autoridades romanas buscaban aplastar el movimiento de Jesús con su crucifixión, de modo que ellas sabían que pronto perseguirían a sus discípulos. Aun sabiendo el peligro que corrían, vencieron el miedo, salieron de madrugada a cumplir sus deberes de luto. Nuestra gente vive con miedo, miedo a la deportación, miedo a la violencia de la discriminación, miedo a enfermarse y no tener un seguro médico. ¿Cómo vencer el miedo?

Aprendamos de María Magdalena. Jesús transformó su vida, desde que lo conoció descubrió su dignidad de mujer y decidió seguirle. Lo acompañó desde Galilea, lo escuchó, dejó que su predicación la convirtiera. María Magdalena pudo vencer el miedo porque le creyó a Jesús, porque en lo profundo de su alma, sabía que él era más fuerte que la muerte. Tal vez salió tan pronto como pudo, porque su corazón sabía que Jesús se había vuelto el Cristo. Ella llega con Juana y María la de Santiago al sepulcro, se encuentran con la noticia de que no está, dos hombres con vestidos refulgentes, las cuestionan: "¿Por qué buscan entre los muertos al que vive?". Y entonces, corriendo, asombradas, sobrecogidas; dice el evangelio "que recordaron sus palabras". Aprendamos de ellas, sigamos a Jesús, creamos en Jesús, y esta fe nos ayudará no sólo a vencer el miedo, sino a anunciar la vida, la esperanza que nos ofrece la resurrección. (T.M.) ∎

LECTURAS BÍBLICAS DEL TRIDUO PASCUAL

14 de abril de 2022

JUEVES SANTO

Misa Crismal

Is 61:1–3a, 6a, 8b–9

Ap 1:5–8;

Lc 4:16–21

Misa de la Cena del Señor

Ex 12:1–8, 11–14

1 Cor 11:23–26

Jn 13:1–15

15 de abril de 2022

VIERNES SANTO

Is 52:13—53:12

Heb 4:14–16; 5:7–9

Jn 18:1—19:42

16 de abril de 2022

VIGILIA PASCUAL

Gen 1:1—2:2; o bien 1:1, 26–31a

Sal 104:1–2a, 5–6, 10 y 12, 13–14, 24 y 35c; o bien Sal 33:4–5, 6–7, 12–13, 20 y 22

Gen 22:1–18; o bien 22:1–2, 9a, 10–13, 15–18

Sal 16:5 y 8, 9–10, 11

Ex 14:15—15:1

Ex 15:1–2, 3–4, 5–6, 17–18

Is 54:5–14

Sal 30:2 y 4, 5–6, 11 y 12a y 13b

Is 55:1–11

Is 12:2–3, 4bcd, 5–6

Bar 3:9–15, 32—4:4

Sal 19:8, 9, 10, 11

Ez 36:16–17a, 18–28

Sal 42:3, 5; 43:3, 4; o bien Is 12:2–3, 4bcd, 5–6; o bien Sal 51:12–13, 14–15, 18–19

Rom 6:3–11

Sal 118:1–2, 16–17, 22–23

Lucas 24:1–12

Tiempo
Pascual

Salmo 117

1–2, 13–14, 17–18, 22–27

Den gracias al Señor, pues él es bueno,
pues su bondad perdura para siempre.
Que lo diga la gente de Israel:
su bondad es eterna.

Me empujaron con fuerza
para verme en el suelo,
pero acudió el Señor a socorrerme.

El Señor es mi fuerza
y es por él que yo canto;
ha sido para mí la salvación.

No, no moriré, mas yo viviré
para contar las obras del Señor.
Con razón el Señor me ha castigado,
pero no permitió que muriera.

La piedra que dejaron los maestros
se convirtió en la piedra principal:
ésta es la obra de Dios,
es una maravilla a nuestros ojos.

Éste es el día que ha hecho el Señor,
gocemos y alegrémonos en él.

Danos, Señor, danos la salvación,
danos Señor, danos prosperidad.

"Bendito sea el que viene
en el nombre del Señor,
nosotros los bendecimos
desde la casa de Dios.

"El Señor es Dios, él nos ilumina".

Primera lectura

Hechos 10:34a, 37–43

En aquellos días, Pedro tomó la palabra y dijo: "Ya saben ustedes lo sucedido en toda Judea, que tuvo principio en Galilea, después del bautismo predicado por Juan: cómo Dios ungió con el poder del Espíritu Santo a Jesús de Nazaret y cómo éste pasó haciendo el bien, sanando a todos los oprimidos por el diablo, porque Dios estaba con él.

Nosotros somos testigos de cuanto él hizo en Judea y en Jerusalén. Lo mataron colgándolo de la cruz, pero Dios lo resucitó al tercer día y concedió verlo, no a todo el pueblo, sino únicamente a los testigos que él, de antemano, había escogido: a nosotros, que hemos comido y bebido con él después de que resucitó de entre los muertos.

Él nos mandó predicar al pueblo y dar testimonio de que Dios lo ha constituido juez de vivos y muertos. El testimonio de los profetas es unánime: que cuantos creen en él reciben, por su medio, el perdón de los pecados".

Salmo responsorial

Salmo 118:1–2, 16ab–17, 22–23

R. Éste es el día en que actuó el Señor: sea nuestra alegría y nuestro gozo.

O bien: **R. Aleluya.**

Den gracias al Señor porque es bueno, porque es eterna su misericordia. Diga la casa de Israel: eterna es su misericordia. **R.**

La diestra del Señor es poderosa, la diestra del Señor es excelsa, No he de morir, viviré para contar las hazañas del Señor. **R.**

La piedra que desecharon los arquitectos es ahora la piedra angular. Es el Señor quien lo hecho, ha sido un milagro patente. **R.**

Segunda lectura

Colosenses 3:1–4

Hermanos: Puesto que ustedes han resucitado con Cristo, busquen los bienes de arriba, donde está Cristo, sentado a la derecha de Dios. Pongan todo el corazón en los bienes del cielo, no en los de la tierra, porque han muerto y su vida está escondida con Cristo en Dios. Cuando se manifieste Cristo, vida de ustedes, entonces también ustedes se manifestarán gloriosos, juntamente con él.

O bien: 1 Corintios 5:6–8.

Evangelio

Juan 20:1–9

El primer día después del sábado, estando todavía oscuro, fue María Magdalena al sepulcro y vio removida la piedra que lo cerraba. Echó a correr, llegó a la casa donde estaban Simón Pedro y el otro discípulo, a quien Jesús amaba, y les dijo: "Se han llevado del sepulcro al Señor y no sabemos dónde lo habrán puesto".

Salieron Pedro y el otro discípulo camino del sepulcro. Iban corriendo juntos, pero el otro discípulo corrió más aprisa que Pedro y llegó primero al sepulcro, e inclinándose, miró los lienzos en el suelo, pero no entró.

En eso llegó también Simón Pedro, que lo venía siguiendo, y entró en el sepulcro. Contempló los lienzos puestos en el suelo y el sudario que había estado sobre la cabeza de Jesús, puesto no con los lienzos en el suelo, sino doblado en sitio aparte. Entonces entró también el otro discípulo, el que había llegado primero al sepulcro, y vio y creyó, porque hasta entonces no habían entendido las Escrituras, según las cuales Jesús debía resucitar de entre los muertos.

O bien: Lucas 24:1–12, o en la misa vespertina Lucas 24:13–35.

Pasar haciendo el bien

LA IGLESIA nos abre al tiempo litúrgico más jubiloso del año con el discurso de Pedro en casa de Cornelio; ese discurso es el primer anuncio del Evangelio de Jesucristo a no judíos. Quizá sepamos más cosas de Jesús de las que Pedro anuncia, pero él anuncia las más importantes. Pedro dice que Jesús fue ungido con el Espíritu Santo y que se dedicó a hacer el bien, para librar a aquellos que el diablo tenía oprimidos. En una palabra, que Jesús pasó haciendo el bien a todos. Pero prosigue Pedro diciendo que murió y resucitó y que fue visto por sus discípulos, y que ellos hasta comieron y bebieron con él. Con su predicación, Pedro anuncia que lo acontecido con Cristo es fuente de salvación para el pueblo de las promesas, e igualmente para los gentiles, es decir, para los que no pertenecen a Israel, pues Dios no hace distinción de personas.

¿A qué sonaban estas afirmaciones en el mundo griego y romano de aquel tiempo? Posiblemente la convicción apostólica de que el misterio pascual de Cristo es liberador y que ha de alcanzar a todas las personas de todas las culturas, encontró eco y dejó una semillita. Aquel era un mundo necesitado de liberación y de fraternidad. La fe apostólica anunciaba una vida nueva para todos. Dios resucitó a Jesús, su poder salva y, para beneficiarnos de esto, hay que arrepentirse y hacerse bautizar. Ese es el primer paso.

Los discípulos encontraron "señales" de una vida nueva, pero ni la tumba vacía ni el anuncio del ángel bastaban; era necesaria la presencia de Cristo mismo. Y él se ha quedado con nosotros. El evangelio no describe cómo ocurrió la resurrección, afirma que hubo fe en lo que pasó. La verdad es que la experiencia con Jesús les cambió a los discípulos su incredulidad y miedo. La resurrección inyecta valor y energía en los creyentes capaces de comprometerse en proyectos serios de transformación. La resurrección de Jesús es el triunfo de la causa del Padre, es la señal de que el Reino ha comenzado y nos toca darle continuidad. Sí, esta gran tarea se realiza "haciendo el bien", como Jesús lo hizo. (P.A.) ∎

VIVIENDO NUESTRA FE

El Vaticano Segundo, al reconocer las aspiraciones a las legítimas reivindicaciones de los pueblos, en la Constitución pastoral *Gaudium et spes* anota que "las personas y los grupos sociales están sedientos de una vida plena y libre, digna del hombre" (9,3), y agrega que "el bautizado cree que Cristo, muerto y resucitado por todos, da al hombre su luz y su fuerza por el Espíritu Santo, a fin de que pueda responder a su máxima vocación, y que no ha sido dado bajo el cielo a la humanidad, otro nombre en el que sea posible salvarse" (GS, 10,2).

PARA REFLEXIONAR

1. ¿Ha encontrado usted retratos o prédicas que distorsionen a Cristo?

2. Para usted, ¿cuáles son "las cosas de arriba" a las que aspira su corazón?

3. ¿Reconoce usted alguna legítima aspiración humana insatisfecha en su comunidad de fe parroquial?

LECTURAS SEMANALES
18–23 de abril

L *Hch 2:14.22–23; Mt 28:8–15*

M *Hch 2:36–41; Jn 20:11–18*

M *Hch 3:1–10; Lc 24:13–35*

J *Hch 3:11–26; Lc 24:35–48*

V *Hch 4:1–12; Jn 21:1–14*

S *Hch 4:13–21; Mc 16:9–15*

24 de abril de 2022

II Domingo de Pascua (Domingo de la Divina Misericordia)

Primera lectura

Hechos 5:12–16

En aquellos días, los apóstoles realizaban muchas señales milagrosas y prodigios en medio del pueblo. Todos los creyentes solían reunirse, por común acuerdo, en el pórtico de Salomón. Los demás no se atrevían a juntárseles, aunque la gente los tenía en gran estima.

El número de hombres y mujeres que creían en el Señor iba creciendo de día en día, hasta el punto de que tenían que sacar en literas y camillas a los enfermos y ponerlos en las plazas, para que, cuando Pedro pasara, al menos su sombra cayera sobre alguno de ellos.

Mucha gente de los alrededores acudía a Jerusalén y llevaba a los enfermos y a los atormentados por espíritus malignos, y todos quedaban curados.

Salmo responsorial

Salmo 118:2–4

R. Den Gracias al Señor porque es bueno, porque es eterna su misericordia.

Diga la casa de Israel: eterna es su misericordia.
Diga la casa de Aarón: eterna es su misericordia.
Digan los fieles del Señor: eterna es su misericordia. **R.**

Segunda lectura

Apocalipsis 1:9–11, 12–13, 17–19

Yo, Juan, hermano y compañero de ustedes en la tribulación, en el Reino y en la perseverancia en Jesús, estaba desterrado en la isla de Patmos, por haber predicado la palabra de Dios y haber dado testimonio de Jesús.

Un domingo caí en éxtasis y oí a mis espaldas una voz potente, como de trompeta, que decía: "Escribe en un libro lo que veas y envíalo a las siete comunidades cristianas de Asia". Me volví para ver quién me hablaba, y al volverme, vi siete lámparas de oro, y en medio de ellas, un hombre vestido de larga túnica, ceñida a la altura del pecho, con una franja de oro.

Al contemplarlo, caí a sus pies como muerto; pero él, poniendo sobre mí la mano derecha, me dijo: "No temas. Yo soy el primero y el último; yo soy el que vive. Estuve muerto y ahora, como ves, estoy vivo por los siglos de los siglos. Yo tengo las llaves de la muerte y del más allá. Escribe lo que has visto, tanto sobre las cosas que están sucediendo, como sobre las que sucederán después".

Evangelio

Juan 20:19–31

Al anochecer del día de la resurrección, estando cerradas las puertas de la casa donde se hallaban los discípulos, por miedo a los judíos, se presentó Jesús en medio de ellos y les dijo: "La paz esté con ustedes". Dicho esto, les mostró las manos y el costado. Cuando los discípulos vieron al Señor, se llenaron de alegría.

De nuevo les dijo Jesús: "La paz esté con ustedes. Como el Padre me ha enviado, así también los envío yo". Después de decir esto, sopló sobre ellos y les dijo: "Reciban al Espíritu Santo. A los que les perdonen los pecados, les quedarán perdonados; y a los que no se los perdonen, les quedarán sin perdonar".

Tomás, uno de los Doce, a quien llamaban el Gemelo, no estaba con ellos cuando vino Jesús, y los otros discípulos le decían: "Hemos visto al Señor". Pero él les contestó: "Si no veo en sus manos la señal de los clavos y si no meto mi dedo en los agujeros de los clavos y no meto mi mano en su costado, no creeré".

Ocho días después, estaban reunidos los discípulos a puerta cerrada y Tomás estaba con ellos. Jesús se presentó de nuevo en medio de y les dijo: "La paz esté con ustedes". Luego le dijo a Tomás: "Aquí están mis manos; acerca tu dedo. Trae acá tu mano, métela en mi costado y no sigas dudando, sino cree". Tomás le respondió: "¡Señor mío y Dios mío!" Jesús añadió: "Tú crees porque me has visto; dichosos los que creen sin haber visto".

Otras muchas señales milagrosas hizo Jesús en presencia de sus discípulos, pero no están escritas en este libro. Se escribieron éstas para que ustedes crean que Jesús es el Mesías, el Hijo de Dios, y para que, creyendo, tengan vida en su nombre.

---

25 de abril de 2022
San Marcos, Evangelista
1 Pe 5:5b–14; Mc 16:15–20

Meditación pascual

ESTE DOMINGO emprendemos con los discípulos el camino de la Pascua. Jesús resucitado aparece y desaparece en un relato tras otro. Después de la noticia de María Magdalena de la tumba vacía, después de que Pedro corre a ver si era cierta, los discípulos empiezan a descubrir lo que significa que Jesús resucitó. Está vivo, pero ¿cómo? Cada una de sus apariciones les va marcando el camino, va transformando su miedo en alegría, en proclamación valiente de que está vivo. La tiniebla de su muerte se fue disipando, el sentido de su predicación se fue clarificando. La comunidad de discípulos necesitó tiempo para reconocerse enviada, portadora del mensaje de la resurrección.

Hasta las buenas noticias necesitan tiempo para asimilarse. La palabra Pascua significa "paso", dar un paso, cruzar de una realidad a otra. La Iglesia reserva cincuenta días de Pascua para invitarnos a reconocer, cómo los discípulos, lo que significa esta transformación en nuestras vidas. Tenemos cincuenta días para descubrir poco a poco la fuerza del Cristo resucitado en nuestra vida. Los discípulos ya no serán los mismos en Pentecostés que en los primeros días después del acontecimiento de la resurrección. Van perdiendo el miedo, van entendiendo su misión, van cobrando valor para proclamar.

En esta primera aparición de Jesús, nos encontramos a los discípulos a puerta cerrada por miedo. Jesús entra y les ofrece su paz. Los discípulos habían escuchado el anunció de María Magdalena y de Pedro, pero aún no le habían visto. Cuando lo ven, ven sus heridas en las manos, en el costado, y se llenan de alegría. Había faltado Tomás, pero ocho días después se vuelve a aparecer Jesús y otra vez les muestra sus heridas. Esta vez, Tomás hace esa declaración de fe, que tantos hermanos y hermanas nuestras verbalizan cuando se eleva la hostia después de la consagración "Señor mío, y Dios mío". El reconocimiento de que Jesús está vivo entre nosotros. Qué mejor manera de celebrar el Domingo de la Misericordia que reconociendo junto con los discípulos que Jesucristo está con nosotros, que se aparece y nos ofrece su paz que nos llenará de alegría. (P.A.) ■

VIVIENDO NUESTRA FE

Para anunciar hay que tener una experiencia de Jesucristo resucitado. En el Sínodo a los Jóvenes, el papa Francisco los llama a una amistad con Jesús: "Por más que vivas y experimentes no llegarás al fondo de la juventud, no conocerás la verdadera plenitud de ser joven, si no encuentras cada día al gran amigo, si no vives en amistad con Jesús" (*Christus vivit*, 150). El encuentro con Jesús nos llevará a comunicar lo que esta amistad significa: comunicar la experiencia de resurrección.

PARA REFLEXIONAR

1. ¿Cómo ha vivido usted las transiciones de su vida, los cambios, las pérdidas, las mudanzas?

2. ¿Cuál ha sido su vivencia más profunda de la misericordia de Dios?

3. ¿Cómo le cambia la vida su grupo o comunidad de fe a los más vulnerables?

LECTURAS SEMANALES
25–30 de abril

L *San Marcos, Evangelista*

M *Hch 4:32–37; Jn 3:5a.7b–15*

M *Hch 5:17–26; Jn 3:16–21*

J *Hch 5:27–33; Jn 3:31–36*

V *Hch 5:34–42; Jn 6:1–15*

S *Hch 6:1–7; Jn 6:16–21*

Primera lectura

Hechos 5:27–32, 40–41

En aquellos días, el sumo sacerdote reprendió a los apóstoles y les dijo: "Les hemos prohibido enseñar en nombre de ese Jesús; sin embargo, ustedes han llenado a Jerusalén con sus enseñanzas y quieren hacernos responsables de la sangre de ese hombre".

Pedro y los otros apóstoles replicaron: "Primero hay que obedecer a Dios y luego a los hombres. El Dios de nuestros padres resucitó a Jesús, a quien ustedes dieron muerte colgándolo de la cruz. La mano de Dios lo exaltó y lo ha hecho jefe y salvador, para dar a Israel la gracia de la conversión y el perdón de los pecados. Nosotros somos testigos de todo esto y también lo es el Espíritu Santo, que Dios ha dado a los que lo obedecen".

Los miembros del sanedrín mandaron azotar a los apóstoles, les prohibieron hablar en nombre de Jesús y los soltaron. Ellos se retiraron del sanedrín, felices de haber padecido aquellos ultrajes por el nombre de Jesús.

Salmo responsorial

Salmo 30:2 y 4, 5–6

R. Te ensalzaré, Señor, porque me has librado.

Te ensalzaré, Señor, porque me has librado y no has dejado que mis enemigos se rían de mí. Señor, sacaste mi vida del abismo, me hiciste revivir cuando bajaba a la fosa. **R.**

Tañan para el Señor, fieles suyos, den gracias a su nombre santo. Su cólera dura un instante; su bondad, de por vida; al atardecer nos invita el llanto; por la mañana, el júbilo. **R.**

Segunda lectura

Apocalipsis 5:11–14

Yo, Juan, tuve una visión, en la cual oí alrededor del trono de los vivientes y los ancianos, la voz de millones y millones de ángeles, que cantaban con voz potente:

"Digno es el Cordero, que fue inmolado, / de recibir el poder y la riqueza, / la sabiduría y la fuerza, / el honor, la gloria y la alabanza".

Oí a todas las creaturas que hay en el cielo, en la tierra, debajo de la tierra y en el mar — todo cuanto existe —, que decían:

"Al que está sentado en el trono y al Cordero, / la alabanza, el honor, la gloria y el poder, / por los siglos de los siglos".

Y los cuatro vivientes respondían: "Amén". Los veinticuatro ancianos se postraron en tierra y adoraron al que vive por los siglos de los siglos.

Evangelio

Juan 21:1–14

En aquel tiempo, Jesús se les apareció otra vez a los discípulos junto al lago de Tiberíades. Se les apareció de esta manera:

Estaban juntos Simón Pedro, Tomás (llamado el Gemelo), Natanael (el de Caná de Galilea), los hijos de Zebedeo y otros dos discípulos. Simón Pedro les dijo: "Voy a pescar". Ellos le respondieron: "También nosotros vamos contigo". Salieron y se embarcaron, pero aquella noche no pescaron nada.

Estaba amaneciendo, cuando Jesús se apareció en la orilla, pero los discípulos no lo reconocieron. Jesús les dijo: "Muchachos, ¿han pescado algo?" Ellos contestaron: "No". Entonces él les dijo: "Echen la red a la derecha de la barca y encontrarán peces". Así lo hicieron, y luego ya no podían jalar la red por tantos pescados.

Entonces el discípulo a quien amaba Jesús le dijo a Pedro: "Es el Señor". Tan pronto como Simón Pedro oyó decir que era el Señor, se anudó a la cintura la túnica, pues se la había quitado, y se tiró al agua. Los otros discípulos llegaron en la barca, arrastrando la red con los pescados, pues no distaban de tierra más de cien metros.

Tan pronto como saltaron a tierra, vieron unas brasas y sobre ellas un pescado y pan. Jesús les dijo: "Traigan algunos pescados de los que acaban de pescar". Entonces Simón Pedro subió a la barca y arrastró hasta la orilla la red, repleta de pescados grandes. Eran ciento cincuenta y tres, y a pesar de que eran tantos, no se rompió la red. Luego les dijo Jesús: "Vengan a almorzar". Y ninguno de los discípulos se atrevía a preguntarle: "¿Quién eres?", porque ya sabían que era el Señor. Jesús se acercó, tomó el pan y se lo dio y también el pescado.

Esta fue la tercera vez que Jesús se apareció a sus discípulos después de resucitar de entre los muertos.

O bien: Juan 21:1–19.

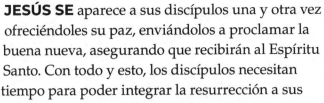

Imposible seguir igual

JESÚS SE aparece a sus discípulos una y otra vez ofreciéndoles su paz, enviándolos a proclamar la buena nueva, asegurando que recibirán al Espíritu Santo. Con todo y esto, los discípulos necesitan tiempo para poder integrar la resurrección a sus vidas; están reconociendo lo que significa. En el relato del evangelio de hoy, los encontramos tal vez sin tener claro qué hacer. Finalmente, Pedro, siempre más impulsivo parece decir, "No puedo seguir aquí sentado esperando. Me voy a pescar". Otros discípulos le siguen. Ante la experiencia fuerte de la resurrección tal parece que no saben qué hacer, y resuelven regresar a lo de siempre, regresar a hacer lo que sabían hacer, a sus vidas de antes.

La transformación que han vivido, sin embargo, cambió todo. La pesca ya no es la misma, no pescaron nada. Estarían sufriendo una doble frustración, no saber por dónde empezar sin Jesús y encima de eso ya no tener la destreza que tenían antes en lo que sabían hacer. Los discípulos están viviendo un entretiempo, un proceso de cambio. Así nos pasa a todos frente a los cambios. Sabemos cuándo algo termina, pero lo nuevo tarda en arraigarse, tardamos en asimilarlo. Pensemos en las familias migrantes, que llegan a un nuevo país donde ya nada es igual, y aunque tratan de hacer las cosas como antes, ya no saben igual, no resulta lo mismo. Es allí en ese momento de cambio cuando llega Jesús.

Jesús que no era pescador experto como Pedro, se atreve a decirles, "Echen la red del otro lado y encontrarán los peces". Hay que preguntarse por qué Pedro le hace caso, seguro no lo reconoció de inmediato. Cansados, agobiados porque lo de antes no les funciona, deciden hacerle caso a este extraño, más vale, total, no tenían nada que perder. Es entonces, cuándo se atreven a hacer las cosas diferentes, cuando se atreven al cambio de la forma acostumbrada de hacer las cosas que logran una pesca impresionante. El relato dice que al ver la cantidad de peces, el Discípulo Amado exclama, "Es el Señor".

Jesús nos pide cambiar para tener la experiencia de su presencia resucitada. Sólo después de esta transformación estaremos listos para la misión. Como Pedro, primero hay que aceptar la transformación, luego abrazar la misión. (T.M.) ∎

3 de mayo de 2022
Santos Felipe y Santiago, Apóstoles
1 Cor 15:1–8; Jn 14:6–14

VIVIENDO NUESTRA FE

Para ser misionero primero hay que ser discípulo, ir a donde Jesús. En el *Nuevo Directorio para la Catequesis* se dice: "El primer anuncio, tarea de todo cristiano, se funda en aquel vayan (Marcos 16:15; Mateo 28:19) que Jesús indicó a sus discípulos e implica salir, apresurarse, acompañarse, convirtiéndose en verdaderos discípulos misioneros. Así pues, no puede reducirse a la enseñanza de un mensaje, sino que es, ante todo, el compartir la vida que proviene de Dios y el comunicar la alegría de haber encontrado al Señor" (no. 68).

PARA REFLEXIONAR

1. ¿Qué cambios suelen ocurrir en la vida de una persona?

2. ¿Puede reconocer el aporte de la fe en los cambios que usted ha tenido? ¿En qué?

3. ¿Cómo aporta alegría su grupo o comunidad de fe a la comunidad parroquial?

LECTURAS SEMANALES
2–7 de mayo

L *Hch 6:8–15; Jn 6:22–29*

M *Santos Felipe y Santiago, Apóstoles*

M *Hch 8:1b–8; Jn 6:35–40*

J *Hch 8:26–40; Jn 6:44–51*

V *Hch 9:1–20; Jn 6:52–59*

S *Hch 9:31–42; Jn 6:60–69*

8 de mayo de 2022 IV Domingo de Pascua

Primera lectura

Hechos 13:14, 43–52

En aquellos días, Pablo y Bernabé prosiguieron su camino desde Perge hasta Antioquía de Pisidia, y el sábado entraron en la sinagoga y tomaron asiento. Cuando se disolvió la asamblea, muchos judíos y prosélitos piadosos acompañaron a Pablo y a Bernabé, quienes siguieron exhortándolos a permanecer fieles a la gracia de Dios.

El sábado siguiente casi toda la ciudad de Antioquía acudió a oír la palabra de Dios. Cuando los judíos vieron una concurrencia tan grande, se llenaron de envidia y comenzaron a contradecir a Pablo con palabras injuriosas. Entonces Pablo y Bernabé dijeron con valentía: "La palabra de Dios debía ser predicada primero a ustedes; pero como la rechazan y no se juzgan dignos de la vida eterna, nos dirigiremos a los paganos. Así nos lo ha ordenado el Señor, cuando dijo: *Yo te he puesto como luz de los paganos, para que lleves la salvación hasta los últimos rincones de la tierra".*

Al enterarse de esto, los paganos se regocijaban y glorificaban la palabra de Dios, y abrazaron la fe todos aquellos que estaban destinados a la vida eterna.

La palabra de Dios se iba propagando por toda la región. Pero los judíos azuzaron a las mujeres devotas de la alta sociedad y a los ciudadanos principales, y provocaron una persecución contra Pablo y Bernabé, hasta expulsarlos de su territorio.

Pablo y Bernabé se sacudieron el polvo de los pies, como señal de protesta, y se marcharon a Iconio, mientras los discípulos se quedaron llenos de alegría y del Espíritu Santo.

Salmo responsorial

Salmo 100:2, 3, 5

R. Somos su pueblo y ovejas de su rebaño.
O bien: **R. Aleluya.**

Aclama al Señor, tierra entera, sirvan al Señor con alegría, entren en su presencia con aclamaciones. **R.**

Sepan que el Señor es Dios: que él nos hizo y somos suyos, su pueblo y ovejas de su rebaño. **R.**

"El Señor es bueno, su misericordia es eterna, su fidelidad por todas las edades". **R.**

Segunda lectura

Apocalipsis 7:9, 14–17

Yo, Juan, vi una muchedumbre tan grande, que nadie podía contarla. Eran individuos de todas las naciones y razas, de todos los pueblos y lenguas. Todos estaban de pie, delante del trono y del Cordero; iban vestidos con una túnica blanca y llevaban palmas en las manos.

Uno de los ancianos que estaban junto al trono, me dijo: "Éstos son los que han pasado por la gran persecución y han lavado y blanqueado su túnica con la sangre del Cordero. Por eso están ante el trono de Dios y le sirven día y noche en su templo, y el que está sentado en el trono los protegerá continuamente.

Ya no sufrirán hambre ni sed, / no los quemará el sol ni los agobiará el calor. / Porque el Cordero, que está en el trono, será su pastor / y los conducirá a las fuentes del agua de la vida / y Dios enjugará de sus ojos toda lágrima".

Evangelio

Juan 10:27–30

En aquel tiempo, Jesús dijo a los judíos: "Mis ovejas escuchan mi voz; yo las conozco y ellas me siguen. Yo les doy la vida eterna y no perecerán jamás; nadie las arrebatará de mi mano. Me las ha dado mi Padre, y él es superior a todos. El Padre y yo somos uno".

14 de mayo de 2022
San Matías, Apóstol
Hch 1:15–17, 20–26; Jn 15:9–17

Escuchar para seguir

EL EVANGELIO de hoy nos recuerda que Jesús es el Buen Pastor. La imagen de Jesús con una oveja en sus brazos inmediatamente nos viene a la mente. Sobre todo, cuando escuchamos que nada ni nadie puede arrebatarle a Jesús la oveja de sus manos. De hecho, la palabra *arrebatarle* la menciona dos veces en los pocos versículos que leemos hoy. Jesús hoy nos ofrece este abrazo y nos mantendrá allí porque somos suyos. Nada nos podrá separar de su amor, pero además nos ofrece un itinerario para el seguimiento: escuchar, conocer y seguir.

Jesús nos recuerda que sus "ovejas escuchan" su voz. Para estar con Jesús, para quedarnos en su abrazo, primero tenemos que escucharle, tenemos que hacer el esfuerzo diario por entrar en el ritmo del evangelio y prestar atención a su mensaje. Jesús entonces nos dice que conoce a los y las que le escuchan. ¡Qué importante es saber escuchar! La escucha se convierte en un dinamismo de encuentro auténtico, nos permite conocer y ser conocidos. Cuando ofrecemos un oído atento, cuando estamos dispuestos a que lo que escuchamos nos transforme, podemos seguir a Jesús. La escucha nos permite recibir el don de la vida eterna, nos permite entrar en el abrazo de Jesús para siempre.

Una vez que le seguimos porque escuchamos, porque nos conoce; sabemos que necesitamos compartir la vida auténtica que esta relación nos ofrece, necesitamos invitar a otros. Leemos capítulo tras capítulo de los Hechos de los Apóstoles, donde se narra cómo los primeros discípulos de Jesús hicieron precisamente eso: anunciar lo que Jesús había hecho por ellos. Sin este compartir, sin este anuncio, no hay comunidad de creyentes, no hay Iglesia. Leemos de Pablo y los primeros discípulos llevando la Palabra de Dios: "Si nadie escucha hablar de Jesús no podrán descubrir lo que les ofrece".

Debemos de reflexionar en nuestras comunidades y familias que siempre ha habido alguien que nos invita, que nos comparte su experiencia de Dios, lo que Jesús ha hecho en su favor. Los movimientos en nuestra cultura latina impulsan esta evangelización, invitan, convocan: hay que valorar el trabajo de los hermanos y hermanas que permiten escuchar a Jesús a través de ellos. (T.M.) ∎

VIVIENDO NUESTRA FE

Una de las actitudes más necesarias para la comunidad creyente es discernir lo que escucha para implementar decisiones que transformen la realidad estructural. Es preciso mantenerse escuchando. "De la profundidad de la escucha y de la interpretación de la realidad derivan las opciones operativas concretas y eficaces; a las que, sin embargo, no se les debe atribuir nunca un valor absoluto" (CDSI, 568).

PARA REFLEXIONAR

1. ¿Cómo considera usted que las personas escuchan la voz del Señor?

2. ¿Quién le ha ayudado a usted a percibir la voz de Cristo?

3. ¿A quiénes ayuda su grupo o comunidad de fe a escuchar, conocer y seguir a Jesús?

LECTURAS SEMANALES
9–14 de mayo

L *Hch 11:1–18; Jn 10:1–10*

M *Hch 11:19–26; Jn 10:22–30*

M *Hch 12:24–13:5a; Jn 12:44–50*

J *Hch 13:13–25; Jn 13:16–20*

V *Hch 13:26–33; Jn 14:1–6*

S *San Matías, Apóstol*

Primera lectura

Hechos 14:21–27

En aquellos días, volvieron Pablo y Bernabé a Listra, Iconio y Antioquía, y ahí animaban a los discípulos y los exhortaban a perseverar en la fe, diciéndoles que hay que pasar por muchas tribulaciones para entrar en el Reino de Dios. En cada comunidad designaban presbíteros, y con oraciones y ayunos los encomendaban al Señor, en quien habían creído.

Atravesaron luego Pisidia y llegaron a Panfilia; predicaron en Perge y llegaron a Atalía. De ahí se embarcaron para Antioquía, de donde habían salido, con la gracia de Dios, para la misión que acababan de cumplir.

Al llegar, reunieron a la comunidad y les contaron lo que había hecho Dios por medio de ellos y cómo les había abierto a los paganos las puertas de la fe.

Salmo responsorial

Salmo 145:8–9, 10–11, 12–13ab

R. Bendeciré tu nombre por siempre jamás, Dios mío, mi rey.

O bien: **R. Aleluya.**

El Señor es clemente y misericordioso, lento a la cólera y rico en piedad; el Señor es bueno con todos, es cariñoso con todas sus creaturas. **R.**

Que todas tus creaturas te den gracias, Señor, que te bendigan tus fieles; que proclamen la gloria de tu reinado, que hablen de tus hazañas. **R.**

Explicando tus proezas a los hombres la gloria y majestad de tu reinado. Tu reinado es un reinado perpetuo, tu gobierno va de edad en edad. **R.**

Segunda lectura

Apocalipsis 21:1–5

Yo, Juan, vi un cielo nuevo y una tierra nueva, porque el primer cielo y la primera tierra habían desaparecido y el mar ya no existía.

También vi que descendía del cielo, desde donde está Dios, la ciudad santa, la nueva Jerusalén, engalanada como una novia, que va a desposarse con su prometido. Oí una gran voz, que venía del cielo, que decía:

"Ésta es la morada de Dios con los hombres; / vivirá con ellos como su Dios / y ellos serán su pueblo. / Dios les enjugará todas sus lágrimas / y ya no habrá muerte ni duelo, / ni penas ni llantos, / porque ya todo lo antiguo terminó".

Entonces el que estaba sentado en el trono, dijo: "Ahora yo voy a hacer nuevas todas las cosas".

Evangelio

Juan 13:31–33, 34–35

Cuando Judas salió del cenáculo, Jesús dijo: "Ahora ha sido glorificado el Hijo del hombre y Dios ha sido glorificado en él. Si Dios ha sido glorificado en él, también Dios lo glorificará en sí mismo y pronto lo glorificará.

Hijitos, todavía estaré un poco con ustedes. Les doy un mandamiento nuevo: que se amen los unos a los otros, como yo los he amado; y por este amor reconocerán todos que ustedes son mis discípulos".

Llamados al amor

JESÚS OFRECE el amor de Dios una y otra vez en su enseñanza. Hoy nos dice que tiene un mandamiento, el amor. Jesús usa la palabra "mandamiento" pocas veces en el evangelio. Mandamiento es un comando, una orden, no es algo opcional, no es una recomendación o un buen consejo. ¡Es algo que se debe hacer! El mandamiento del amor está entre las últimas indicaciones que da Jesús antes de su ascensión al cielo.

El amor del que Jesús habla no es el amor devaluado que vendemos en el día 14 de febrero, o el amor y desamor romántico que domina la televisión o el cine. En el pueblo latino hay quienes tienen una afición desmesurada por las telenovelas, donde una trama adictiva los mantienen enchufados un episodio tras otro, siempre anhelando que el verdadero amor triunfe al final. Esta afición al amor en la pantalla creo que habla de una añoranza profunda en todos nosotros: la de conocer el verdadero amor, de que nuestra historia también tenga un final así. Claro que la vida es un poco más complicada, pero es real que Jesús nos llama al amor, de hecho, nos da un mandamiento de amor. Nos ordena vivir una vida de amor. Necesitamos reconocer que esta añoranza por el verdadero amor ya es el deseo que Dios planta en nuestros corazones para poder cumplir con su mandamiento. El primer paso será reconocer que el amor de Dios ya se nos ofrece, sólo hay que saber recibirlo.

En tiempos de Jesús se hablaba el griego; un idioma que tiene muchas maneras de decir "amor". Igual que en el español donde podemos usar otras palabras para describir el tipo de amor que buscamos, como "afecto", "cariño", "ternura", o "pasión"; el idioma en el que está escrito el Nuevo Testamento nos ofrece *agape*, la forma de amor más sublime, como la que tiene Dios por su pueblo; phileo, que se refiere al amor de la amistad; *storge*, que se refiere al amor en una familia, sobre todo entre padres, madres e hijos e hijas; y *eros*, que habla del amor sexual, el amor íntimo. Jesús habla de agape cuando nos llama al amor; nos pide que respondamos al amor de Dios con un amor equivalente, sin reservas, sin condiciones, sin intereses. El amor del que habla Pablo en su carta a los Corintios: comprensivo, servicial, desinteresado, confiado, sin envidias, que soporta todo (1 Corintios 13:4–13). Así de importante es el mandamiento nuevo: Jesús nos pide amarnos unos/as a los otros/as, cómo Dios nos ama. ¡Qué tarea! (T.M.) ∎

VIVIENDO NUESTRA FE

Somos misioneros porque Dios nos amó primero. El último sínodo sobre la Amazonía nos explica que el "amor fontal" de Dios exige una respuesta misionera. "La Iglesia por naturaleza es misionera y tiene su origen en el "amor fontal" de Dios. El dinamismo misionero que brota del amor de Dios se irradia, expande, desborda y se difunde en todo el universo. Somos insertados por el bautismo en la dinámica de amor por el encuentro con Jesús que da un nuevo horizonte a la vida" (*Sínodo Amazonia*, 21).

PARA REFLEXIONAR

1. ¿Qué personas ha encontrado que "viven en el amor"?

2. ¿Qué experiencias de verdadero amor han marcado su vida?

3. ¿Cómo coadyuva el grupo o comunidad de fe a educar en el amor y en la vida?

LECTURAS SEMANALES
16–21 de mayo

L *Hch 14:5–18; Jn 14:21–26*

M *Hch 14:19–28; Jn 14:27–31a*

M *Hch 15:1–6; Jn 15:1–8*

J *Hch 15:7–21; Jn 15:9–11*

V *Hch 15:22–31; Jn 15:12–17*

S *Hch 16:1–10; Jn 15:18–21*

Primera lectura

Hechos 15:1–2, 22–29

En aquellos días, vinieron de Judea a Antioquía algunos discípulos y se pusieron a enseñar a los hermanos que, si no se circuncidaban de acuerdo con la ley de Moisés, no podrían salvarse. Esto provocó un altercado y una violenta discusión con Pablo y Bernabé; al fin se decidió que Pablo, Bernabé y algunos más fueran a Jerusalén para tratar el asunto con los apóstoles y los presbíteros.

Los apóstoles y los presbíteros, de acuerdo con toda la comunidad cristiana, juzgaron oportuno elegir a algunos de entre ellos y enviarlos a Antioquía con Pablo y Bernabé. Los elegidos fueron Judas (llamado Barsabás) y Silas, varones prominentes en la comunidad. A ellos les entregaron una carta que decía:

"Nosotros, los apóstoles y los presbíteros, hermanos suyos, saludamos a los hermanos de Antioquía, Siria y Cilicia, convertidos del paganismo. Enterados de que algunos de entre nosotros, sin mandato nuestro, los han alarmado e inquietado a ustedes con sus palabras, hemos decidido de común acuerdo elegir a dos varones y enviárselos, en compañía de nuestros amados hermanos Pablo y Bernabé, que han consagrado su vida a la causa de nuestro Señor Jesucristo. Les enviamos, pues, a Judas y a Silas, quienes les trasmitirán, de viva voz, lo siguiente: 'El Espíritu Santo y nosotros hemos decidido no imponerles más cargas que las estrictamente necesarias. A saber: que se abstengan de la fornicación y de comer lo inmolado a los ídolos, la sangre y los animales estrangulados. Si se apartan de esas cosas, harán bien'. Los saludamos".

Salmo responsorial

Salmo 67:2–3, 5, 6 y 8

R. Éste es el día en que actuó el Señor: sea nuestra alegría y nuestro gozo.

O bien: **R. Aleluya.**

El Señor tenga piedad y nos bendiga, ilumine su rostro sobre nosotros; conozca la tierra tus caminos, todos los pueblos tu salvación. **R.**

Que canten de alegría las naciones, porque riges el mundo con justicia, riges los pueblos con rectitud y gobiernas las naciones de la tierra. **R.**

Oh Dios, que te alaben los pueblos, que todos los pueblos te alaben. Que Dios nos bendiga; que le teman hasta los confines del orbe. **R.**

Segunda lectura

Apocalipsis 21:10–14, 22–23

Un ángel me transportó en espíritu a una montaña elevada, y me mostró a Jerusalén, la ciudad santa, que descendía del cielo, resplandeciente con la gloria de Dios. Su fulgor era semejante al de una piedra preciosa, como el de un diamante cristalino.

Tenía una muralla ancha y elevada, con doce puertas monumentales, y sobre ellas, doce ángeles y doce nombres escritos, los nombres de las doce tribus de Israel. Tres de estas puertas daban al oriente, tres al norte, tres al sur y tres al poniente. La muralla descansaba sobre doce cimientos, en los que estaban escritos los doce nombres de los apóstoles del Cordero.

No vi ningún templo en la ciudad, porque el Señor Dios todopoderoso y el Cordero son el templo. No necesita la luz del sol o de la luna, porque la gloria de Dios la ilumina y el Cordero es su lumbrera.

Evangelio

Juan 14:23–29

En aquel tiempo, Jesús dijo a sus discípulos: "El que me ama, cumplirá mi palabra y mi Padre lo amará y haremos en él nuestra morada. El que no me ama no cumplirá mis palabras. La palabra que están oyendo no es mía, sino del Padre, que me envió. Les he hablado de esto ahora que estoy con ustedes; pero el Consolador, el Espíritu Santo que mi Padre les enviará en mi nombre, les enseñará todas las cosas y les recordará todo cuanto yo les he dicho.

La paz les dejo, mi paz les doy. No se la doy como la da el mundo. No pierdan la paz ni se acobarden. Me han oído decir: 'Me voy, pero volveré a su lado'. Si me amaran, se alegrarían de que me vaya al Padre, porque el Padre es más que yo. Se los he dicho ahora, antes de que suceda, para que cuando suceda, crean".

Presencia en la ausencia

JESÚS SABE que se aproxima el momento de la despedida final cuando este tiempo especial de acompañar a los discípulos está por terminar. Una y otra vez comienza a confirmar que vendrá el Espíritu Santo, el Defensor. Les dice a sus discípulos que les comparte esto porque sabe que cuando tenga que despedirse definitivamente será necesario seguir creyendo.

Solemos decir, "El que mucho se despide pocas ganas tiene de irse". Hay que preguntarnos porqué Jesús anuncia su separación de los discípulos tantas veces. ¿Por qué explica una y otra vez que regresará a su Padre? Esta larga despedida inició en el Triduo Pascual. Los discípulos pensaron que ya lo habían perdido; sin embargo, una y otra vez se les ha acercado, en el camino a Emaús, a un lado del lago Tiberíades, en la sala de reuniones de Jerusalén. Se empiezan a acostumbrar a que en cualquier momento él se deja ver donde quiera que se encuentren. Sin embargo, cada vez anuncia la partida final, en el Evangelio de hoy les dice: "Si me amaran, se alegrarían de que me voy al Padre". Puestos en el lugar de los discípulos, nos cuesta encontrar la alegría en las despedidas. Pensemos en las despedidas ¡tan tristes de nuestra gente! ¡Cuántos y cuántos no se despidieron de sus padres, hermanos, amistades y emprendieron el camino de la migración, seguros que esa despedida era definitiva! ¡Cómo pesan esas despedidas! Pero Jesús ante esta inminente separación ofrece al Espíritu Santo quien enseñará todo y acompañará.

Jesús sabe que estará ausente, que ya no se sentará a la mesa con los discípulos que tanto quiere, que no los verá pescar y que no tendrá que explicarle a Pedro otra vez. Pero también sabe que estará presente. Poco a poco, está explicando que el Espíritu Santo hará posible que Dios Padre y Dios Hijo hagan su morada en nosotros.

Cuando se ama de verdad, la ausencia del ser querido es también presencia, en el corazón del que ama. Ausencia y presencia nos permiten descubrir que ninguna despedida es definitiva si hay amor. La clave está en guardar su palabra: "El que me ama guardará mi palabra", asegura Jesús. Hacer memoria de sus palabras es acercarnos a la Palabra de Dios que nos da la certeza del reencuentro. Además, ella nos confirma que recibiremos al Espíritu Defensor que nos enseñará todo. Jesús nos asegura que a través de la gracia del Espíritu Santo poco a poco iremos descubriendo otras formas de su presencia para mantenernos creyendo. (T.M.) ∎

VIVIENDO NUESTRA FE

La Iglesia está al servicio de la verdad plena del hombre y para esto sostiene un diálogo constante con los hombres y mujeres de nuestro tiempo. Esta tarea es la misma de Cristo y la lleva a cabo bajo la guía del Espíritu Santo. Es una tarea que favorece la justicia, la fraternidad, la paz y el crecimiento de la persona humana en todas sus dimensiones, personal y social, espiritual y corpórea, histórica y trascendente (ver CDSI, 38).

PARA REFLEXIONAR

1. ¿Cuál es el espíritu o legado espiritual y moral que distingue a una familia cristiana?

2. ¿Cómo cultiva usted la presencia en la ausencia de las personas que usted ama?

3. ¿Qué puede hacer su grupo o familia de fe para cultivar el amor por la Palabra de Dios?

LECTURAS SEMANALES
23–28 de mayo

L *Hch 16:11–15; Jn 15:26—16:4a*

M *Hch 16:22–34; Jn 16:5–11*

M *Hch 17: 15.22—18:1; Jn 16:12–15*

J *Ascensión del Señor*

V *Hch 18:9–18; Jn 16:20–23a*

S *Hch 18:23–28; Jn 16:23b–28*

Primera lectura

Hechos 1:1–11

En mi primer libro, querido Teófilo, escribí acerca de todo lo que Jesús hizo y enseñó, hasta el día en que ascendió al cielo, después de dar sus instrucciones, por medio del Espíritu Santo, a los apóstoles que había elegido. A ellos se les apareció después de la pasión, les dio numerosas pruebas de que estaba vivo y durante cuarenta días se dejó ver por ellos y les habló del Reino de Dios.

Un día, estando con ellos a la mesa, les mandó: "No se alejen de Jerusalén. Aguarden aquí a que se cumpla la promesa de mi Padre, de la que ya les he hablado: Juan bautizó con agua; dentro de pocos días ustedes serán bautizados con el Espíritu Santo".

Los ahí reunidos le preguntaban: "Señor, ¿ahora sí vas a restablecer la soberanía de Israel?" Jesús les contestó: "A ustedes no les toca conocer el tiempo y la hora que el Padre ha determinado con su autoridad; pero cuando el Espíritu Santo descienda sobre ustedes, los llenará de fortaleza y serán mis testigos en Jerusalén, en toda Judea, en Samaria y hasta los últimos rincones de la tierra".

Dicho esto, se fue elevando a la vista de ellos, hasta que una nube lo ocultó a sus ojos. Mientras miraban fijamente al cielo, viéndolo alejarse, se les presentaron dos hombres vestidos de blanco, que les dijeron: "Galileos, ¿qué hacen allí parados, mirando al cielo? Ese mismo Jesús que los ha dejado para subir al cielo, volverá como lo han visto alejarse".

Salmo responsorial

Salmo 47:2–3, 6–7, 8–9

R. Dios asciende entre aclamaciones; el Señor, al son de trompetas.

O bien: **R. Aleluya.**

Pueblos todos, batan palmas, aclamen a Dios con gritos de júbilo; porque el Señor es sublime y terrible, emperador de toda la tierra. **R.**

Dios asciende entre aclamaciones; el Señor, al son de trompetas: toquen para Dios, toquen, toquen para nuestro Rey, toquen. **R.**

Porque Dios es el rey del mundo: toquen con maestría. Dios reina sobre las naciones, Dios se sienta en su trono sagrado. **R.**

Segunda lectura

Efesios 1:17–23

Hermanos: Pido al Dios de nuestro Señor Jesucristo, el Padre de la gloria, que les conceda espíritu de sabiduría y de reflexión para conocerlo.

Le pido que les ilumine la mente para que comprendan cuál es la esperanza que les da su llamamiento, cuán gloriosa y rica es la herencia que Dios da a los que son suyos y cuál la extraordinaria grandeza de su poder para con nosotros, los que confiamos en él, por la eficacia de su fuerza poderosa.

Con esta fuerza resucitó a Cristo de entre los muertos y lo hizo sentar a su derecha en el cielo, por encima de todos los ángeles, principados, potestades, virtudes y dominaciones, y por encima de cualquier persona, no sólo del mundo actual sino también del futuro.

Todo lo puso bajo sus pies y a él mismo lo constituyó cabeza suprema de la Iglesia, que es su cuerpo, y la plenitud del que lo consuma todo en todo.

O bien: Hebreos 9:24–28; 10:19–23.

Evangelio

Lucas 24:46–53

En aquel tiempo, Jesús se apareció a sus discípulos y les dijo: "Está escrito que el Mesías tenía que padecer y había de resucitar de entre los muertos al tercer día, y que en su nombre se había de predicar a todas las naciones, comenzando por Jerusalén, la necesidad de volverse a Dios y el perdón de los pecados. Ustedes son testigos de esto. Ahora yo les voy a enviar al que mi Padre les prometió. Permanezcan, pues, en la ciudad, hasta que reciban la fuerza de lo alto".

Después salió con ellos fuera de la ciudad, hacia un lugar cercano a Betania; levantando las manos, los bendijo, y mientras los bendecía, se fue apartando de ellos y elevándose al cielo. Ellos, despúes de adorarlo, regresaron a Jerusalén, llenos de gozo, y permanecían constantemente en el templo, alabando a Dios

¡Dejen de mirar al cielo!

EL EVANGELIO de hoy inmediatamente te hace imaginar a los discípulos mirando al cielo, tal vez tratando de retener a Jesús con la mirada. Vienen a la mente todos los relatos de la Pascua que llevaron hasta este momento: Jesús que se aparecía a los discípulos, una y otra vez, saludándolos, siempre diciendo "La paz esté con ustedes" o "No tengan miedo". Y, sin embargo, aquí están, los discípulos cabeza dura, después de haber caminado con Jesús, después de haber experimentado la fuerza de la resurrección, después de haber aprendido que la vida conquista a la muerte, hoy los encontramos "Mirando al cielo". ¿Cómo puede ser esto? ¡Habían sido consolados y enseñados por Jesús mismo! A pesar de todo el gozo y el asombro de todos esos días de resurrección, aquí los vemos, "¡Mirando al cielo!". De hecho, necesitaron que un mensajero los sacudiera con la pregunta: "¿Qué hacen allí parados, mirando al cielo?"

¿Así seremos nosotros y nosotras? Este día, también estamos allí parados a un lado de los discípulos "mirando al cielo". Después de haber celebrado la Pascua semana tras semana, después de haber renovado nuestra confesión de fe, y a pesar de que la mayoría de nosotros y nosotras puede dar fe de lo que ha significado la presencia trasformadora de Jesucristo en nuestra vida; lo tenemos que reconocer: ¿Cuántas veces, nos encontramos, quizás más veces de las que quisiéramos reconocer, simplemente "mirando al cielo"? ¿Cuántas veces, con los discípulos, le hemos preguntado a Jesús: "Señor, ¿ahora sí vas a restablecer la soberanía de Israel?" ¡Cuántas veces le hemos pedido a Jesús, si pudieras intervenir, ahora sería un buen momento!

¡Claro que miramos al cielo! Por eso las palabras de Jesús a sus discípulos también son para cada uno de nosotros y nosotras, "miradores del cielo": ¡Confíen! Confíen en mí, confíen en mis palabras, confíen en mis obras, confíen en su experiencia de mí. ¡Es hora de dejar de mirar al cielo, y de empezar a mirar a su alrededor! Se va Jesús, pero se queda en el Pan y la Palabra. Se va Jesús, pero se queda en el Espíritu Santo. Cuando le demos una oportunidad al Espíritu, nos olvidaremos de "mirar al cielo" y empezaremos a "mirar a nuestro alrededor", voltearemos a vernos unas a otras, a otros. Colaboraremos y trabajaremos por la justicia, y, después escucharemos el murmullo de Jesús diciéndonos, "Sepan que yo estaré con ustedes siempre, hasta el fin del mundo". (T.M.) ■

VIVIENDO NUESTRA FE

La visión cristiana de la realidad y destino humanos relaciona lo inmanente con lo trascendente, el aquí y ahora con el fin último; esta es la dinámica de la fe pascual, como nos recuerda la enseñanza de la Iglesia: "Una visión puramente histórica y materialista terminaría por transformar el bien común en un simple bienestar socioeconómico, carente de finalidad trascendente, es decir, de su más profunda razón de ser" (CDSI, 170).

PARA REFLEXIONAR

1. ¿Cuáles considera usted que son los riesgos de vivir "mirando al cielo"?

2. ¿Qué áreas de su vida considera usted que necesitan de un "trozo de cielo"?

3. ¿Su grupo o comunidad de fe conjunta bien lo histórico con lo trascendente? ¿Cómo logra esto?

Primera lectura

Hechos 7:55 – 60

En aquellos días, Esteban, lleno del Espíritu Santo, miró al cielo, vio la gloria de Dios y a Jesús, que estaba de pie a la derecha de Dios, y dijo: "Estoy viendo los cielos abiertos y al Hijo del hombre de pie a la derecha de Dios".

Entonces los miembros del sanedrín gritaron con fuerza, se taparon los oídos y todos a una se precipitaron sobre él. Lo sacaron fuera de la ciudad y empezaron a apedrearlo. Los falsos testigos depositaron sus mantos a los pies de un joven, llamado Saulo.

Mientras lo apedreaban, Esteban repetía esta oración: "Señor Jesús, recibe mi espíritu". Después se puso de rodillas y dijo con fuerte voz: "Señor, no les tomes en cuenta este pecado". Y diciendo esto, se durmió en el Señor.

Salmo responsorial

Salmo 97:1 y 2b, 6 y 7c, 9

R. El Señor reina, altísimo sobre toda la tierra.

O bien: **R. Aleluya.**

El Señor reina, la tierra goza, se alegran las islas innumerables. Justicia y derecho sostienen su trono. **R.**

Los cielos pregonan su justicia, y todos los pueblos contemplan su gloria. Ante él se postran todos los dioses. **R.**

Porque Tú eres, Señor, altísimo sobre toda la tierra, encumbrado sobre todos los dioses. **R.**

---

31 de mayo de 2022

La Visitación de la Bienaventurada
Virgen María

Sof 3:14–18a, o bien Rom 12:9–16; Lc 1:39–56

---

5 de junio de 2022

Vigilia de Pentecostés

*Génesis 11:1–9 o Éxodo 19:3–8a, 16–20b o
Ezequiel 37:1–14 o Joel 3:1–5; Salmo 103;
Romanos 8:22–27; Juan 7: 37–39*

Segunda lectura

Apocalipsis 22:12 –14, 16 –17, 20

Yo, Juan, escuché una voz que me decía: "Mira, volveré pronto y traeré conmigo la recompensa que voy a dar a cada uno según sus obras. Yo soy el Alfa y la Omega, yo soy el primero y el último, el principio y el fin. Dichosos los que lavan su ropa en la sangre del Cordero, pues ellos tendrán derecho a alimentarse del árbol de la vida y a entrar por la puerta de la ciudad.

Yo, Jesús, he enviado a mi ángel para que dé testimonio ante ustedes de todas estas cosas en sus asambleas. Yo soy el retoño de la estirpe de David, el brillante lucero de la mañana".

El Espíritu y la Esposa dicen: "¡Ven!" El que oiga, diga: "¡Ven!". El que tenga sed, que venga, y el que quiera, que venga a beber gratis del agua de la vida.

Quien da fe de todo esto asegura: "Volveré pronto". Amén. ¡Ven, Señor Jesús!

Evangelio

Juan 17:20 – 26

En aquel tiempo, Jesús levantó los ojos al cielo y dijo: "Padre, no sólo te pido por mis discípulos, sino también por los que van a creer en mí por la palabra de ellos, para que todos sean uno, como tú, Padre, en mí y yo en ti somos uno, a fin de que sean uno en nosotros y el mundo crea que tú me has enviado.

Yo les he dado la gloria que tú me diste, para que sean uno, como nosotros somos uno. Yo en ellos y tú en mí, para que su unidad sea perfecta y así el mundo conozca que tú me has enviado y que los amas, como me amas a mí.

Padre, quiero que donde yo esté, estén también conmigo los que me has dado, para que contemplen mi gloria, la que me diste, porque me has amado desde antes de la creación del mundo.

Padre justo, el mundo no te ha conocido; pero yo sí te conozco y éstos han conocido que tú me enviaste. Yo les he dado a conocer tu nombre y se lo seguiré dando a conocer, para que el amor con que me amas esté en ellos y yo también en ellos".

Interceder por los demás

HOY CONTEMPLAMOS a Jesús en oración y el evangelista nos la describe. Sabemos que Jesús se apartaba a orar, o que subía al monte a orar, pero pocas veces tenemos el privilegio de escuchar su oración. Sin embargo, en el Evangelio de san Juan encontramos una oración hermosa donde Jesús implora a su Padre por nosotros. A esta oración se le conoce como la "Oración sacerdotal de Jesús". Sabemos lo que pide para nosotros; pide que nuestra evangelización fuera efectiva, para que, por nuestro medio, otros crean en él. Pide que todos seamos uno, como Dios Padre y Dios Hijo son uno. Pide porque el amor de Dios esté con nosotros. Sintamos esta oración que Jesús sigue haciendo por nosotros.

Una de las encomiendas más importantes de nuestros sacerdotes es hacer lo mismo que Jesús: orar por el pueblo de Dios, su comunidad de fe. Nuestros sacerdotes necesitan pedir por nosotros, necesitan pedir por la unidad de su comunidad, por la efectividad de la evangelización. Esta oración tiene que ser su estilo de vida. Ellos están llamados a interceder con su oración. No olvidemos que, por el bautismo, todos los cristianos participamos del sacerdocio de Jesús, de modo que estamos llamados a orar por los demás, a pedir por la unidad. En nuestras iglesias, siempre nos topamos con personas que se acercan a encender una vela en oración y a dejar allí su petición. Muchas de esas oraciones son por otras personas, por amistades, por familiares, por situaciones de sufrimiento y necesidad. Todas estas oraciones de intercesión nos acercan a la oración sacerdotal de Jesús, nos permiten vivir a plenitud nuestro bautismo.

Estamos llamados a confiar en la fuerza de esta oración que Jesús hace por nosotros y nosotras, y también a través de nosotros y nosotras. Cada vez que pedimos por otros en oración extendemos la presencia de Dios en el mundo, hacemos eco de esta oración de Jesús. La energía espiritual de nuestras muchas oraciones genera, crea y fortalece la unidad. Hay que hacer conciencia de que en todo momento en alguna parte del mundo hay alguien en oración, y que cada vez que hacemos oración como Jesús la hace en este Evangelio nos unimos a miles de personas que como nosotros piden por los demás, piden por la unidad, piden porque el amor de Dios se expanda en el corazón de la humanidad entera. La oración compartida es camino de unidad. (T.M.) ∎

VIVIENDO NUESTRA FE

"Interceder por otros se extiende también a la representación política y social de los ciudadanos. Aquí incide el ejercicio del voto ciudadano de los cristianos, que han de emitirlo con una conciencia bien formada. Esto implica el deseo de buscar la verdad, examinar los hechos y las opciones, reflexionar y orar para discernir la voluntad de Dios, como nuestros obispos señalan en su carta *Formando la conciencia para ser ciudadanos fieles*" (no. 18; USCCB, 2021, edición digital).

PARA REFLEXIONAR

1. ¿Cuándo ha notado usted la fuerza de la intercesión?

2. ¿A quién ha sostenido usted en momentos difíciles o de sufrimiento?

3. ¿Cómo apoya su grupo de fe a los sacerdotes que interceden por el pueblo de Dios?

LECTURAS SEMANALES
30 de mayo–4 de junio

L *Hch 19:1–8; Jn 16:29–33*

M *La Visitación de la BVM*

M *Hch 20:28–38; Jn 17:11b–19*

J *Hch 22:30; 23:6–11; Jn 17:20–26*

V *Hch 25:13–21; Jn 21:15–19*

S *Hch 28:16–20, 30–31; Jn 21:20–25*

5 de junio de 2022 Domingo de Pentecostés

Primera lectura

Hechos 2:1–11

El día de Pentecostés, todos los discípulos estaban reunidos en un mismo lugar. De repente se oyó un gran ruido que venía del cielo, como cuando sopla un viento fuerte, que resonó por toda la casa donde se encontraban. Entonces aparecieron lenguas de fuego, que se distribuyeron y se posaron sobre ellos; se llenaron todos del Espíritu Santo y empezaron a hablar en otros idiomas, según el Espíritu los inducía a expresarse.

En esos días había en Jerusalén judíos devotos, venidos de todas partes del mundo. Al oír el ruido, acudieron en masa y quedaron desconcertados, porque cada uno los oía hablar en su propio idioma.

Atónitos y llenos de admiración, preguntaban: "¿No son galileos todos estos que están hablando? ¿Cómo, pues, los oímos hablar en nuestra lengua nativa? Entre nosotros hay medos, partos y elamitas; otros vivimos en Mesopotamia, Judea, Capadocia, en el Ponto y en Asia, en Frigia y en Panfilia, en Egipto o en la zona de Libia que limita con Cirene. Algunos somos visitantes, venidos de Roma, judíos y prosélitos; también hay cretenses y árabes. Y sin embargo, cada quien los oye hablar de las maravillas de Dios en su propia lengua".

Salmo responsorial

Salmo 104:1ab y 24ac, 29bc–30

R. Envía tu Espíritu, Señor, y renueva la faz de la tierra.
O bien: **R. Aleluya.**

Bendice, alma mía, al Señor: / ¡Dios mío, qué grande eres! / Cuántas son tus obras, Señor; / la tierra está llena de tus criaturas. **R.**

Les retiras el aliento, y expiran / y vuelven a ser polvo; / envías tu aliento, y los creas, / y renuevas la faz de la tierra. **R.**

Segunda lectura

Romanos 8:8–17

Hermanos: Los que viven en forma desordenada y egoísta no pueden agradar a Dios. Pero ustedes no llevan esa clase de vida, sino una vida conforme al Espíritu, puesto que el Espíritu de Dios habita verdaderamente en ustedes. Quien no tiene el Espíritu de Cristo, no es de Cristo. En cambio, si Cristo vive en ustedes, aunque su cuerpo siga sujeto a la muerte a causa del pecado, su espíritu vive a causa de la actividad salvadora de Dios. Si el Espíritu del Padre, que resucitó a Jesús de entre los muertos, habita en ustedes, entonces el Padre, que resucitó a Jesús de entre los muertos, también les dará vida a sus cuerpos mortales, por obra de su Espíritu, que habita en ustedes.

Por lo tanto, hermanos, no estamos sujetos al desorden egoísta del hombre, para hacer de ese desorden nuestra regla de conducta. Pues si ustedes viven de ese modo, ciertamente serán destruidos. Por el contrario, si con la ayuda del Espíritu destruyen sus malas acciones, entonces vivirán.

Los que se dejan guiar por el Espíritu de Dios, ésos son hijos de Dios. No han recibido ustedes un espíritu de esclavos, que los haga temer de nuevo, sino un espíritu de hijos, en virtud del cual podemos llamar Padre a Dios.

El mismo Espíritu Santo, a una con nuestro propio espíritu, da testimonio de que somos hijos de Dios. Y si somos hijos, somos también herederos de Dios y coherederos con Cristo, puesto que sufrimos con él para ser glorificados junto con él.

O bien: 1 Corintios 12:3b–7, 12–13.

Evangelio

Juan 20:19–23

Al anochecer del día de la resurrección, estando cerradas las puertas de la casa donde se hallaban los discípulos, por miedo a los judíos, se presentó Jesús en medio de ellos y les dijo: "La paz esté con ustedes". Dicho esto, les mostró las manos y el costado.

Cuando los discípulos vieron al Señor, se llenaron de alegría. De nuevo les dijo Jesús: "La paz esté con ustedes. Como el Padre me ha enviado, así también los envío yo".

Después de decir esto, sopló sobre ellos y les dijo: "Reciban al Espíritu Santo. A los que les perdonen los pecados, les quedarán perdonados; y a los que no se los perdonen, les quedarán sin perdonar".

O bien: Juan 14:15–16, 23b–26.

¿Quién es el Espíritu Santo?

CELEBRAMOS PENTECOSTÉS este domingo: la venida del Espíritu Santo sobre la comunidad de discípulos. Con ellos, hemos escuchado a Jesús decir "Espíritu Santo" muchas veces: El Espíritu Santo vendrá, el Espíritu los guiará, el Espíritu los consolará. Espíritu aquí, Espíritu allá. De hecho, decimos "Espíritu Santo" todo el tiempo, cuando nos persignamos, cuando necesitamos claridad, y hoy nos tenemos que preguntar: ¿Quién es el Espíritu Santo en nuestra vida? ¿Le dejamos espacio al Espíritu Santo? ¿Lo escuchamos? ¿Confiamos en él? Este domingo busquemos reconocer el lugar del Espíritu Santo en nuestra vida.

El Espíritu Santo nos permite entendernos unos a otros, abrirnos a conversaciones auténticas que nos pueden transformar. Los Hechos de los Apóstoles narran el momento que llega el "gran acontecimiento de Pentecostés". Mencionan diecisiete diferentes nacionalidades o idiomas entonces presentes. Mas de cinco veces se sorprenden los discípulos de que aquellos foráneos puedan entender en su idioma propio.

Las familias migrantes entienden lo importante que es poder entender el idioma, llegando a los Estados Unidos, sufren cuando no les entienden los maestros en las escuelas de sus hijos, cuando no pueden explicar al médico sus síntomas, cuando sus nietos ya no les hablan en español. Hoy reconocemos el entusiasmo de los discípulos cuando dicen, los entendemos en nuestro idioma. Necesitamos crear comunidades donde la gente pueda participar en la Eucaristía en su idioma. Necesitamos crear una gran sensibilidad a esta realidad; pero sólo lo podemos hacer con la ayuda del Espíritu Santo.

Más que nunca, estamos llamados a entender lo que Dios nos está diciendo a través de la realidad, la comunidad y las demás personas. Necesitamos aprender a escuchar, para entender. Por eso, Jesús, hace tanto hincapié en el Espíritu Santo quien nos "enseñará todo y nos recordará" las palabras de Jesús. Estamos invitados al celebrar Pentecostés a disponernos a recibir al Espíritu Santo, a permitirle que nos habite. Se nos invita a "poner atención", a estar atentos a las diferentes maneras en las que nos habla el Espíritu, en actitud de constante discernimiento. Descubriendo al Espíritu Santo en nosotros, podremos gritar "¡Abba!" a nuestro Dios, podremos dar testimonio de Jesús, y podremos buscar cómo entender y darnos a entender con el resto del pueblo de Dios. Así seremos herederos de Dios y coherederos con Cristo. Amén. (T.M.) ■

VIVIENDO NUESTRA

El Espíritu Santo incide en toda la vida del discípulo misionero, incluida su dimensión laboral, pues el trabajo lo hace participar en la obra de la creación y de la redención. En efecto, "el trabajo puede ser considerado como un medio de santificación y animación de las realidades terrenas en el Espíritu de Cristo... muestra su íntima relación con el Creador... mientras combate día a día la deformación del pecado" (CDSI, 263).

PARA REFLEXIONAR

1. ¿Dónde reconoce usted la acción del Espíritu para que personas de origen distintos puedan hablar el mismo idioma?

2. ¿Cómo opera el Espíritu Santo en usted la comprensión personal, familiar y comunitaria?

3. ¿Cómo promueve su grupo o comunidad de fe la unidad en la diversidad y la comunión en la pluralidad? ¿Es esto expresión de la vitalidad del Espíritu Santo?

---

6 de junio de 2022
Bienaventurada Virgen María, Madre de la Iglesia
Gn 3:9–15, 20 o Hch 1:12–14; Jn 19:25–34

LECTURAS SEMANALES
6–11 de junio

L *BVM Madre de la Iglesia*

M *1 Re 17:7–16; Mt 5:13–16*

M *1 Re 18:20–39; Mt 5:17–19*

J *1 Re 18:41–46; Mt 5:20–26*

V *1 Re 19:9a, 11–16; Mt 5:27–32*

S *Hch 11:21b–26; 13:1–3; Mt 5:33–37*

Tiempo Ordinario en verano y otoño

Salmo 64
2, 11–14

En Sión te alabaremos, oh Dios,
en Jerusalén cumpliremos nuestros votos.

Tú preparas la tierra de esta forma:
vas regando sus surcos,
rompiendo sus terrones;
con las lluvias la ablandas
y bendices sus siembras.

Terminas felizmente tu buen año.
Las ruedas de tu carro
van chorreando abundancia;
el suelo del desierto está mojado,
los cerros se revisten de verdor.
Sus praderas se llenan de rebaños
y los valles se cubren de trigales;
todos cantan y saltan de alegría.

Primera lectura

Proverbios 8:22 – 31

Esto dice la sabiduría de Dios: / "El Señor me poseía desde el principio, / antes que sus obras más antiguas. / Quedé establecida desde la eternidad, desde el principio, / antes de que la tierra existiera. / Antes de que existieran los abismos / y antes de que brotaran los manantiales de las aguas, / fui concebida.

Antes de que las montañas / y las colinas quedaran asentadas, nací yo. / Cuando aún no había hecho el Señor la tierra ni los campos / ni el primer polvo del universo, / cuando él afianzaba los cielos, / ahí estaba yo. / Cuando ceñía con el horizonte la faz del abismo, / cuando colgaba las nubes en lo alto, / cuando hacía brotar las fuentes del océano, / cuando fijó al mar sus límites / y mandó a las aguas que no los traspasaran, / cuando establecía los cimientos de la tierra, / yo estaba junto a él como arquitecto de sus obras, / yo era su encanto cotidiano; / todo el tiempo me recreaba en su presencia, / jugando con el orbe de la tierra / y mis delicias eran estar con los hijos de los hombres".

Salmo responsorial

Salmo 8:4–5, 6–7, 8–9

R. Señor, Dios nuestro, ¡qué admirable es tu nombre en toda la tierra!

Cuando contemplo el cielo, obra de tus dedos, la luna y las estrellas que has creado. ¿qué es el hombre para que te acuerdes de él; el ser humano, para darle poder? **R.**

Lo hiciste poco inferior a los ángeles, lo coronaste de gloria y dignidad, le diste el mando sobre las obras de tus manos, todo lo sometiste bajo sus pies. **R.**

Rebaños de ovejas y toros, y hasta las bestias del campo, las aves del cielo, los peces del mar, todo lo sometiste bajo sus pies. **R.**

Segunda lectura

Romanos 5:1– 5

Hermanos: Ya que hemos sido justificados por la fe, mantengámonos en paz con Dios, por mediación de nuestro Señor Jesucristo. Por él hemos obtenido, con la fe, la entrada al mundo de la gracia, en el cual nos encontramos; por él, podemos gloriarnos de tener la esperanza de participar en la gloria de Dios.

Más aún, nos gloriamos hasta de los sufrimientos, pues sabemos que el sufrimiento engendra la paciencia, la paciencia engendra la virtud sólida, la virtud sólida engendra la esperanza, y la esperanza no defrauda, porque Dios ha infundido su amor en nuestros corazones por medio del Espíritu Santo, que él mismo nos ha dado.

Evangelio

Juan 16:12 –15

En aquel tiempo, Jesús dijo a sus discípulos: "Aún tengo muchas cosas que decirles, pero todavía no las pueden comprender. Pero cuando venga el Espíritu de verdad, él los irá guiando hasta la verdad plena, porque no hablará por su cuenta, sino que dirá lo que haya oído y les anunciará las cosas que van a suceder. Él me glorificará, porque primero recibirá de mí lo que les vaya comunicando. Todo lo que tiene el Padre es mío. Por eso he dicho que tomará de lo mío y se lo comunicará a ustedes".

Sin distanciamientos sociales

LA GRAN crisis de la pandemia durante los dos últimos años, con toda su carga psicológica y emocional, nos hizo, por un lado, reforzar el sentido de comunidad mediante encuentros virtuales y un uso creativo de los medios de comunicación, y, por otro, añorar, suspirar y desear más que nunca el contacto físico, los abrazos, los encuentros presenciales. Quizá emergiéramos de ella con más sentido de comunidad y cercanía. Es cierto que la comunidad transciende espacios y tiempos, pero lo cierto también es que somos seres encarnados, sensitivos y sensuales. Lo cierto también es que las grandes verdades y misterios del ser humano y del ser de Dios se nos hicieron, quizá, más urgentes de descubrir y profundizar. Dios es inmenso e insondable y no llegaremos a toda la verdad hasta encontrarnos cara a cara con él en el Reino. "Nos hiciste poco inferior a los ángeles".

La fe y la liturgia del día nos hablan hoy de un gran misterio de comunicación y comunidad: la Santísima Trinidad: un misterio de "misiones" y envíos: el Padre envía al Hijo encarnado, como nosotros y el Padre y el Hijo envían al Espíritu a nuestros corazones, el Espíritu de amor. Envíos a la relación, a salir al encuentro de otros para transmitir esa comunidad de amor que es la divinidad.

Sabemos que el Espíritu nos ha invadido; nos ha inundado de gracia y amor y eso nos ha hecho capaces de jugar en presencia de Dios y ser gratos para él, de sabernos amados inmensamente. Eso, a pesar de todas las tribulaciones. Porque lo hemos experimentado siempre, en todas nuestras tribulaciones y angustias de las críticas situaciones de inmigración, de problemas familiares, de muertes, separaciones y enfermedades. Hemos experimentado que el sufrimiento engendra paciencia, la paciencia engendra virtud, la virtud sólida engendra esperanza, y la esperanza no defrauda. De esto podemos dar constancia como pueblo que siempre celebra, incluso en los momentos de dolor; que siempre encuentra una ocasión para la fiesta, el canto, y que, no importa lo que ocurra, no pierde una esperanza que nunca defrauda. Esto es nuestra sabiduría más profunda porque es verdad infundida en nuestro corazón por el Espíritu enviado por Cristo.

Siempre se nos ha dicho que la Santísima Trinidad es un gran misterio: tres personas, un solo Dios. Pero, aunque sea un misterio para la mente, no es un gran misterio para nuestra vida diaria, de relaciones de amor y de experiencia siempre fuerte, siempre presente, de un Dios que nos llama a jugar en su presencia. (C.A.) ∎

VIVIENDO NUESTRA FE

Creo en la comunión de los santos. Lo decimos en el Credo en cada celebración, pero quizá no nos demos cuenta de la enorme profundidad de las palabras. Estamos diciendo que las acciones de todos, el bien que haga cada uno, las oraciones de cada uno benefician a toda la Iglesia. Que podemos gozar de la esperanza, la paciencia y la virtud de todos. Y que nuestra fe, incluso en el dolor, beneficia a todos. Esto no defrauda. Significa también nadie se salva solo. La comunión de los santos es la vida en la Trinidad de toda la Iglesia.

PARA REFLEXIONAR

1. ¿Dónde nota usted que se celebra la dignidad de ser imágenes de Dios y de vivir en su presencia?

2. ¿Cómo impacta y lo impacta la comunidad cristiana, más allá de espacio y tiempo?

3. ¿Cómo se beneficia el grupo y comunidad de fe de la bondad y la santidad de los cristianos?

LECTURAS SEMANALES
13–18 de junio

L *1 Re 21:1–16; Mt 5:38–42*

M *1 Re 21:17–29; Mt 5:43–48*

M *2 Re 2:1, 6–14; Mt 6:1–6, 16–18*

J *Sir 48:1–14; Mt 6:7–15*

V *2 Re 11:4,9–18, 20; Mt 6:19–23*

S *2 Cro 24:17–25; Mt 6:24–34*

Primera lectura

Génesis 14:18 – 20

En aquellos días, Melquisedec, rey de Salem, presentó pan y vino, pues era sacerdote del Dios altísimo, y bendijo a Abram, diciendo: "Bendito sea Abram de parte del Dios altísimo, creador de cielos y tierra; y bendito sea el Dios altísimo, que entregó a tus enemigos en tus manos".

Y Abram le dio el diezmo de todo lo que había rescatado.

Salmo responsorial

Salmo 110:1, 2, 3, 4

R. Tú eres sacerdote eterno, según el rito de Melquisedec.

Oráculo del Señor a mi Señor: "Siéntate a mi derecha, y haré de tus enemigos estrado de tus pies". **R.**

Desde Sión extenderá el Señor el poder de tu cetro: somete en la batalla a tus enemigos. **R.**

"Eres príncipe desde el día de tu nacimiento, entre esplendores sagrados; yo mismo te engendré, como rocío, antes de la aurora". **R.**

El Señor lo ha jurado y no se arrepiente: "Tú eres sacerdote eterno, según el rito de Melquisedec". **R.**

Segunda lectura

1 Corintios 11:23 – 26

Hermanos: Yo recibí del Señor lo mismo que les he transmitido: que el Señor Jesús, la noche en que iba a ser entregado, tomó pan en sus manos, y pronunciando la acción de gracias, lo partió y dijo: "Esto es mi cuerpo, que se entrega por ustedes. Hagan esto en memoria mía".

Lo mismo hizo con el cáliz, después de cenar, diciendo: "Este cáliz es la nueva alianza que se sella con mi sangre. Hagan esto en memoria mía siempre que beban de él".

Por eso, cada vez que ustedes comen de este pan y beben de este cáliz, proclaman la muerte del Señor, hasta que vuelva.

Evangelio

Lucas 9:11–17

En aquel tiempo, Jesús habló del Reino de Dios a la multitud y curó a los enfermos.

Cuando caía la tarde, los doce apóstoles se acercaron a decirle: "Despide a la gente para que vayan a los pueblos y caseríos a buscar alojamiento y comida, porque aquí estamos en un lugar solitario". Él les contestó: "Denles ustedes de comer". Pero ellos le replicaron: "No tenemos más que cinco panes y dos pescados; a no ser que vayamos nosotros mismos a comprar víveres para toda esta gente". Eran como cinco mil varones.

Entonces Jesús dijo a sus discípulos: "Hagan que se sienten en grupos como de cincuenta". Así lo hicieron, y todos se sentaron. Después Jesús tomó en sus manos los cinco panes y los dos pescados, y levantando su mirada al cielo, pronunció sobre ellos una oración de acción de gracias, los partió y los fue dando a los discípulos, para que ellos los distribuyeran entre la gente.

Comieron todos y se saciaron, y de lo que sobró se llenaron doce canastos.

23 de junio de 2022
Natividad de san Juan Bautista

Vigilia: Jer 1:4–10; 1 Pe 1:8–12; Lc 1:5–17

Día: Is 49:1–6; Hch 13:22–26; Lc 1:57–66, 80

Los regalos

NORMALMENTE, se considera de mala educación regalar lo que se nos regala. Pero la normalidad de Dios es algo muy distinto. Porque los regalos de Dios no están destinados a guardarse, sino más bien a repartirse. Lo más bonito y misterioso es que ninguno de los regalos de Dios se agota al repartirse, sino todo lo contrario: se multiplican. Cuando Dios da la gracia de virtudes como la generosidad, el espíritu de servicio, la fortaleza ante el dolor, la alegría, tales dones se derraman en todas las personas de alrededor y crean un efecto multiplicador. Quien ha recibido algo quiere, a su vez, comunicarlo a otros.

Cuando Jesús les dice a los discípulos: "Denles ustedes de comer", a ellos les parece que, lo poco que tienen no alcanzará para la multitud. Sin embargo, después de repartir, nadie tiene hambre, y recogen doce canastos de lo sobrante. El número doce siempre representa la plenitud de la familia de Dios. Doce tribus, doce apóstoles, doce canastos. Siempre habrá suficiente, según la economía de la casa de Dios, para todos. En toda la economía de la salvación, todo carisma, todo don, todo regalo se ha dado para la entrega y la vida de los demás. Para el bien del Pueblo santo de Dios. Esta verdad se hace clara y luminosa en el misterio de la Eucaristía: Cristo entrega su vida, Cuerpo y Sangre. Se parte y se reparte, para la vida del mundo.

La llamada a ser el Cuerpo de Cristo, la Iglesia, es la misma para todos. El regalo recibido de la vida de Cristo no es para guardárselo para uno mismo, ya que, al guardarlo, se agota. Se trata de, como decía un gran padre de la Iglesia, en recibir lo que uno es y convertirse en lo que se recibe. Al convertirnos en el Cuerpo de Cristo, la llamada es a partirse y repartirse: Denles ustedes de comer. La llamada es a participar en el sacerdocio de Cristo a la manera de Melquisedec como se nos dice en la primera lectura, ya que somos príncipes y sacerdotes desde el día de nuestro nacimiento, como nos dice el Salmo responsorial. Se trata de recibir y de entregar: cada vez que comemos de este pan, anunciamos la muerte del Señor. La muerte de Cristo que es la vida del mundo. El Cuerpo partido y la Sangre derramada que nunca se agota, sino que da más y más vida. (C.A.) ■

VIVIENDO NUESTRA FE

El alimento que recibimos es un don que pide ser compartido con los demás y es también fruto del trabajo humano. Recordemos que el Señor nos manda dar de comer, beber, vestir, acoger, cuidar y acompañar a los más pobres (ver Mateo 25:35–36), y que "cada trabajador, dice san Ambrosio, es la mano de Cristo que continúa creando y haciendo el bien" (CDSI, 265, con referencia a *De obitu Valentiniani consolatio*, 62; PL, 16, 1438).

PARA REFLEXIONAR

1. ¿Qué dones o talentos de parte de Dios aprecia usted más? ¿Cómo los comparte con los demás?

2. ¿Cuáles dones considera usted que no ha compartido suficientemente con los demás?

3. ¿Qué dones específicos comparte su grupo de fe con la sociedad civil? ¿Qué otros debiera compartir?

LECTURAS SEMANALES
20–25 de junio

L *2 Re 17:5–8, 13–15a, 18; Mt 7:1–5*

M *2 Re 19:9b–11, 14–21, 31–35a, 36; Mt 7:6, 12–14*

M *2 Re 22:8–13; 23: 1–3; Mt 7:15–20*

J *Natividad de san Juan Bautista*

V *Sagrado Corazón de Jesús*

S *Inmaculado Corazón de María*

26 de junio de 2022   XIII Domingo del Tiempo Ordinario

Primera lectura

1 Reyes 19:16, 19–21

En aquellos tiempos, el Señor le dijo a Elías: "Unge a Eliseo, el hijo de Safat, originario de Abel-Mejolá, para que sea profeta en lugar tuyo".

Elías partió luego y encontró a Eliseo, hijo de Safat, que estaba arando. Delante de él trabajaban doce yuntas de bueyes y él trabajaba con la última. Elías pasó junto a él y le echó encima su manto. Entonces Eliseo abandonó sus bueyes, corrió detrás de Elías y le dijo: "Déjame dar a mis padres el beso de despedida y te seguiré". Elías le contestó: "Ve y vuelve, porque bien sabes lo que ha hecho el Señor contigo".

Se fue Eliseo, se llevó los dos bueyes de la yunta, los sacrificó, asó la carne en la hoguera que hizo con la madera del arado y la repartió a su gente para que se la comieran. Luego se levantó, siguió a Elías y se puso a su servicio.

Salmo responsorial

Salmo 16:1–2a y 5, 7–8, 9–10, 11

R. Tú, Señor, eres el lote de mi heredad.

Protégeme, Dios mío, que me refugio en ti; yo digo al Señor: "Tú eres mi bien". El Señor es el lote de mi heredad y mi copa; mi suerte está en tu mano. **R.**

Bendeciré al Señor, que me aconseja hasta de noche me instruye internamente. Tengo siempre presente al Señor, con él a mi derecha no vacilaré. **R.**

Por eso se me alegra el corazón, se gozan mis entrañas, y mi carne descansa serena, porque no me entregarás a la muerte, ni dejarás a tu fiel conocer la corrupción. **R.**

Me enseñarás el sendero de la vida, me saciarás de gozo en tu presencia, de alegría perpetua a tu derecha. **R.**

Segunda lectura

Gálatas 5:1, 13–18

Hermanos: Cristo nos ha liberado para que seamos libres. Conserven, pues, la libertad y no se sometan de nuevo al yugo de la esclavitud. Su vocación, hermanos, es la libertad. Pero cuiden de no tomarla como pretexto para satisfacer su egoísmo; antes bien, háganse servidores los unos de los otros por amor. Porque toda la ley se resume en un solo precepto: *Amarás a tu prójimo como a ti mismo.* Pues si ustedes se muerden y devoran mutuamente, acabarán por destruirse.

Los exhorto, pues, a que vivan de acuerdo con las exigencias del Espíritu; así no se dejarán arrastrar por el desorden egoísta del hombre. Este desorden está en contra del Espíritu de Dios, y el Espíritu está en contra de ese desorden. Y esta oposición es tan radical, que les impide a ustedes hacer lo que querrían hacer. Pero si los guía el Espíritu, ya no están ustedes bajo el dominio de la ley.

Evangelio

Lucas 9:51–62

Cuando ya se acercaba el tiempo en que tenía que salir de este mundo, Jesús tomó la firme determinación de emprender el viaje a Jerusalén. Envió mensajeros por delante y ellos fueron a una aldea de Samaria para conseguirle alojamiento; pero los samaritanos no quisieron recibirlo, porque supieron que iba a Jerusalén. Ante esta negativa, sus discípulos Santiago y Juan le dijeron: "Señor, ¿quieres que hagamos bajar fuego del cielo para que acabe con ellos?" Pero Jesús se volvió hacia ellos y los reprendió.

Después se fueron a otra aldea. Mientras iban de camino, alguien le dijo a Jesús: "Te seguiré a dondequiera que vayas". Jesús le respondió: "Las zorras tienen madrigueras y los pájaros, nidos; pero el Hijo del hombre no tiene en dónde reclinar la cabeza".

A otro, Jesús le dijo: "Sígueme". Pero él le respondió: "Señor, déjame ir primero a enterrar a mi padre". Jesús le replicó: "Deja que los muertos entierren a sus muertos. Tú, ve y anuncia el Reino de Dios".

Otro le dijo: "Te seguiré, Señor; pero déjame primero despedirme de mi familia". Jesús le contestó: "El que empuña el arado y mira hacia atrás, no sirve para el Reino de Dios".

Mirar hacia atrás libremente

MIRAR HACIA atrás puede ser algo muy bueno. Miramos hacia atrás en agradecimiento y alabanza por todo lo bueno que se nos ha dado en nuestras vidas, por el "lote de mi heredad, por el que se alegran mis entrañas", por todas las personas extraordinarias que se han cruzado en nuestras vidas y que nos han ayudado a ser mejores. Mirar hacia atrás no siempre es malo.

Pero hay otra manera de mirar atrás no es agradecida, sino añorante de un modo de vida más encerrado en uno mismo, más atado al propio placer y al propio egoísmo. Hoy se nos advierte: Mirar hacia atrás después de "haber puesto la mano en el arado", es decir, después de haber respondido a la llamada de seguir a Cristo, o a algún servicio, o después de haber tomado una buena decisión, "no sirve para el Reino". Por otro, lado se nos advierte que mirar hacia atrás o retroceder supone volver a caer en la esclavitud de la que ya nos había sacado Cristo, que nos liberó para ser libres. Cuando se mira hacia atrás después de poner la mano en el arado, se puede perder de vista lo que teníamos como tarea, o nuestros "bueyes" (es decir, nuestras inclinaciones más distraídas y poco constantes de las que habla san Pablo: el "desorden egoísta" que va contra el Espíritu de Dios) se pueden ir hacia otro sitio. Entonces, perdemos la libertad que se nos había concedido para hacer el bien, para tomar la decisión correcta, para servir a Dios en alegría y amor de entrega y donación a los demás.

Muchas veces buscamos excusas: "En cuanto termine de hacer esto", "En un momentito", "Te seguiré, pero déjame primero", y nos vamos así enredando en los atractivos de entretenimientos y adicciones que, en lugar de llevarnos a Dios nos alejan de su Espíritu. O podemos pensar que la libertad es hacer lo que queremos. Pero, más bien, la libertad consiste en querer lo que hacemos; es decir, querer lo que Dios quiere para nosotros. Somos libres, para hacer lo que desea nuestro corazón, que siempre es Dios, sin mirar atrás. Las personas libres pueden servir sin nostalgias de otros deseos más pequeños y esclavizantes. Las personas libres pueden celebrar con gozo "el lote de su heredad", lo que les ha tocado en suerte que es, ni más ni menos, que Dios mismo, que les enseña el sendero de la vida y los sacia de gozo y de alegría perpetua. Miramos hacia atrás agradecidamente, y vemos esa alegría, ese don. (C.A.) ∎

VIVIENDO NUESTRA FE

Muchas veces cuando se habla de vocación, se piensa en el sacerdocio o la vida religiosa. Sin embargo, la vocación se trata más bien de esa llamada a una relación personal con Cristo que va marcando el camino de la vida: ya sea en el matrimonio y la construcción de una familia cristiana, en el ministerio ordenado o en la vida religiosa, o en una soltería que se compromete en servicio a los demás. Esa vocación o llamada de Dios, que cada uno tiene que descubrir en discernimiento y oración, es el arado en el que se pone la mano y ya no se mira atrás. Es lo que va a dar gozo a nuestras vidas.

PARA REFLEXIONAR

1. ¿Para usted qué significa "vivir con propósito"? ¿Cómo es una persona así?

2. ¿Considera usted que su propia vida y su estado de vida es una vocación o llamada de Dios?

3. ¿Qué hace su grupo o comunidad de fe para promover la vocación de cada persona?

LECTURAS SEMANALES
27 de junio–2 de julio

L *Am 2:6–10, 13–16; Mt 8:18–22*

M *Am 3:1–8; 4:11–12; Mt 8:23–27*

M *Santos Pedro y Pablo, Apóstoles*

J *Am 7:10–17; Mt 9:1–8*

V *Am 8:4–6, 9–12; Mt 9:9–13*

S *Am 9:11–15; Mt 9:14–17*

3 de julio de 2022   XIV Domingo del Tiempo Ordinario

Primera lectura

Isaías 66:10 –14

Alégrense con Jerusalén, gocen con ella todos los que la aman, alégrense de su alegría todos los que por ella llevaron luto, para que se alimenten de sus pechos, se llenen de sus consuelos y se deleiten con la abundancia de su gloria.

Porque dice el Señor: "Yo haré correr la paz sobre ella como un río y la gloria de las naciones como un torrente desbordado. Como niños serán llevados en el regazo y acariciados sobre sus rodillas; como un hijo a quien su madre consuela, así los consolaré yo. En Jerusalén serán ustedes consolados.

Al ver esto se alegrará su corazón y sus huesos florecerán como un prado. Y los siervos del Señor conocerán su poder.

Salmo responsorial

Salmo 66:1–3, 4–5, 6–7a, 16 y 20

R. Aclamen al Señor, tierra entera.

Aclamen al Señor, tierra entera; toquen en honor de su nombre, canten himnos a su gloria; digan a Dios: "¡Qué temibles son tus obras!" **R.**

Que se postre ante ti la tierra entera, que toquen en tu honor, que toquen para tu nombre. Vengan a ver las obras de Dios, sus temibles proezas en favor de los hombres. **R.**

Transformó el mar en tierra firme, a pie atravesaron el río. Alegrémonos con Dios, que con su poder gobierna eternamente. **R.**

Fieles de Dios, vengan a escuchar, les contaré lo que ha hecho conmigo. Bendito sea Dios, que no rechazó mi súplica ni me retiró su favor. **R.**

Segunda lectura

Gálatas 6:14 –18

Hermanos: No permita Dios que yo me gloríe en algo que no sea la cruz de nuestro Señor Jesucristo, por el cual el mundo está crucificado para mí y yo para el mundo. Porque en Cristo Jesús de nada vale el estar circuncidado o no, sino el ser una nueva creatura.

Para todos los que vivan conforme a esta norma y también para el verdadero Israel, la paz y la misericordia de Dios. De ahora en adelante, que nadie me ponga más obstáculos, porque llevo en mi cuerpo la marca de los sufrimientos que he pasado por Cristo.

Hermanos, que la gracia de nuestro Señor Jesucristo esté con ustedes. Amén.

Evangelio

Lucas 10:1–12, 17– 20

En aquel tiempo, Jesús designó a otros setenta y dos discípulos y los mandó por delante, de dos en dos, a todos los pueblos y lugares a donde pensaba ir, y les dijo: "La cosecha es mucha y los trabajadores pocos. Rueguen, por tanto, al dueño de la mies que envíe trabajadores a sus campos. Pónganse en camino; yo los envío como corderos en medio de lobos. No lleven ni dinero, ni morral, ni sandalias y no se detengan a saludar a nadie por el camino. Cuando entren en una casa digan: 'Que la paz reine en esta casa'. Y si allí hay gente amante de la paz, el deseo de paz de ustedes, se cumplirá; si no, no se cumplirá. Quédense en esa casa. Coman y beban de lo que tengan, porque el trabajador tiene derecho a su salario. No anden de casa en casa. En cualquier ciudad donde entren y los reciban, coman lo que les den. Curen a los enfermos que haya y díganles: 'Ya se acerca a ustedes el Reino de Dios'.

Pero si entran en una ciudad y no los reciben, salgan por las calles y digan: 'Hasta el polvo de esta ciudad, que se nos ha pegado a los pies nos lo sacudimos, en señal de protesta contra ustedes. De todos modos, sepan que el Reino de Dios está cerca'. Yo les digo que en el día del juicio, Sodoma será tratada con menos rigor que esa ciudad".

Los setenta y dos discípulos regresaron llenos de alegría y le dijeron a Jesús: "Señor, hasta los demonios se nos someten en tu nombre".

Él les contestó: "Vi a Satanás caer del cielo como el rayo. A ustedes les he dado poder para aplastar serpientes y escorpiones y para vencer toda la fuerza del enemigo, y nada les podrá hacer daño. Pero no se alegren de que los demonios se les someten. Alégrense más bien de que sus nombres están escritos en el cielo".

O bien: Lucas 10:1–9

La paz del corazón

LA PAZ, un torrente desbordado. Parece una imagen un poco contradictoria, porque quizá tengamos la imagen de la paz como algo quieto, estático, inamovible. La paz de la que habla Cristo es dinámica: es la paz que llevan los caminantes que marchan sin apegarse a nada. Es la paz de los discípulos que reciben con sencillez lo que se les ofrece, pero salen de donde no se les acepta sin preocupaciones ni amarguras; la paz de quienes van como corderos mansos a enfrentarse valientemente con los lobos de este mundo. La paz de quien siente la urgencia de ir a la cosecha del Señor, es decir, de anunciar la noticia que atraiga a todos a Cristo. De quien puede decir que el Reino se acerca, porque ha tenido la experiencia de encontrarse con Cristo. Es la paz de quien ha sufrido y ha conocido el consuelo de Dios. Es la paz de quien puede decir que Dios no rechazó su súplica ni le retiró su favor. Es la paz de quienes no se fijan en el éxito de someter demonios, sino más bien de que sus nombres estén escritos en el cielo, es decir, en la mente y en el corazón de Dios.

Ésa es quizá la paz más profunda en medio de movimiento, de las innumerables ocupaciones y preocupaciones diarias, de los problemas familiares y de las situaciones sociales que nos afectan. En medio del dinamismo, de audacia y compromiso. Es la paz de saber que nuestro nombre esté escrito en la mente y el corazón de Dios; que Dios nos recuerde con amor. Solamente ahí se encuentra la paz, incluso en medio de los dolores diarios de la vida. Solamente entonces se puede decir como san Pablo no nos gloriamos sino en la cruz de Cristo. ¿Quién podría encontrar paz en la cruz y el dolor? Quien lleva los mismos sufrimientos de Cristo con la serenidad de quien se sabe inserto en el corazón de un Dios que hace correr la paz como un río, y que acaricia a sus hijos como un hijo a quien su madre consuela. Quien encuentra esta paz, se hace como un torrente desbordado para otros. Todos hemos conocido personas que transmiten y dan paz; que su serenidad, incluso en medio de la adversidad, ofrece consuelo y aliento. Que Dios nos conceda esa paz, como un río, como un torrente desbordado. (C.A.) ■

VIVIENDO NUESTRA FE

La paz no es necesariamente la ausencia de conflictos, sino la seguridad de la presencia de Dios. Más aún, es la seguridad de saber que se está haciendo lo que Dios quiere. Pablo VI lo dijo en una frase que se ha convertido en lema de muchos: "Si quieres la paz, lucha por la justicia". Luchar por la justicia es buscar la justicia en las propias relaciones familiares y laborales, y también involucrarse en movimientos y acciones que defienden los derechos y la dignidad de todos, como la lucha contra el racismo, la defensa de los inmigrantes, el clamor por igualdad de oportunidades en educación, un salario justo.

PARA LA REFLEXIÓN

1. ¿A quiénes considera usted "personas de paz"? ¿Cómo son ellas?

2. ¿Qué experiencia de la paz de Dios ha tenido usted recientemente?

3. ¿Qué hace su grupo o comunidad de fe para promover la paz y la justicia?

LECTURAS SEMANALES

4–9 de julio

L *Os 2:16, 17b–18, 21–22; Mt 9:18–26*

M *Os 8:4–7, 11–13; Mt 9:32–38*

M *Os 10:1–3, 7–8, 12; Mt 10:1–7*

J *Os 11:1–4, 8e–9; Mt 10:7–15*

V *Os 14:2–10; Mt 10:16–23*

S *Is 6:1–8; Mt 10:24–33*

Primera lectura

Deuteronomio 30:10 – 14

En aquellos días, habló Moisés al pueblo y le dijo: "Escucha la voz del Señor, tu Dios, que te manda guardar sus mandamientos y disposiciones escritos en el libro de esta ley. Y conviértete al Señor tu Dios, con todo tu corazón y con toda tu alma.

Estos mandamientos que te doy, no son superiores a tus fuerzas ni están fuera de tu alcance. No están en el cielo, de modo que pudieras decir: '¿Quién subirá por nosotros al cielo para que nos los traiga, los escuchemos y podamos cumplirlos?' Ni tampoco están al otro lado del mar, de modo que pudieras objetar: '¿Quién cruzará el mar por nosotros para que nos los traiga, los escuchemos y podamos cumplirlos?' Por el contrario, todos mis mandamientos están muy a tu alcance, en tu boca y en tu corazón, para que puedas cumplirlos".

Salmo responsorial

Salmo 19:8, 9, 10, 11

R. Los mandatos del Señor son rectos y alegran el corazón.

La ley del Señor es perfecta y es descanso del alma; el precepto del Señor es fiel e instruye al ignorante. R.

Los mandatos del Señor son rectos y alegran el corazón; la norma del Señor es límpida y da luz a los ojos. R.

La voluntad del Señor es pura y eternamente estable; los mandamientos del Señor son verdaderos y eternamente justos. R.

Más preciosos que el oro, más que el oro fino; más dulces que la miel de un panal que destila. R.

Segunda lectura

Colosenses 1:15 – 20

Cristo es la imagen de Dios invisible, / el primogénito de toda la creación, / porque en él tienen su fundamento todas las cosas creadas, / del cielo y de la tierra, / las visibles y las invisibles, / sin excluir a los tronos y dominaciones, / a los principados y potestades. / Todo fue creado por medio de él y para él.

Él existe antes que todas las cosas, / y todas tienen su consistencia en él. / Él es también la cabeza del cuerpo, que es la Iglesia. / Él es el principio, el primogénito de entre los muertos, / para que sea el primero en todo.

Porque Dios quiso que en Cristo habitara toda plenitud / y por él quiso reconciliar consigo todas las cosas, / del cielo y de la tierra, / y darles la paz por medio de su sangre, / derramada en la cruz.

Evangelio

Lucas 10:27 – 37

En aquel tiempo, se presentó ante Jesús un doctor de la ley para ponerlo a prueba y le preguntó: "Maestro, ¿qué debo hacer para conseguir la vida eterna?" Jesús le dijo: "¿Qué es lo que está escrito en la ley? ¿Qué lees en ella?" El doctor de la ley contestó: *"Amarás al Señor tu Dios, con todo tu corazón, con toda tu alma, con todas tus fuerzas* y con todo tu ser, *y a tu prójimo como a ti mismo".* Jesús le dijo: "Has contestado bien; si haces eso, vivirás".

El doctor de la ley, para justificarse, le preguntó a Jesús: "¿Y quién es mi prójimo?" Jesús le dijo: "Un hombre que bajaba por el camino de Jerusalén a Jericó, cayó en manos de unos ladrones, los cuales lo robaron, lo hirieron y lo dejaron medio muerto. Sucedió que por el mismo camino bajaba un sacerdote, el cual lo vio y pasó de largo. De igual modo, un levita que pasó por ahí, lo vio y siguió adelante. Pero un samaritano que iba de viaje, al verlo, se compadeció de él, se le acercó, ungió sus heridas con aceite y vino y se las vendó; luego lo puso sobre su cabalgadura, lo llevó a un mesón y cuidó de él. Al día siguiente sacó dos denarios, se los dio al dueño del mesón y le dijo: 'Cuida de él y lo que gastes de más, te lo pagaré a mi regreso'.

¿Cuál de estos tres te parece que se portó como prójimo del hombre que fue asaltado por los ladrones?" El doctor de la ley le respondió: "El que tuvo compasión de él". Entonces Jesús le dijo: "Anda y haz tú lo mismo".

Todo está a mano

A VECES LA Escritura suena como a que todo es fácil: los mandamientos "no son superiores a tus fuerzas… están muy a tu alcance, en tu boca y en tu corazón". Y el Salmo de hoy insiste: "la lley […] es descanso del alma".

En la segunda lectura se nos da otro mensaje consolador: Cristo es imagen del Padre, es el primogénito de todo.

Así que, cuando pareciera que todas las lecturas de hoy son consoladoras y dan seguridad y confianza, llega el evangelio con todo un desafío: ¿quién es mi prójimo? Cuando nuestros vecinos son personas agradables, simpáticas, silenciosas y cuidadosas, podemos pensar que es fácil ser prójimo y tener prójimos. Pero ¿qué ocurre cuando el prójimo es un pobre hombre desconocido, maltratado, y extranjero? ¿Qué ocurre cuando el prójimo no es de nuestra raza o no habla nuestro idioma? ¿Qué ocurre cuando no tiene medios de devolvernos un favor que le hacemos? Aquí es donde esa ley que nos sonaba tan bonita, tan al alcance de nuestra mano, tan consoladora, se vuelve un poco más complicada.

Pero sólo un poco. Cuando la ley de Dios ha entrado y alegrado el corazón, vemos al prójimo como un espejo. Cristo, imagen de Dios invisible, el prójimo, imagen del Cristo visible que se hizo humano como nosotros. Entonces, todos aquellos que eran los otros, los distintos, los maltratados por la vida, se convierten en esos prójimos a quienes la cruz de Cristo ha reconciliado consigo. Se convierten en su propia imagen, porque los ha reconciliado en su corazón; y es ese mismo corazón del que venimos todos. Y entonces todos nos convertimos en prójimos.

Al doctor de la ley que quiere poner a prueba a Jesús, se le contesta con la ley. La ley no le habla de reglas distintas a las que "están al alcance", sino de compasión. "Amarás al prójimo como a ti mismo". Y ¿quién es prójimo? El que muestra compasión. Se ha cambiado el discurso: el amarás al prójimo se ha cambiado en "serás el prójimo que ama".

Son los vecinos misericordiosos, los que laten con el latido del corazón del Padre los que alcanzan la herencia de la ley perfecta del Señor, descanso del alma. Eso, al haber convertido desde dentro a la persona, hace que esos mandamientos, esa ley de ayudar a otro, quienquiera que sea, se convierte en "más dulce que la miel de un panal que destila". Eso es vivir en el corazón del Padre y ser, con Cristo, imagen del Dios que nos crea. (C.A.) ∎

VIVIENDO NUESTRA FE

"Amarás al prójimo como a ti mismo" tiene muchas consecuencias prácticas en la vida diaria. Es resumen de toda la vida moral cristiana, según explica el *Catecismo de la Iglesia Católica* en su tercera parte. Afecta tanto a las relaciones familiares, como a las sociales, a la lucha por la justicia y al respeto por la vida y la dignidad de todo ser humano. Toda decisión, por pequeña que parezca, tiene un efecto en los demás, no sólo en los más cercanos, sino en todo el Cuerpo Místico de Cristo. Se trata de la comunión de los santos que afirmamos siempre que rezamos el Credo.

PARA REFLEXIONAR

1. ¿Cuál de sus relaciones familiares tendría que cuidar un poco más?

2. ¿Cómo afecta el modo en que lleva usted a cabo su trabajo a sus compañeros, a la empresa y a toda la sociedad?

3. ¿Cómo fomenta su grupo o comunidad de fe la cercanía con los más necesitados?

LECTURAS SEMANALES
11–16 de julio

L Is 1:10–17; Mt 10:34—11:1

M Is 7:1–9; Mt 11:20–24

M Is 10:5–7, 13b–16; Mt 11:25–27

J Is 26:7–9, 12, 16–19; Mt 11:28–30

V Is 38:1–6, 21–22, 7–8; Mt 12:1–8

S Miq 2:1–5; Mt 12:14–21

17 de julio de 2022 XVI Domingo del Tiempo Ordinario

Primera lectura

Génesis 18:1–10

Un día, el Señor se le apareció a Abraham en el encinar de Mambré. Abraham estaba sentado en la entrada de su tienda, a la hora del calor más fuerte. Levantando la vista, vio de pronto a tres hombres que estaban de pie ante él. Al verlos, se dirigió a ellos rápidamente desde la puerta de la tienda, y postrado en tierra, dijo: "Señor mío, si he hallado gracia a tus ojos, te ruego que no pases junto a mí sin detenerte. Haré que traigan un poco de agua para que se laven los pies y descansen a la sombra de estos árboles; traeré pan para que recobren las fuerzas y después continuarán su camino, pues sin duda para eso han pasado junto a su siervo".

Ellos le contestaron: "Está bien. Haz lo que dices". Abraham entró rápidamente en la tienda donde estaba Sara y le dijo: "Date prisa, toma tres medidas de harina, amásalas y cuece unos panes".

Luego Abraham fue corriendo al establo, escogió un ternero y se lo dio a un criado para que lo matara y lo preparara. Cuando el ternero estuvo asado, tomó requesón y leche y lo sirvió todo a los forasteros. Él permaneció de pie junto a ellos, bajo el árbol, mientras comían. Ellos le preguntaron: "¿Dónde está Sara, tu mujer?" Él respondió: "Allá, en la tienda". Uno de ellos le dijo: "Dentro de un año volveré sin falta a visitarte por estas fechas; para entonces, Sara, tu mujer, habrá tenido un hijo".

Salmo responsorial

Salmo 15:2–3ab, 3cd–4ab, 5

R. Señor, ¿quién puede hospedarse en tu tienda?

El que procede honradamente y práctica la justicia, el que tiene intenciones leales y no calumnia con su lengua. **R.**

El que no hace mal a su prójimo ni difama al vecino, el que considera despreciable al impío y honra a los que temen al Señor. **R.**

El que no presta dinero a usura ni acepta soborno contra el inocente. El que así obra nunca fallará. **R.**

Segunda lectura

Colosenses 1:24 – 28

Hermanos: Ahora me alegro de sufrir por ustedes, porque así completo lo que falta a la pasión de Cristo en mí, por el bien de su cuerpo, que es la Iglesia.

Por disposición de Dios, yo he sido constituido ministro de esta Iglesia para predicarles por entero su mensaje, o sea el designio secreto que Dios ha mantenido oculto desde siglos y generaciones y que ahora ha revelado a su pueblo santo.

Dios ha querido dar a conocer a los suyos la gloria y riqueza que este designio encierra para los paganos, es decir, que Cristo vive en ustedes y es la esperanza de la gloria. Ese mismo Cristo, que nosotros predicamos, cuando corregimos a los hombres y los instruimos con todos los recursos de la sabiduría, a fin de que todos sean cristianos perfectos.

Evangelio

Lucas 10:38 – 42

En aquel tiempo, entró Jesús en un poblado, y una mujer, llamada Marta, lo recibió en su casa. Ella tenía una hermana, llamada María, la cual se sentó a los pies de Jesús y se puso a escuchar su palabra. Marta, entre tanto, se afanaba en diversos quehaceres, hasta que, acercándose a Jesús, le dijo: "Señor, ¿no te has dado cuenta de que mi hermana me ha dejado sola con todo el quehacer? Dile que me ayude".

El Señor le respondió: "Marta, Marta, muchas cosas te preocupan y te inquietan, siendo así que una sola es necesaria. María escogió la mejor parte y nadie se la quitará".

---

22 de julio de 2022
Santa María Magdalena
*Sab 3:1–4b o bien 2 Cor 5:14–17;
Jn 20:1–2, 11–18*

Dios, el huésped-anfitrión

CUANDO SE habla de hospitalidad, pensamos muchas veces en nosotros mismos y en las exigencias que esta virtud, que está en el núcleo de la vida cristiana, nos plantea a nosotros. Para acoger a huéspedes hay que limpiar la casa, comprar buena comida, quizá hacer un espacio y dejar el propio cuarto o cama para que duerma el huésped. Pero sabemos que el tiempo de hospedaje es limitado y que sólo nos va a incomodar un tiempito. Recibir huéspedes, además, nos sitúa en una cierta superioridad. A veces es más difícil ser huésped que anfitrión. Para ser huésped hay que aceptar con sencillez y humildad lo que el anfitrión ofrece.

En Dios hay una hospitalidad de doble sentido: Dios es el anfitrión que ofrece su Edén para el disfrute del ser humano, y es también el huésped que "viene a quien lo ama y hace morada en él". Es quien envía a Jesús al mundo. Es el que acepta sencillamente la hospitalidad de María y también la de Marta. Y es también quien "vive en ustedes y es esperanza de gloria". Es el Dios que se abaja a morar con nosotros y el que nos eleva para vivir en él.

Es la misma doble hospitalidad de huésped y anfitrión que Jesús les extiende a Marta y María. Recibe la ajetreada hospitalidad de Marta y recibe con serena hospitalidad a María. No es, como a veces se ha interpretado, que regañe a Marta por su actividad, sino que asegura que la mejor parte es ser recibidos por Dios. Es maravilloso recibir al Señor, pero es mejor ser recibido y abrazado por él. "¿Quién puede hospedarse en tu tienda? El que procede honradamente y practica la justicia". Las dos formas de hospitalidad son importantes, pero es Dios quien en realidad es la morada a la que aspiramos y donde mejor estaremos.

Dios muestra tanto amor que quiere ser recibido también, espera la respuesta de amor de nuestra pobre hospitalidad, mientras que muestra su propia infinita y misericordiosa hospitalidad. María ha escogido la mejor parte, que es adentrarse en Dios, y no le será arrebatada. La hospitalidad que extendemos a los demás es la imitación, el espejo de la hospitalidad que Dios nos extiende. Esta es la riqueza del designio: "es decir, que Cristo vive en ustedes". El Cristo que vive en nosotros puede extender hospitalidad, desde nosotros, a todos sus hermanos. (C.A.) ∎

VIVIENDO NUESTRA FE

La contemplación de María, su forma de recibir hospitalidad es lo que el Catecismo de la Iglesia Católica describe como oración, que no es otra cosa que estar en presencia de Dios, en unión con él; lo que se consigue porque desde el bautismo fuimos unidos a Cristo (ver CEC, 2565). Vivir en comunión con Dios, añade el catecismo, tiene las dimensiones del amor. La contemplación se convierte así en acciones de amor por los demás, no solamente en la quietud de estar delante de Dios; consiste también en andar por los caminos de Dios.

PARA LA REFLEXIÓN

1. ¿Qué aspectos de la hospitalidad le parecen a usted más sobresalientes?

2. ¿Considera usted que recibir y aceptar la hospitalidad de otros implica algún compromiso?

3. ¿Cómo ejerce la hospitalidad su grupo de fe o su comunidad parroquial?

LECTURAS SEMANALES
18–23 de julio

L *Miq 6:1–4, 6–8; Mt 12:38–42*

M *Miq 7:14–15, 18–20; Mt 12:46–50*

M *Jer 1:1, 4–10; Mt 13:1–9*

J *Jer 2:1–3, 7–8, 12–13; Mt 13:10–17*
    Santa María Magdalena

S *Jer 7:1–11; Mt 13:24–30*

24 de julio de 2022 XVII Domingo del Tiempo Ordinario

Primera lectura
Génesis 18:20–32

En aquellos días, el Señor dijo: "El clamor contra Sodoma y Gomorra es grande y su pecado es demasiado grave. Bajaré, pues, a ver si sus hechos corresponden a ese clamor; y si no, lo sabré".

Los hombres que estaban con Abraham se despidieron de él y se encaminaron hacia Sodoma. Abraham se quedó ante el Señor y le preguntó: "¿Será posible que tú destruyas al inocente junto con el culpable? Supongamos que hay cincuenta justos en la ciudad, ¿acabarás con todos ellos y no perdonarás al lugar en atención a esos cincuenta justos? Lejos de ti tal cosa: matar al inocente junto con el culpable, de manera que la suerte del justo sea como la del malvado; eso no puede ser. El juez de todo el mundo ¿no hará justicia?" El Señor le contestó: "Si encuentro en Sodoma cincuenta justos, perdonaré a toda la ciudad en atención a ellos".

Abraham insistió: "Me he atrevido a hablar a mi Señor, yo que soy polvo y ceniza. Supongamos que faltan cinco para los cincuenta justos, ¿por esos cinco que faltan, destruirás toda la ciudad?" Y le respondió el Señor: "No la destruiré, si encuentro allí cuarenta y cinco justos".

Abraham volvió a insistir: "Quizá no se encuentren allí más que cuarenta". El Señor le respondió: "En atención a los cuarenta, no lo haré".

Abraham siguió insistiendo: "Que no se enoje mi Señor, si sigo hablando, ¿y si hubiera treinta?" El Señor le dijo: "No lo haré, si hay treinta".

Abraham insistió otra vez: "Ya que me he atrevido a hablar a mi Señor, ¿y si se encuentran sólo veinte?" El Señor respondió: "En atención a los veinte, no la destruiré".

Abraham continuó: "No se enoje mi Señor, hablaré sólo una vez más, ¿y si se encuentran sólo diez?" Contestó el Señor: "Por esos diez, no destruiré la ciudad".

Salmo responsorial
Salmo 138:1–2a

R. Cuando te invoqué, Señor, me escuchaste.

Te doy gracias, Señor, de todo corazón; porque has oído las palabras de mi boca. Delante de los ángeles tañeré para ti, me postraré hacia tu santuario. **R.**

Segunda lectura
Colosenses 2:12–14

Hermanos: Por el bautismo fueron ustedes sepultados con Cristo y también resucitaron con él, mediante la fe en el poder de Dios, que lo resucitó de entre los muertos.

Ustedes estaban muertos por sus pecados y no pertenecían al pueblo de la alianza. Pero él les dio una vida nueva con Cristo, perdonándoles todos los pecados. Él anuló el documento que nos era contrario, cuyas cláusulas nos condenaban, y lo eliminó clavándolo en la cruz de Cristo.

Evangelio
Lucas 11:1–13

Un día, Jesús estaba orando y cuando terminó, uno de sus discípulos le dijo: "Señor, enséñanos a orar, como Juan enseñó a sus discípulos".

Entonces Jesús les dijo: "Cuando oren, digan: / 'Padre, santificado sea tu nombre, / venga tu Reino, / danos hoy nuestro pan de cada día / y perdona nuestras ofensas, / puesto que también nosotros perdonamos / a todo aquél que nos ofende, / y no nos dejes caer en tentación'".

También les dijo: "Supongan que alguno de ustedes tiene un amigo que viene a medianoche a decirle: 'Préstame, por favor, tres panes, pues un amigo mío ha venido de viaje y no tengo nada que ofrecerle'. Pero él le responde desde dentro: 'No me molestes. No puedo levantarme a dártelos, porque la puerta ya está cerrada y mis hijos y yo estamos acostados'. Si el otro sigue tocando, yo les aseguro que, aunque no se levante a dárselos por ser su amigo, sin embargo, por su molesta insistencia, sí se levantará y le dará cuanto necesite.

Así también les digo a ustedes: Pidan y se les dará, busquen y encontrarán, toquen y se les abrirá. Porque quien pide, recibe; quien busca, encuentra, y al que toca, se le abre. ¿Habrá entre ustedes algún padre que, cuando su hijo le pida pan, le dé una piedra? ¿O cuando le pida pescado le dé una víbora? ¿O cuando le pida huevo, le dé un alacrán? Pues, si ustedes, que son malos, saben dar cosas buenas a sus hijos, ¿cuánto más el Padre celestial dará el Espíritu Santo a quienes se lo pidan?"

La oración me cambia a mí

A VECES, entre nuestras amistades nos da pena pedir ayuda porque pensamos que seremos una molestia. Hay quienes dejamos de pedir porque nos trataron mal al pedir un favor. A los que sí nos han brindado apoyo en el pasado nos limitamos a pedir más favores porque las normas sociales nos advierten que no debemos aprovecharnos de su nobleza. Y si usted creció en un hogar en donde se limitaba la confianza para pedir, es posible que de adulto haga todo lo posible para que el mundo lo considere una persona autosuficiente. A menudo nuestra experiencia de amor o desamor con otros distorsiona la manera en que percibimos el amor y generosidad de Dios.

La primera lectura del Génesis nos presenta una conversación privada entre Dios y Abraham en la cual aprendemos más acerca de lo que caracteriza la fe de Abraham y como es que ora Abraham, nuestro padre en la fe. Abraham parece balancear dos verdades sobre su relación con Dios: un temor y respeto por Dios y una confianza e intimidad con Dios. Con gran respeto le pide, y le pide, y le pide a Dios por lo que le preocupa. Podríamos decir que parece un niño midiendo que tanto le puede pedir a sus padres. Dios en su amor no demostró señales de molestia y en su abundancia le asegura a su creatura que le dará lo que pide. Jesús en el Evangelio según san Lucas nos recalca que, en la oración, o dicho de otra manera, en la comunicación con Dios, no deberíamos limitar nuestra visión de la generosidad de Dios de acuerdo con nuestra experiencia con nuestro prójimo o nuestros padres porque la atención y generosidad de Dios se desborda. Más bien, al reflexionar sobre nuestras experiencias con otros debemos recordar que si aún con nuestras limitaciones somos capaces de dar y de amar cuanto más paciente y misericordioso es Dios. La oración de petición es natural para la persona de fe y las lecturas de hoy nos invitan a examinar un punto final: el contenido de nuestras peticiones. En la segunda lectura, san Pablo proclama que por medio de nuestro bautismo pertenecemos a Jesús y, por añadidura, al pueblo de la alianza. Como pueblo de Cristo nuestras peticiones deben buscar la voluntad de Dios y su Reino. ¿Cómo se puede molestar nuestro Dios al escuchar que lo alabamos, que deseamos la vida, la justicia, el perdón y la salvación? (C.A.C.) ∎

VIVIENDO NUESTRA FE

"Solía creer que la oración cambiaba las cosas, pero ahora sé que la oración nos cambia a nosotros y nosotros cambiamos las cosas", dijo la Santa Madre Teresa de Calcuta. ¿Ha notado que cuando tiene contacto continuo con un ser amado comienza a imitar a esa persona? Nuestra perseverancia en la oración cambia nuestros corazones porque la comunicación continua con Dios nos lleva a imitarlo. Al pedirle a Dios, preguntémonos: "En esta necesidad ¿Qué me invita Jesús a hacer?".

PARA REFLEXIONAR

1. ¿Al reflexionar sobre su vida, cree usted que ha vivido experiencias que le han hecho sentir que no puede o no debe pedir ayuda o apoyo a otros?

2. ¿Cómo describiría su oración a Dios? ¿Es una conversación de confianza y amor o está llena de temor o formalidad? ¿Qué puede hacer para establecer un balance?

3. ¿Qué le puede ayudar a usted a discernir el contenido de sus peticiones en la oración y perseverar en ella?

---

25 de julio de 2022
Santiago, apóstol
2 Cor 4:7–15; Mt 20:20–28

LECTURAS SEMANALES
25–30 de julio

L *Santiago, Apóstol*

M *Jer 14:17–22; Mt 13:36–43*

M *Jer 15:10, 16–21; Mt 13:44–46*

J *Jer 18:1–6; Mt 13:47–53*

V *Jer 26:1–9; Jn 11:19–27 o bien Lc 10:38–42*

S *Jer 26:11–16, 24; Mt 14:1–12*

31 de julio de 2022 XVIII Domingo del Tiempo Ordinario

Primera lectura

Eclesiastés 1:2; 2:21–23

Todas las cosas, absolutamente todas, son vana ilusión. Hay quien se agota trabajando y pone en ello todo su talento, su ciencia y su habilidad, y tiene que dejárselo todo a otro que no lo trabajó. Esto es vana ilusión y gran desventura. En efecto, ¿qué provecho saca el hombre de todos sus trabajos y afanes bajo el sol? De día dolores, penas y fatigas; de noche no descansa. ¿No es también eso vana ilusión?

Salmo responsorial

Salmo 90:3–4, 5–6, 12–13, 14 y 17

R. Señor, tú has sido nuestro refugio de generación en generación.

Tú reduces el hombre a polvo, diciendo: "Retornen, hijos de Adán". Mil años en tu presencia son un ayer, que pasó; una vela nocturna. **R.**

Los siembras año por año, como hierba que se renueva: que florece y se renueva por la mañana, y por la tarde la siegan y se seca. **R.**

Enséñanos a calcular nuestros años, para que adquiramos un corazón sensato. Vuélvete, Señor, ¿hasta cuándo? Ten compasión de tus siervos. **R.**

Por la mañana sácianos de tu misericordia, y toda nuestra vida será alegría y júbilo. Baje a nosotros la bondad del Señor y haga prósperas las obras de nuestras manos. **R.**

Segunda lectura

Colosenses 3:1–5, 9–11

Hermanos: Puesto que ustedes han resucitado con Cristo, busquen los bienes de arriba, donde está Cristo, sentado a la derecha de Dios. Pongan todo el corazón en los bienes del cielo, no en los de la tierra, porque han muerto y su vida está escondida con Cristo en Dios. Cuando se manifieste Cristo, vida de ustedes, entonces también ustedes se manifestarán gloriosos juntamente con él.

Den muerte, pues, a todo lo malo que hay en ustedes: la fornicación, la impureza, las pasiones desordenadas, los malos deseos y la avaricia, que es una forma de idolatría. No sigan engañándose unos a otros; despójense del modo de actuar del viejo yo y revístanse del nuevo yo, el que se va renovando conforme va adquiriendo el conocimiento de Dios, que lo creó a su propia imagen.

En este orden nuevo ya no hay distinción entre judíos y no judíos, israelitas y paganos, bárbaros y extranjeros, esclavos y libres, sino que Cristo es todo en todos.

Evangelio

Lucas 12:13–21

En aquel tiempo, hallándose Jesús en medio de una multitud, un hombre le dijo: "Maestro, dile a mi hermano que comparta conmigo la herencia". Pero Jesús le contestó: "Amigo, ¿quién me ha puesto como juez en la distribución de herencias?"

Y dirigiéndose a la multitud, dijo: "Eviten toda clase de avaricia, porque la vida del hombre no depende de la abundancia de los bienes que posea".

Después les propuso esta parábola: "Un hombre rico obtuvo una gran cosecha y se puso a pensar: '¿Qué haré, porque no tengo ya en dónde almacenar la cosecha? Ya sé lo que voy a hacer: derribaré mis graneros y construiré otros más grandes para guardar ahí mi cosecha y todo lo que tengo. Entonces podré decirme: Ya tienes bienes acumulados para muchos años; descansa, come, bebe y date a la buena vida'. Pero Dios le dijo: ¡Insensato! Esta misma noche vas a morir. ¿Para quién serán todos tus bienes?' Lo mismo le pasa al que amontona riquezas para sí mismo y no se hace rico de lo que vale ante Dios".

---

5 de agosto de 2022
Dedicación de la Basílica
de Santa María la Mayor
Nah 2:1, 3; 3:1–3, 6–7; Mt 16:24–28

---

6 de agosto de 2022
Transfiguración del Señor
Dn 7:9–10, 13–14; 2 Pe 1:16–19; Lc 9:28b–36

Una sola vida en Cristo

LA SABIDURÍA de Dios y el propósito de la vida vienen a ser el centro de las lecturas de hoy. La lectura del libro del Eclesiastés nos presenta una enseñanza sobre la vida humana: vivimos una vida y el tiempo que vivimos es transitorio. Esta creencia es importante para nuestra espiritualidad y debería llevarnos a razonar que el poseer lo material es una ilusión. Realmente no poseemos nada ya que al terminar nuestra jornada de vida no llevaremos lo material con nosotros. En el evangelio, Jesús nos invita a profundizar en este misterio ya que su vida nos revela lo que perdura, y por consecuencia, lo que debemos valorar.

Al meditar sobre el Evangelio de hoy nuestra primera inclinación es pensar solamente en el hombre que le pidió a Jesús, "Maestro, dile a mi hermano que comparta conmigo la herencia" (Lucas 12:13). Pareciera que, al dirigirse a la multitud, Jesús estaba haciendo de este hombre un ejemplo, pero al profundizar sobre el drama del evangelio nos damos cuenta de que Jesús está haciendo ejemplo de los dos hermanos. Primero del que no tiene y desea riquezas en detrimento de su relación con su hermano, y después del hermano que tiene riquezas y las valora más que a su hermano. Los dos han fallado en reconocer que la riqueza que deberían pedir es la relación entre ambos. Nuestras vidas dependen de la abundancia de amor a Dios y al prójimo no de la abundancia de bienes.

La idolatría de lo material es precisamente a lo que se refiere san Pablo en la segunda lectura de la carta a los Colosenses. El "modo de actuar del viejo yo" es el ser humano que se pone a sí mismo en el centro de su vida. Le importa más sus riquezas, su comodidad, y sus pasiones. El "nuevo yo" está revestido de Cristo y por lo tanto es Cristo quien está en el centro de su vida. El "nuevo yo" se hace rico de lo que vale ante Dios. Nuestra fe mantiene que en el Reino de Dios las riquezas de Dios son valoradas y, por lo tanto, en el Reino de Dios no hay distinción entre el pobre o el rico porque todos somos saciados. Mientras se valore la acumulación de bienes más que el amor de Dios y la vida humana seguiremos teniendo sed por la paz, la unidad y la fraternidad. (C.A.C.) ■

VIVIENDO NUESTRA FE

En 2015, el papa Francisco en su encíclica *Laudato si'*: Sobre el cuidado de la casa común nos presenta los efectos de largo alcance causados por la avaricia. La avaricia en nuestra sociedad ha incrementado la llamada "cultura del descarte" (nos. 20–22). Un síntoma de la avaricia es nunca estar satisfecho con lo que uno tiene. Nuestros desechos contaminan, así es que no sólo afectamos nuestras relaciones humanas, también dañamos el medio ambiente, toda la creación de Dios.

PARA REFLEXIONAR

1. ¿Cómo considera usted que los bienes materiales deban cumplir su función social?

2. ¿Cuál es la herencia que usted desea dejarle a su familia y seres queridos?

3. ¿Cuáles bienes de consumo comparte su grupo o comunidad de fe con los de fuera?

LECTURAS SEMANALES
1–6 de agosto

L Jer 28:1–17; Mt 14:13–21

M Jer 30:1–2, 12–15, 18–22; Mt 14:22–36, o bien 15:1–2, 10–14

M Jer 31:1–7; Mt 15:21–28

J Jer 31:31–34; Mt 16:13–23
    Basílica de Santa María la Mayor

S *Transfiguración del Señor*

7 de agosto de 2022   XIX Domingo del Tiempo Ordinario

Primera lectura

Sabiduría 18:6–9

La noche de la liberación pascual fue anunciada con anterioridad a nuestros padres, para que se confortaran al reconocer la firmeza de las promesas en que habían creído.

Tu pueblo esperaba a la vez la salvación de los justos y el exterminio de sus enemigos. En efecto, con aquello mismo con que castigaste a nuestros adversarios nos cubriste de gloria a tus elegidos.

Por eso, los piadosos hijos de un pueblo justo celebraron la Pascua en sus casas, y de común acuerdo se impusieron esta ley sagrada, de que todos los santos participaran por igual de los bienes y de los peligros. Y ya desde entonces cantaron los himnos de nuestros padres.

Salmo responsorial

Salmo 33:1 y 12, 18–19, 20 y 22

R. Dichoso el pueblo que el Señor se escogió como heredad.

Aclamen, justos, al Señor, que merece la alabanza de los buenos Dichosa la nación cuyo Dios es el Señor, el pueblo que él se escogió como heredad. **R.**

Los ojos del Señor están puestos en sus fieles, en los que esperan su misericordia, para librar sus vidas de la muerte y reanimarlos en tiempo de hambre. **R.**

Nosotros aguardamos al Señor: El es nuestro auxilio y escudo; que tu misericordia, Señor, venga sobre nosotros, como lo esperamos de ti. **R.**

Segunda lectura

Hebreos 11:1–2, 8–12

Hermanos: La fe es la forma de poseer, ya desde ahora, lo que se espera y de conocer las realidades que no se ven. Por ella fueron alabados nuestros mayores.

Por su fe, Abraham, obediente al llamado de Dios, y sin saber a dónde iba, partió hacia la tierra que habría de recibir como herencia. Por la fe, vivió como extranjero en la tierra prometida, en tiendas de campaña, como Isaac y Jacob, coherederos de la misma promesa después de él. Porque ellos esperaban la ciudad de sólidos cimientos, cuyo arquitecto y constructor es Dios.

Por su fe, Sara, aun siendo estéril y a pesar de su avanzada edad, pudo concebir un hijo, porque creyó que Dios habría de ser fiel a la promesa; y así, de un solo hombre, ya anciano, nació una descendencia numerosa como las estrellas del cielo e incontable como las arenas del mar.

O bien: 11:1–2, 8–19.

Evangelio

Lucas 12:35–40

En aquel tiempo, Jesús dijo a sus discípulos: "Estén listos, con la túnica puesta y las lámparas encendidas. Sean semejantes a los criados que están esperando a que su señor regrese de la boda, para abrirle en cuanto llegue y toque. Dichosos aquellos a quienes su señor, al llegar, encuentre en vela. Yo les aseguro que se recogerá la túnica, los hará sentar a la mesa y él mismo les servirá. Y si llega a medianoche o a la madrugada y los encuentra en vela, dichosos ellos.

Fíjense en esto: Si un padre de familia supiera a qué hora va a venir el ladrón, estaría vigilando y no dejaría que se le metiera por un boquete en su casa. Pues también ustedes estén preparados, porque a la hora en que menos lo piensen vendrá el Hijo del hombre".

O bien: Lucas 12:32–48.

Alegre anticipación

¿ALGUNA VEZ le ha pasado que le sorprende la visita y no estaba preparado para recibirla? Recuerdo momentos en que me han llamado de repente para preguntar si estoy en casa porque me quieren visitar. En cuanto cuelgo comienza la carrera para preparar la casa lo mejor posible antes de que llegue la visita. En esos momentos, siempre lamento el no haber hecho la limpieza el día anterior. Siguiendo la advertencia de Jesús en el evangelio, no quisiera lamentar lo que pude haber hecho el día anterior para estar lista para la venida del Señor. Es importante aclarar algo. Esta descripción no tiene como propósito el espantarnos ya que un discipulado auténtico no es motivado por temor sino por amor. Siguiendo el mismo ejemplo, me gusta tener un hogar acogedor, no solamente para mi comodidad sino para todos los que me puedan visitar en el futuro. El amor que tengo por mis amistades y parientes me da la esperanza de que me visitarán. Nuestra fe mantiene que tenemos la esperanza de que Jesús vendrá de nuevo, aunque no sabemos el día ni la hora, por lo tanto, lo que debemos hacer es amar y tener un corazón acogedor listo para recibirlo.

En la primera lectura del libro de Sabiduría recordamos cómo fue que los israelitas se salvaron al tomar en serio la Palabra de Dios por medio de Moisés. Los israelitas confiaron en Dios, aunque sus condiciones actuales podrían fácilmente causar desesperanza e incredulidad. En la segunda lectura san Pablo toma como modelo de confianza y esperanza en Dios a Abraham y a Sara ya que Dios cumplió sus promesas en ellos, aunque la razón humana nos haría cuestionar la probabilidad de que se cumplieran. Abraham y Sara confiaron en Dios por su gran fe y en el tiempo de Dios se cumplieron las promesas.

Nosotros solemos pedir que se cumplan las cosas en nuestro tiempo, pero nuestra visión es limitada y no alcanzamos a medir nuestras vidas como parte de toda la historia de la salvación. Es mejor cuidar nuestro corazón, limpiarlo a menudo, deshacernos de lo que no da vida, nutrir nuestra relación con Dios, confiar en los mandatos de Jesús, imitarlo, y vivir en la esperanza y gozo de que algún día vendrá de nuevo. (C.A.C.) ■

VIVIENDO NUESTRA FE

El papa Francisco recalcó en *Evangelii gaudium*, que, a partir de las Sagradas Escrituras el proyecto de Dios rebasa la relación personal con el individuo porque conlleva una dimensión social imprescindible, traducible en fraternidad, justicia, paz, dignidad para todos (EG, 180). Nuestro discipulado y preparación para la venida de Cristo es forjar ese proyecto comunitario.

PARA REFLEXIONAR

1. ¿Cómo aporta la comunidad a la relación fresca y vibrante de una persona con Jesús?

2. ¿Quiénes han sido para usted modelos de fe? ¿Cómo le inspiran?

3. ¿Qué servicios concretos realiza su grupo de fe durante el verano?

LECTURAS SEMANALES
8–13 de agosto

L *Ez 1:2–5, 24–28c; Mt 17:22–27*

M *San Lorenzo, Diácono y mártir*

M *Ez 9:1–7; 10:18–22; Mt 18:15–20*

J *Ez 12:1–12; Mt 18:21—19:1*

V *Ez 16:1–15, 60, 63, o bien 16:59–63; Mt 19:3–12*

S *Ez 18:1–10, 13b, 30–32; Mt 19:13–15*

Primera lectura

Jeremías 38:4 – 6, 8 –10

Durante el sitio de Jerusalén, los jefes que tenían prisionero a Jeremías dijeron al rey: "Hay que matar a este hombre, porque las cosas que dice desmoralizan a los guerreros que quedan en esta ciudad y a todo el pueblo. Es evidente que no busca el bienestar del pueblo, sino su perdición".

Respondió el rey Sedecías: "Lo tienen ya en sus manos y el rey no puede nada contra ustedes". Entonces ellos tomaron a Jeremías y, descolgándolo con cuerdas, lo echaron en el pozo del príncipe Melquías, situado en el patio de la prisión. En el pozo no había agua, sino lodo, y Jeremías quedó hundido en el lodo.

Ebed-Mélek, el etíope, oficial de palacio, fue a ver al rey y le dijo: "Señor, está mal hecho lo que estos hombres hicieron con Jeremías, arrojándolo al pozo, donde va a morir de hambre".

Entonces el rey ordenó a Ebed-Mélek: "Toma treinta hombres contigo y saca del pozo a Jeremías, antes de que muera".

Salmo responsorial

Salmo 40:2, 3, 4, 18

R. Señor, date prisa en ayudarme.

Yo esperaba con ansia al Señor; él se inclinó y escuchó mi grito. **R.**

Me levantó de la fosa fatal, de la charca fangosa; afianzó mis pies sobre roca, y aseguró mis pasos. **R.**

Me puso en la boca un cántico nuevo, un himno a nuestro Dios. Muchos, al verlo, quedaron sobrecogidos y confiaron en el Señor. **R.**

Yo soy pobre y desgraciado, pero el Señor se cuida de mí; tú eres mi auxilio y mi liberación: Dios mío, no tardes. **R.**

Segunda lectura

Hebreos 12:1– 4

Hermanos: Rodeados, como estamos, por la multitud de antepasados nuestros, que dieron prueba de su fe, dejemos todo lo que nos estorba; librémonos del pecado que nos ata, para correr con perseverancia la carrera que tenemos por delante, fija la mirada en Jesús, autor y consumador de nuestra fe. Él, en vista del gozo que se le proponía, aceptó la cruz, sin temer su ignominia, y por eso está sentado a la derecha del trono de Dios.

Mediten, pues, en el ejemplo de aquel que quiso sufrir tanta oposición de parte de los pecadores, y no se cansen ni pierdan el ánimo, porque todavía no han llegado a derramar su sangre en la lucha contra el pecado.

Evangelio

Lucas 12:49 – 53

En aquel tiempo, Jesús dijo a sus discípulos: "He venido a traer fuego a la tierra ¡y cuánto desearía que ya estuviera ardiendo! Tengo que recibir un bautismo ¡y cómo me angustio mientras llega!

¿Piensan acaso que he venido a traer paz a la tierra? De ningún modo. No he venido a traer la paz, sino la división. De aquí en adelante, de cinco que haya en una familia, estarán divididos tres contra dos y dos contra tres. Estará dividido el padre contra el hijo, el hijo contra el padre, la madre contra la hija y la hija contra la madre, la suegra contra la nuera y la nuera contra la suegra".

---

15 de agostso de 2022

Asunción de la Bienaventurada Virgen María

Vigilia: 1 Cro 15:3–4, 15–16; 16:1–2; 1 Cor 15:54b–57; Lc 11:27–28

Día: Ap 11:19a; 12:1–6a, 10ab; 1 Cor 15:20–27; Lc 1:39–56

El fuego de Espíritu

"HE VENIDO a traer fuego a la tierra, ¡y cuánto desearía que ya estuviera ardiendo!" (Lucas 12:49). Este momento en el evangelio es un momento poderoso y profético. Cuando nos imaginamos el signo de lumbre en nuestras liturgias nuestra imagen principal toma la forma de una llama en una vela. El signo llega a su cumbre en la liturgia de la Vigilia Pascual cada año en la noche del Sábado de Gloria en la forma de una hoguera. En esa liturgia el fuego es signo de la luz de Cristo por su resurrección y es un fuego que se comparte. En mi parroquia siempre tenemos a alguien listo con un extintor de incendios a la mano para seguridad de la comunidad. El pueblo reunido recibe instrucciones para mantener una distancia apropiada del fuego durante la celebración. Nuestras prácticas en la liturgia nos revelan que estamos sumamente conscientes del poder del fuego. La imagen que nos provee Jesús hoy es la de un fuego salvaje que consume y alumbra la tierra. Tal vez es más fácil imaginar el poder del fuego para aquellos que viven en estados más propensos a los incendios. Mientras el fuego toma posesión de un área y crece se hace más difícil extinguirlo. Esta imagen del Espíritu de Dios me llena de emoción. Cuando las tensiones aumentan y las personas se cierran, ¡cuánto deseamos que los corazones fueran transformados! La exclamación de Jesús al desear que ya estuviera ardiendo la tierra está arraigada en su gran misericordia y misión de llevar la salvación al mundo.

Las lecturas de hoy recalcan dos importantes características de un discípulo, seguidor de Cristo. La primera es la necesidad de ser valiente y profético, la segunda es ser testigo de la verdad.

El profeta Jeremías sufrió mucho a las manos de las autoridades durante su vida por causa de Dios. En la primera lectura de hoy encontramos al profeta Jeremías en otra de sus situaciones que amenazaba su vida. También nos encontramos con un esclavo que tuvo la valentía de criticar lo injusto que trataban a Jeremías, y sus palabras salvaron al profeta. En la segunda lectura san Pablo nos pide que recordemos que estamos rodeados de aquellos que fueron testigos de Cristo.

Han existido, y todavía existen, muchos que ponen en riesgo sus reputaciones y sus vidas por la justicia, la misericordia y el amor de Dios. Podríamos imaginarnos que ya ha avanzado el fuego de del Espíritu en la tierra, pero aún hay mucho trabajo por hacer. (C.A.C.) ■

VIVIENDO NUESTRA

El cuidado de la creación es uno de los deberes de la fe cristiana como nos enseña el Magisterio de la Iglesia. La creación está destinada también a la "plenitud" en Cristo (ver Efesios 1:9–10) y nos obliga a ser éticamente responsables. "Los proyectos para un desarrollo humano integral no pueden ignorar a las generaciones sucesivas, sino que han de caracterizarse por la solidaridad y la justicia intergeneracional, teniendo en cuenta múltiples aspectos, como el ecológico, el jurídico, el económico, el político y el cultural" (*Caritas in veritate*, 48).

PARA REFLEXIONAR

1. ¿Qué acciones observa usted en su entorno que son impulsadas por el Espíritu de Dios?

2. ¿Se ha visto usted impulsado por el Espíritu a hacer el bien? ¿A evitar el mal?

3. ¿Qué hace su grupo o comunidad de fe por el cuidado de la naturaleza?

LECTURAS SEMANALES
15–20 de agosto

Asunción de la BVM

M *Ez 28:1–10; Mt 19:23–30*

M *Ez 34:1–11; Mt 20:1–16*

J *Ez 36:23–28; Mt 22:1–14*

V *Ez 37:1–14; Mt 22:34–40*

S *Ez 43:1–7ab; Mt 23:1–12*

Primera lectura

Apocalipsis 11:19a; 12:1–6a, 10ab

Se abrió el templo de Dios en el cielo y dentro de él se vio el arca de la alianza. Apareció entonces en el cielo una figura prodigiosa: una mujer envuelta por el sol, con la luna bajo sus pies y con una corona de doce estrellas en la cabeza. Estaba encinta y a punto de dar a luz y gemía con los dolores del parto.

Pero apareció también en el cielo otra figura: un enorme dragón, color de fuego, con siete cabezas y diez cuernos, y una corona en cada una de sus siete cabezas. Con su cola barrió la tercera parte de las estrellas del cielo y las arrojó sobre la tierra. Después se detuvo delante de la mujer que iba a dar a luz, para devorar a su hijo, en cuanto éste naciera. La mujer dio a luz un hijo varón, destinado a gobernar todas las naciones con cetro de hierroñ y su hijo fue llevado hasta Dios y hasta su trono. Y la mujer huyó al desierto, a un lugar preparado a Dios.

Entonces oí en el cielo una voz poderosa, que decía: "Ha sonado la hora de la victoria de nuestro Dios, de su dominio y de su reinado, y del poder de su Mesías".

Salmo responsorial

Salmo 44:10, 11–12, 16

R. De pie a tu derecha está la reina, enjoyada con oro de Ofir.

Hijas de reyes salen a tu encuentro; de pie a tu derecha está la reina, enjoyada con oro de Ofir. **R.**

Escucha, hija, mira: inclina el oído, olvida tu pueblo y la casa paterna; prendado está el rey de tu belleza: póstrate ante él, que él es tu señor. **R.**

Las traen entre alegría y algazara, van entrando en el palacio real. **R.**

Segunda lectura

1 Corintios 15:20–27

Hermanos: Cristo resucitó, y resucitó como la primicia de todos los muertos. Porque si por un hombre vino la muerte, también por un hombre vendrá la resurrección de los muertos.

En efecto, así como en Adán todos mueren, así en Cristo todos volverán a la vida; pero cada uno en su orden: primero Cristo, como primicia; después, a la hora de su advenimiento, los que son de Cristo.

Enseguida será la consumación, cuando, después de haber aniquilado todos los poderes del mal, Cristo entregue el Reino de su Padre. Porque él tiene que reinar hasta que el Padre ponga bajo sus pies a todos sus enemigos. El último de los enemigos en ser aniquilado, será la muerte, porque todo lo ha sometido Dios bajo los pies de Cristo.

Evangelio

Lucas 1:39–56

En aquellos días, María se encaminó presurosa a un pueblo de las montañas de Judea, y entrando en la casa de Zacarías, saludó a Isabel. En cuanto ésta oyó el saludo de María, la creatura saltó en su seno.

Entonces Isabel quedó llena del Espíritu Santo, y levantando la voz, exclamó: "Bendita tú entre las mujeres y bendito el fruto de tu vientre. ¿Quién soy yo para que la madre de mi Señor venga a verme? Apenas llegó tu saludo a mis oídos, el niño saltó de gozo en mi seno. Dichosa tú, que has creído, porque se cumplirá cuanto te fue anunciado de parte del Señor".

Entonces dijo María: / "Mi alma glorifica al Señor / *y mi espíritu se llena de júbilo en Dios, mi salvador, / porque puso sus ojos en la humildad de su esclava. /*

Desde ahora me llamarán dichosa todas las generaciones, / porque ha hecho en mí grandes cosas el que todo lo puede. / *Santo es su nombre / y su misericordia llega de generación a generación / a los que temen. /*

Ha hecho sentir el poder de su brazo: / dispersó a los de corazón altanero, / *destronó a los potentados / y exaltó a los humildes. / A los hambrientos los colmó de bienes / y a los ricos los despidió sin nada. /*

Acordándose de su misericordia, / vino en ayuda de Israel, su siervo, / como lo había prometido a nuestros padres, / a Abraham y a su descendencia, / para siempre". /

María permaneció con Isabel unos tres meses, y luego regresó a su casa

María: mujer que no se echa para atrás

HACE POCO me encontré con un testimonio grabado del "El Padre Trampitas". Era un sacerdote que decidió irse a vivir con los presos de las Islas Marías de México, donde encarcelaban a los más peligrosos criminales del país. Vivió cautivo con ellos, comió su misma comida, trabajó las mismas tareas y responsabilidades, en fin, fue un preso como ellos. Él los entendió, supo comprender su dolor, los amó y los acompañó, les llevó esperanza y a Cristo hasta, el penal donde se encontraban.

Él menciona varias experiencias de conversión simplemente extraordinarias, en las que presos que habían abjurado de Dios y de la Iglesia, se arrepintieron, comenzaron a valorarse a sí mismos y a encontrarle un sentido nuevo a su vida, al punto de recibir la Eucaristía y animar a otros a hacer lo mismo. Curiosamente, en todos estos casos, María había tenido parte en el rescate, ya sea en la oración del sacerdote, o en la de los presos, o en ambas. La misericordia de Dios se había derramado en esa cárcel gracias a la Virgen María.

María es la mujer clave para que la misericordia divina venga al encuentro de las vidas erradas de los convertidos, y Cristo pueda reinar en ellos. Ella es una madre especial. Tiene "un lugar reservado por Dios". Eso es lo que celebramos en la fiesta de hoy.

El lugar especial que tiene María junto a Dios se nota en que él no dejó que su cuerpo sufriera corrupción, haciendo de ella la primera discípula en ser glorificada y llevada al cielo. Esto nos da mucha alegría y esperanza, que debemos compartir, como el Padre Trampitas y como todos los ministros que visitan a los presos. Podemos cantar con María: "El Poderoso ha hecho obras grandes por mí". Confiemos en que, con su ayuda, la victoria de Cristo sobre el pecado en la vida de cada preso y en la nuestra, tarde o temprano, será definitiva y nos hará partícipes de la gloria de la resurrección. ■

VIVIENDO NUESTRA FE

La Iglesia solicita acompañar a las personas encarceladas y estar atentos a que progresen en su proceso de reinserción social. "Con frecuencia las prisiones se convierten incluso en escenario de nuevos crímenes. El ambiente de los Institutos Penitenciarios ofrece, sin embargo, un terreno privilegiado para dar testimonio, una vez más, de la solicitud cristiana en el campo social" (CDSI, 403).

PARA REFLEXIONAR

1. ¿Qué percepción se tiene en la sociedad de las personas encarceladas? ¿Qué mecanismos hay para su reinserción social?

2. ¿Qué experiencia tiene con personas encarceladas o trabajadores en instituciones carcelarias?

3. ¿Cómo apoya su parroquia o grupo ministerial a los presos o detenidos de la propia comunidad y a sus familias?

Primera lectura

Isaías 66:18 – 21

Esto dice el Señor: / "Yo vendré para reunir a las naciones de toda lengua. / Vendrán y verán mi gloria. / Pondré en medio de ellos un signo, / y enviaré como mensajeros a algunos de los supervivientes / hasta los países más lejanos y las islas más remotas, / que no han oído hablar de mí ni han visto mi gloria, / y ellos darán a conocer mi nombre a las naciones.

Así como los hijos de Israel / traen ofrendas al templo del Señor en vasijas limpias, / así también mis mensajeros traerán, / de todos los países, como ofrenda al Señor, / a los hermanos de ustedes / a caballo, en carro, en literas, / en mulos y camellos, / hasta mi monte santo de Jerusalén. / De entre ellos escogeré sacerdotes y levitas".

Salmo responsorial

Salmo 117:1, 2

R. Vayan por todo el mundo y prediquen el Evangelio.
O bien: **R. Aleluya.**

Alaben al Señor, todas las naciones, aclámenlo, todos los pueblos. **R.**

Firme es su misericordia con nosotros, su fidelidad dura por siempre. **R.**

Segunda lectura

Hebreos 12:5 – 7, 11–13

Hermanos: Ya se han olvidado ustedes de la exhortación que Dios les dirigió, como a hijos, diciendo: *Hijo mío, no desprecies la corrección del Señor, ni te desanimes cuando te reprenda. Porque el Señor corrige a los que ama, y da azotes a sus hijos predilectos.* Soporten, pues, la corrección, porque Dios los trata como a hijos; ¿y qué padre hay que no corrija a sus hijos?

Es cierto que de momento ninguna corrección nos causa alegría, sino más bien tristeza. Pero después produce, en los que la recibieron, frutos de paz y de santidad.

Por eso, robustezcan sus manos cansadas y sus rodillas vacilantes; caminen por un camino plano, para que el cojo ya no se tropiece, sino más bien se alivie.

Evangelio

Lucas 13:22 – 30

En aquel tiempo, Jesús iba enseñando por ciudades y pueblos, mientras se encaminaba a Jerusalén. Alguien le preguntó: "Señor, ¿es verdad que son pocos los que se salvan?"

Jesús le respondió: "Esfuércense por entrar por la puerta, que es angosta, pues yo les aseguro que muchos tratarán de entrar y no podrán. Cuando el dueño de la casa se levante de la mesa y cierre la puerta, ustedes se quedarán afuera y se pondrán a tocar la puerta, diciendo: '¡Señor, ábrenos!' Pero él les responderá: 'No sé quiénes son ustedes'.

Entonces le dirán con insistencia: 'Hemos comido y bebido contigo y tú has enseñado en nuestras plazas'. Pero él replicará: 'Yo les aseguro que no sé quiénes son ustedes. Apártense de mí, todos ustedes los que hacen el mal'. Entonces llorarán ustedes y se desesperarán, cuando vean a Abraham, a Isaac, a Jacob y a todos los profetas en el Reino de Dios, y ustedes se vean echados fuera.

Vendrán muchos del oriente y del poniente, del norte y del sur, y participarán en el banquete del Reino de Dios. Pues los que ahora son los últimos, serán los primeros; y los que ahora son los primeros, serán los últimos".

---

24 de agosto de 2022
San Bartolomé, Apóstol
Ap 21:9b–14; Jn 1:45–51

Unidad e igualdad

IMAGÍNESE SER de los miembros del pueblo bíblico elegido de Dios. Podríamos decir, que ellos se consideran los consentidos de Dios. Ha pasado tiempo en el exilio, así es que sus expectativas de lo que Dios te brindará han aumentado. Pero, para su sorpresa escucha al profeta Isaías proclamar que Dios no sólo llamará a otras naciones, sino que hasta hará sacerdotes de los gentiles. Es suficiente para envarlo a una crisis existencial. En anticipación de la venida del Mesías, el pueblo de Dios fue preparado por los profetas para la gran misión salvífica de Cristo. Esta preparación no surgió fácilmente y hubo quienes nunca pudieron aceptar que el Mesías viniera para la salvación de todas las naciones no sólo para la salvación de los israelitas. Obtener una visión más amplia de la salvación de Dios requería y requiere de la unidad e igualdad de toda la humanidad. Si crece pensando que es mejor que los demas, es difícil hacerlo cambiar de perspectiva y ponerse al igual que los demás.

En el evangelio de hoy, Jesús reconoce que en la multitud se encuentran aquellos que piensan que están entre los elegidos de Dios. Sería una desesperación profunda para los que se consideraban los consentidos verse excluidos mientras ven que, a sus ancestros en la fe, a Abraham, a Isaac, a Jacob y a todos los profetas los rodean extranjeros que disfrutan del Reino de Dios. Hay quienes hoy en día creen que son los elegidos de Dios ya sea porque consideran que han sacrificado mucho o simplemente por creer en Cristo. Nuestra fe mantiene que existe la salvación hasta para los no cristianos. Para algunos, esto es suficiente para ponerlos en crisis existencial.

Las lecturas de hoy sirven como un recordatorio de que la salvación del mundo debe de alegrarnos si compartimos la misión de Cristo. No existe un cupo límite para Dios en su Reino. Las lecturas también orientan al discípulo a preocuparse no por quién merece la salvación sino por lo que Dios espera del discípulo. En su gran misericordia Jesús llama a todas las naciones y a todos, sin importar sus condiciones. Del discípulo se requiere que abrace la misión de Cristo, que acepte la corrección del Señor y camine por el camino plano que describe san Pablo en la segunda lectura, para que pueda entrar por la puerta angosta señalada por la cruz de su Maestro. (C.A.C.) ■

VIVIENDO NUESTRA FE

El esfuerzo del bautizado en el seguimiento de Cristo se traduce en una vida de caridad incesante, que no excluye a las personas con discapacidad. El papa Francisco nos insta a tener "el valor de dar voz a quienes son discriminados por su discapacidad, porque desgraciadamente... se duda en reconocerlos como personas de igual dignidad" y a lograr que "participen activamente en la comunidad civil y eclesial" (*Fratelli tutti*, 98).

PARA REFLEXIONAR

1. ¿Considera usted que hay "privilegiados" en la comunidad? ¿Quiénes son los últimos?

2. ¿Cómo diferencia usted una saludable autoestima del complejo de superioridad?

3. ¿Cómo promueve su grupo de fe la equidad entre sus miembros y fuera del grupo?

LECTURAS SEMANALES
22–27 de agosto

L *2 Tes 1:1–5, 11–12; Mt 23:13–22*

M *2 Tes 2:1–3a, 14–17; Mt 23:23–26*

M *San Bartolomé, Apóstol*

J *1 Cor 1:1–9; Mt 24:42–51*

V *1 Cor 1:17–25; Mt 25:1–13*

S *1 Cor 1:26–31; Mt 25:14–30*

Primera lectura

Eclesiástico o Sir 3:17–18, 20, 28–29

Hijo mío, en tus asuntos procede con humildad / y te amarán más que al hombre dadivoso. / Hazte tanto más pequeño cuanto más grande seas / y hallarás gracia ante el Señor, / porque sólo él es poderoso / y sólo los humildes le dan gloria.

No hay remedio para el hombre orgulloso, / porque ya está arraigado en la maldad. / El hombre prudente medita en su corazón / las sentencias de los otros, / y su gran anhelo es saber escuchar.

Salmo responsorial

Salmo 68:4–5ac, 6–7ab, 10–11

R. Preparaste, oh Dios, casa para los pobres.

Los justos se alegran, gozan en la presencia de Dios, rebosando de alegría. Canten a Dios, toquen en su honor, alégrense en su presencia. **R.**

Padre de huérfanos, protector de viudas, Dios vive en su santa morada. Dios prepara casa a los desvalidos, libera a los cautivos y los enriquece. **R.**

Derramaste en tu heredad, oh Dios una lluvia copiosa, aliviaste la tierra extenuada; y tu rebaño habitó en la tierra que tu bondad, oh Dios, preparó para los pobres. **R.**

Segunda lectura

Hebreos 12:18 –19, 22 – 24

Hermanos: Cuando ustedes se acercaron a Dios, no encontraron nada material, como en el Sinaí: ni fuego ardiente, ni oscuridad, ni tinieblas, ni huracán, ni estruendo de trompetas, ni palabras pronunciadas por aquella voz que los israelitas no querían volver a oír nunca.

Ustedes, en cambio, se han acercado a Sión, el monte y la ciudad del Dios viviente, a la Jerusalén celestial, a la reunión festiva de miles y miles de ángeles, a la asamblea de los primogénitos, cuyos nombres están escritos en el cielo. Se han acercado a Dios, que es el juez de todos los hombres, y a los espíritus de los justos que alcanzaron la perfección. Se han acercado a Jesús, el mediador de la nueva alianza.

Evangelio

Lucas 14:1, 7–14

Un sábado, Jesús fue a comer en casa de uno de los jefes de los fariseos, y éstos estaban espiándolo. Mirando cómo los convidados escogían los primeros lugares, les dijo esta parábola:

"Cuando te inviten a un banquete de bodas, no te sientes en el lugar principal, no sea que haya algún otro invitado más importante que tú, y el que los invitó a los dos venga a decirte: 'Déjale el lugar a éste', y tengas que ir a ocupar, lleno de vergüenza, el último asiento. Por el contrario, cuando te inviten, ocupa el último lugar, para que, cuando venga el que te invitó, te diga: 'Amigo, acércate a la cabecera'. Entonces te verás honrado en presencia de todos los convidados. Porque el que se engrandece a sí mismo, será humillado; y el que se humilla, será engrandecido".

Luego dijo al que lo había invitado: "Cuando des una comida o una cena, no invites a tus amigos, ni a tus hermanos, ni a tus parientes, ni a los vecinos ricos; porque puede ser que ellos te inviten a su vez, y con eso quedarías recompensado. Al contrario, cuando des un banquete, invita a los pobres, a los lisiados, a los cojos y a los ciegos; y así serás dichoso, porque ellos no tienen con qué pagarte; pero ya se te pagará, cuando resuciten los justos".

Un instrumento humilde

LA HUMILDAD, con todo y ser una virtud cristiana, no goza de buena reputación en nuestra sociedad. Nos bombardean mensajes impulsándonos al éxito, lo que significa buscar prestigio y reconocimiento (¡*likes*!). Hay quienes crecen creyendo que su valor humano está ligado a su éxito y no en la simple verdad de que son bellas creaciones, hijos de Dios. No sorprende que frente a la mera posibilidad del fracaso muchos sucumben y hasta caen en depresión. Ser humilde requiere de cierto nivel de vulnerabilidad, y ser vulnerable es una experiencia ajena para aquellos que se adhieren a la idea de que la vulnerabilidad equivale a debilidad. Las lecturas de hoy nos ayudan a interpretar la humildad y la vulnerabilidad de una manera diferente. ¿Podrían estas virtudes ser signos de madurez y de fuerza de voluntad?

Nuestra fe mantiene que la madurez espiritual consiste en la habilidad de amar a Dios sobre todas las cosas y al prójimo como a uno mismo. El amor es acto que expone nuestra fragilidad. Nuestro amor a Dios comunica que reconocemos que la fuente de nuestra vida está en la bondad y el poder de Dios. El amor al prójimo comunica que existimos no sólo por nosotros mismos sino por la relación con los demás. Esta dependencia y pertenencia nos expone al odio y las dificultades que surgen en las relaciones humanas. La humildad y la vulnerabilidad son actos de esperanza.

Somos un pueblo de esperanza, dispuestos a amar, aunque el amor nos expone a ser heridos. Esto es la cruz de Cristo. Cristo se humilló y por amor entregó su vida por nuestra salvación. Jesús conoce la humildad y el orgullo que hay en nuestros corazones y nos lo refleja en la figura de los fariseos, en la lectura de hoy. La arrogancia y el orgullo pueden dominarnos al punto de que no dejar espacio para nadie más. Llenos de nosotros mismos, esperamos ser servidos en vez de servir, ser amados sin amar. No extraña que la oración de san Francisco de Asís haya echado raíces tan profundas entre las oraciones que nos ayudan ser más como Jesús. "Oh Señor, que yo no busque tanto ser consolado, cuanto consolar, ser comprendido, cuanto comprender, ser amado, cuanto amar. Porque es dándose como se recibe, es olvidándose de sí mismo como uno se encuentra a sí mismo, es perdonando, como se es perdonado, es muriendo como se resucita a la vida eterna", (cf. https://www.oblatos.com /oracion-de-paz-san-francisco-de-asis). (C.A.C.) ■

VIVIENDO NUESTRA FE

La virtud cristiana de la humildad conduce a un respeto de la vida, a la dignidad y libertad de los demás y a la solidaridad con todos. Esto no se hace sin el diálogo. Urge cultivar esta virtud incluso en las redes sociales, donde el diálogo queda sofocado por la agresión y el debate por la manipulación en favor de intereses económicos, o ideológicos que anulan la verdad con demagogia. El papa Francisco solicita cultivar la verdad que es el custodio de la caridad (ver *Fratelli tutti*, 200–202).

PARA REFLEXIONAR

1. ¿Qué sentido de "éxito" o "grandeza" le parece a usted que no es cristiano?

2. ¿Cómo cultiva usted la virtud de la humildad y del diálogo?

3. ¿Fomenta su grupo de fe el diálogo tanto entre sus miembros como entre los no miembros?

LECTURAS SEMANALES
29 de agosto–3 de septiembre

L *1 Cor 2:1–5; Mc 6:17–29*

M *1 Cor 2:10b–16; Lc 4:31–37*

M *1 Cor 3:1–9; Lc 4:38–44*

J *1 Cor 3:18–23; Lc 5:1–11*

V *1 Cor 4:1–5; Lc 5:33–39*

S *1 Cor 4:6b–15; Lc 6:1–5*

Primera lectura

Sabiduría 9:13–18b

¿Quién es el hombre que puede conocer los designios de Dios? / ¿Quién es el que puede saber lo que el Señor tiene dispuesto? / Los pensamientos de los mortales son inseguros / y sus razonamientos pueden equivocarse, / porque un cuerpo corruptible hace pesada el alma / y el barro de que estamos hechos entorpece el entendimiento.

Con dificultad conocemos lo que hay sobre la tierra / y a duras penas encontramos lo que está a nuestro alcance. / ¿Quién podrá descubrir lo que hay en el cielo? / ¿Quién conocerá tus designios, si tú no le das la sabiduría, / enviando tu santo espíritu desde lo alto?

Sólo con esa sabiduría / lograron los hombres enderezar sus caminos / y conocer lo que te agrada. / Sólo con esa sabiduría se salvaron, Señor, / los que te agradaron desde el principio.

Salmo responsorial

Salmo 90:3–4, 5–6, 12–13, 14 y 17

R. Señor, tú has sido nuestro refugio de generación en generación.

Tú reduces el hombre a polvo, diciendo: "Retornen, hijos de Adán". Mil años en tu presencia son un ayer, que pasó; una vela nocturna. **R.**

Los siembras año por año, como hierba que se renueva: que florece y se renueva por la mañana, y por la tarde la siegan y se seca. **R.**

Enséñanos a calcular nuestros años, para que adquiramos un corazón sensato. Vuélvete, Señor, ¿hasta cuándo? Ten compasión de tus siervos. **R.**

Por la mañana sácianos de tu misericordia, y toda nuestra vida será alegría y júbilo. Baje a nosotros la bondad del Señor y haga prósperas las obras de nuestras manos. **R.**

Segunda lectura

Filemón 9–10, 12–17

Querido hermano: Yo, Pablo, ya anciano y ahora, además, prisionero por la causa de Cristo Jesús, quiero pedirte algo en favor de Onésimo, mi hijo, a quien he engendrado para Cristo aquí, en la cárcel.

Te lo envío. Recíbelo como a mí mismo. Yo hubiera querido retenerlo conmigo, para que en tu lugar me atendiera, mientras estoy preso por la causa del Evangelio. Pero no he querido hacer nada sin tu consentimiento, para que el favor que me haces no sea como por obligación, sino por tu propia voluntad.

Tal vez él fue apartado de ti por un breve tiempo, a fin de que lo recuperaras para siempre, pero ya no como esclavo, sino como algo mejor que un esclavo, como hermano amadísimo. Él ya lo es para mí. ¡Cuánto más habrá de serlo para ti, no sólo por su calidad de hombre, sino de hermano en Cristo! Por tanto, si me consideras como compañero tuyo, recíbelo como a mí mismo.

Evangelio

Lucas 14:25–33

En aquel tiempo, caminaba con Jesús una gran muchedumbre y él, volviéndose a sus discípulos, les dijo: "Si alguno quiere seguirme y no me prefiere a su padre y a su madre, a su esposa y a sus hijos, a sus hermanos y a sus hermanas, más aún, a sí mismo, no puede ser mi discípulo. Y el que no carga su cruz y me sigue, no puede ser mi discípulo.

Porque, ¿quién de ustedes, si quiere construir una torre, no se pone primero a calcular el costo, para ver si tiene con qué terminarla? No sea que, después de haber echado los cimientos, no pueda acabarla y todos los que se enteren comiencen a burlarse de él, diciendo: 'Este hombre comenzó a construir y no pudo terminar'.

¿O qué rey que va a combatir a otro rey, no se pone primero a considerar si será capaz de salir con diez mil soldados al encuentro del que viene contra él con veinte mil? Porque si no, cuando el otro esté aún lejos, le enviará una embajada para proponerle las condiciones de paz.

Así pues, cualquiera de ustedes que no renuncie a todos sus bienes, no puede ser mi discípulo".

Vivir en el Misterio

CON EL paso de los años me ha ido creciendo la certeza de lo poco que sabemos de Dios cuanto más nos adentramos en su misterio. La lectura del libro de Sabiduría considera que nuestra humanidad limita nuestra capacidad de entender y que sólo por medio del Espíritu de Dios es que llegamos a comprender lo suficiente para enderezar nuestros pasos. Esta lectura nos invita a la humildad frente a la inmensidad de los misterios de Dios. Uno de mis gozos más grandes es acompañar a alguien en su camino de formación en la fe. Profundizar la belleza de la fe es una experiencia del trabajo del Espíritu Santo en nuestra vida. Ser testigo del poder transformador de la sabiduría de Dios me reta a ser creatura frente a mi Creador. El proceso de crecer en la fe nos lleva a una espiritualidad madura y sensata que nos prepara no sólo para unos momentos transitorios de alegría sino para una fe que perdura.

En el Evangelio según san Lucas, Jesús indica unos requisitos para su discípulo. Primero, éste debe mantener su lealtad a Dios antes que cualquier otra relación, dado que nuestras relaciones humanas son imperfectas. Segundo, el discípulo debe esforzarse en imitar a Cristo continuamente y de por vida. Estos dos requisitos no son fáciles de cumplir y es por eso por lo que Jesús, en su sabiduría, recalca la importancia de honestamente asumir sus enseñanzas, conocerlas, y discernir lo que él requiere de nuestra vida para seguirlo. También nos pide equiparnos con las herramientas necesarias para perseverar en el discipulado. Hay que calcular el costo y redoblar nuestra fuerza de voluntad para seguir adelante.

Es interesante encontrarnos con "Pablo, ya anciano" en la segunda lectura. Me lleva a reflexionar sobre todo lo que tuvo que soportar, aprender y sacrificar a lo largo de su vida. Él nos sirve como modelo de perseverancia en la fe, porque carga con su cruz y vive las enseñanzas de Jesús. La primera lectura nos presenta una serie de preguntas para reflexionar: ¿Quién es el hombre que puede conocer los designios de Dios? ¿Quién es el que puede saber lo que el Señor tiene dispuesto? ¿Quién podrá descubrir lo que hay en el cielo? ¿Quién conocerá los designios Dios? El evangelio responde que es aquel que renuncia su lealtad a las cosas que no perduran y, lleno del Espíritu, sigue a Cristo. (C.A.C.) ∎

VIVIENDO NUESTRA FE

El crecimiento en la fe debe impulsar al diálogo con el mundo moderno que resulte en un aprendizaje continuo. El papa Benedicto XVI se refiere a esto cuando anota que debemos ser muy conscientes de nuestra esperanza y aportación en el mundo y concluye: "Si el progreso técnico no se corresponde con un progreso en la formación ética del hombre, con el crecimiento del hombre interior (cf. Efesios 3:16; 2 Corintios 4:16), no es un progreso sino una amenaza para el hombre y para el mundo" (*Spe salvi*, 22).

PARA REFLEXIONAR

1. ¿Cómo son las personas arraigadas en el misterio de Dios? ¿Qué las sostiene?

2. El costo del discipulado es la cruz. ¿Cómo imita usted a Jesús?

3. ¿Qué oportunidades fomenta su grupo de fe, parroquia o diócesis para crecer en la fe?

LECTURAS SEMANALES
5–10 de septiembre

L *1 Cor 5:1–8; Lc 6:6–11*

M *1 Cor 6:1–11; Lc 6:12–19*

M *1 Cor 7:25–31; Lc 6:20–26*

J *Natividad de la B. Virgen María*

V *1 Cor 9:16–19, 22b–27; Lc 6: 39–42*

S *1 Cor 10:14–22; Lc 6:43–49*

11 de septiembre de 2022

Primera lectura

Éxodo 32:7–11, 13–14

En aquellos días, dijo el Señor a Moisés: "Anda, baja del monte, porque tu pueblo, el que sacaste de Egipto, se ha pervertido. No tardaron en desviarse del camino que yo les había señalado. Se han hecho un becerro de metal, se han postrado ante él y le han ofrecido sacrificios y le han dicho: 'Éste es tu dios, Israel; es el que te sacó de Egipto'".

El Señor le dijo también a Moisés: "Veo que éste es un pueblo de cabeza dura. Deja que mi ira se encienda contra ellos hasta consumirlos. De ti, en cambio, haré un gran pueblo".

Moisés trató de aplacar al Señor, su Dios, diciéndole: "¿Por qué ha de encenderse tu ira, Señor, contra este pueblo que tú sacaste de Egipto con gran poder y vigorosa mano? Acuérdate de Abraham, de Isaac y de Jacob, siervos tuyos, a quienes juraste por ti mismo, diciendo: 'Multiplicaré su descendencia como las estrellas del cielo y les daré en posesión perpetua toda la tierra que les he prometido'".

Y el Señor renunció al castigo con que había amenazado a su pueblo.

Salmo responsorial

Salmo 51:3–4

R. Me levantaré y volveré donde mi padre.

Misericordia, Dios mío, por tu bondad, por tu inmensa compasión borra mi culpa; lava del todo mi delito, limpia mi pecado. **R.**

Segunda lectura

1 Timoteo 1:12–17

Querido hermano: Doy gracias a aquel que me ha fortalecido, a nuestro Señor Jesucristo, por haberme considerado digno de confianza al ponerme a su servicio, a mí, que antes fui blasfemo y perseguí a la Iglesia con violencia; pero Dios tuvo misericordia de mí, porque en mi incredulidad obré por ignorancia, y la gracia de nuestro Señor se desbordó sobre mí, al darme la fe y el amor que provienen de Cristo Jesús.

Puedes fiarte de lo que voy a decirte y aceptarlo sin reservas: que Cristo Jesús vino a este mundo a salvar a los pecadores, de los cuales yo soy el primero. Pero Cristo Jesús me perdonó, para que fuera yo el primero en quien él manifestara toda su generosidad y sirviera yo de ejemplo a los que habrían de creer en él, para obtener la vida eterna.

Al Rey eterno, inmortal, invisible, único Dios, honor y gloria por los siglos de los siglos. Amén.

Evangelio

Lucas 15:1–10

En aquel tiempo, se acercaban a Jesús los publicanos y los pecadores a escucharlo; por lo cual los fariseos y los escribas murmuraban entre sí: "Éste recibe a los pecadores y come con ellos".

Jesús les dijo entonces esta parábola: "¿Quién de ustedes, si tiene cien ovejas y se le pierde una, no deja las noventa y nueve en el campo y va en busca de la que se le perdió hasta encontrarla? Y una vez que la encuentra, la carga sobre sus hombros, lleno de alegría, y al llegar a su casa, reúne a los amigos y vecinos y les dice: 'Alégrense conmigo, porque ya encontré la oveja que se me había perdido'. Yo les aseguro que también en el cielo habrá más alegría por un pecador que se arrepiente, que por noventa y nueve justos, que no necesitan arrepentirse.

¿Y qué mujer hay, que si tiene diez monedas de plata y pierde una, no enciende luego una lámpara y barre la casa y la busca con cuidado hasta encontrarla? Y cuando la encuentra, reúne a sus amigas y vecinas y les dice: 'Alégrense conmigo, porque ya encontré la moneda que se me había perdido'. Yo les aseguro que así también se alegran los ángeles de Dios por un solo pecador que se arrepiente".

O bien: Lucas 15:1–32.

---

14 de septiembre de 2022
Exaltación de la Santa Cruz
Nm 21:4b–9; Flp 2:6–11; Jn 3:13–17

La alegría de Dios

"¡QUE ALEGRÍA cuando me dijeron 'vamos a la casa de Señor'!". Solemos pensar en nuestra alegría, pero casi nunca pensamos en la alegría de Dios. Nos debería importar lo que alegra al Señor ya que su alegría es la alegría de sus discípulos. Esto es precisamente lo que Jesús comunica a los fariseos. Los fariseos eran hombres piadosos y expertos en la interpretación de la ley de Dios. Siendo expertos, no estaban acostumbrados a ser corregidos ni mucho menos a ser humildes frente a la posibilidad de estar equivocados. Los fariseos han determinado que Jesús está pecando contra Dios por asociarse con pecadores. Jesús responde en su estilo y narra tres parábolas, cada una representando las emociones de Dios y no necesariamente sus leyes (ver Lucas 15).

En la primera parábola vemos que el pastor activamente busca a su oveja perdida. De él aprendemos que el nuestro es un Dios que busca, que cuida, que es tierno, que se alegra, y que celebra. En la segunda parábola percibimos en la mujer un cierto nivel de desesperación al buscar la moneda perdida. Esta imagen de Dios me llena de agradecimiento. Me hace sentir apreciada y cuidada por Dios. En asombro medito lo mucho que me ama y me celebra.

Pareciera que estas parábolas no eran suficientes para convencer a los fariseos que su desdén por los pecadores era contrario al deseo de Dios. La parábola del hijo prodigo y su hermano muestra a los fariseos y a todos los ahí reunidos su equivocación. Ellos se creían ser como el hijo que nunca dejó al padre, pero Jesús da a entender por medio de la parábola que, si realmente honraran la ley de Dios, celebrarían la llegada de su hermano pecador junto con el padre. ¿De qué sirve la ley si nos aparta de la alegría y la misericordia de Dios? San Pablo en la primera carta a Timoteo resulta ser el ejemplo perfecto del poder de esta parábola porque antes de su conversión él fue fariseo. Confiesa, "antes fui blasfemo y perseguí a la Iglesia con violencia; pero Dios tuvo misericordia de mí, porque en mi incredulidad obré por ignorancia y la gracia de nuestro Señor se desbordó sobre mí≈al darme la fe y el amor que provienen de Cristo Jesús" (1 Timoteo 1:13–14). Dios es amor. Dios es misericordia. (C.A.C.) ∎

VIVIENDO NUESTRA FE

Al concluir el Jubileo Extraordinario de la Misericordia (2016), el papa Francisco expresó en *Misericordia et misera*: "El perdón es el signo más visible del amor del Padre, que Jesús ha querido revelar a lo largo de toda su vida... Nada de cuanto un pecador arrepentido coloca delante de la misericordia de Dios queda sin el abrazo de su perdón. Por este motivo, ninguno de nosotros puede poner condiciones a la misericordia" (no. 2). Perdonar es amar, perdonar es nuestra misión y buscar el perdón es alabar al Señor.

PARA REFLEXIONAR

1. ¿Qué distanciamientos o conflictos actuales cree usted que urgen la reconciliación de las partes?

2. ¿Cómo ha sido su experiencia de reconciliación y perdón? ¿Qué ha ganado usted con ella?

3. ¿Dónde nota usted que su grupo o comunidad de fe incide en el proceso de sanación social?

LECTURAS SEMANALES
12–17 de septiembre

L *1 Cor 11:17–26, 33; Lc 7:1–10*

M *1 Cor 12:12–14, 27–31a; Lc 7:11–17*

M *Exaltación de la Santa Cruz*

J *1 Cor 15:1–11; Jn 19:25–27 o Lc 2:33–35*

V *1 Cor 15:12–20; Lc 8:1–3*

S *1 Cor 15:35–37, 42–49; Lc 8:4–15*

18 de septiembre de 2022

Primera lectura

Amós 8:4–7

Escuchen esto los que buscan al pobre / sólo para arruinarlo / y andan diciendo: / "¿Cuándo pasará el descanso del primer día del mes / para vender nuestro trigo, / y el descanso del sábado / para reabrir nuestros graneros?" / Disminuyen las medidas, / aumentan los precios, / alteran las balanzas, / obligan a los pobres a venderse; / por un par de sandalias los compran / y hasta venden el salvado como trigo.

El Señor, gloria de Israel, lo ha jurado: / "No olvidaré jamás ninguna de estas acciones".

Salmo responsorial

Salmo 113:1–2, 4–6, 7–8

R. Alaben al Señor que ensalza al pobre.
O bien: **R. Aleluya.**

Alaben, siervos del Señor, alaben el nombre del Señor. Bendito sea el nombre del Señor, ahora y por siempre. **R.**

El Señor se eleva sobre todos los pueblos, su gloria sobre los cielos. ¿Quién como el Señor, Dios nuestro, que se eleva en su trono y se abaja para mirar al cielo y a la tierra? **R.**

Levanta del polvo al desvalido, alza de la basura al pobre, para sentarlo con los príncipes, los príncipes de su pueblo. **R.**

Segunda lectura

1 Timoteo 2:1– 8

Te ruego, hermano, que ante todo se hagan oraciones, plegarias, súplicas y acciones de gracias por todos los hombres, y en particular, por los jefes de Estado y las demás autoridades, para que podamos llevar una vida tranquila y en paz, entregada a Dios y respetable en todo sentido.

Esto es bueno y agradable a Dios, nuestro salvador, pues él quiere que todos los hombres se salven y todos lleguen al conocimiento de la verdad, porque no hay sino un solo Dios y un solo mediador entre Dios y los hombres, Cristo Jesús, hombre él también, que se entregó como rescate por todos.

Él dio testimonio de esto a su debido tiempo y de esto yo he sido constituido, digo la verdad y no miento, pregonero y apóstol para enseñar la fe y la verdad.

Quiero, pues, que los hombres, libres de odios y divisiones, hagan oración dondequiera que se encuentren, levantando al cielo sus manos puras.

Evangelio

Lucas 16:1–13

En aquel tiempo, Jesús dijo a sus discípulos: "Había una vez un hombre rico que tenía un administrador, el cual fue acusado ante él de haberle malgastado sus bienes. Lo llamó y le dijo: '¿Es cierto lo que me han dicho de ti? Dame cuenta de tu trabajo, porque en adelante ya no serás administrador'.

Entonces el administrador se puso a pensar: '¿Qué voy a hacer ahora que me quitan el trabajo? No tengo fuerzas para trabajar la tierra y me da vergüenza pedir limosna. Ya sé lo que voy a hacer, para tener a alguien que me reciba en su casa, cuando me despidan'.

Entonces fue llamando uno por uno a los deudores de su amo. Al primero le preguntó: '¿Cuánto le debes a mi amo?' El hombre respondió: 'Cien barriles de aceite'. El administrador le dijo: 'Toma tu recibo, date prisa y haz otro por cincuenta'. Luego preguntó al siguiente: 'Y tú, ¿cuánto debes?' Éste respondió: 'Cien sacos de trigo'. El administrador le dijo: 'Toma tu recibo y haz otro por ochenta'.

El amo tuvo que reconocer que su mal administrador había procedido con habilidad. Pues los que pertenecen a este mundo son más hábiles en sus negocios que los que pertenecen a la luz.

Y yo les digo: Con el dinero, tan lleno de injusticias, gánense amigos que, cuando ustedes mueran, los reciban en el cielo.

El que es fiel en las cosas pequeñas, también es fiel en las grandes; y el que es infiel en las cosas pequeñas, también es infiel en las grandes. Si ustedes no son fieles administradores del dinero, tan lleno de injusticias, ¿quién les confiará los bienes verdaderos? Y si no han sido fieles en lo que no es de ustedes, ¿quién les confiará lo que sí es de ustedes?

No hay criado que pueda servir a dos amos, pues odiará a uno y amará al otro, o se apegará al primero y despreciará al segundo. En resumen, no pueden ustedes servir a Dios y al dinero".

O bien: Lucas 16:10–13.

¿Al servicio de Dios o del dinero?

EL PROBLEMA de la idolatría del dinero y riquezas es un punto central de la revelación en el Antiguo Testamento, en el Nuevo Testamento y lo sigue siendo en nuestros días. La obsesión del ser humano con acumular riquezas daña su dignidad humana. Quien idolatra las riquezas, hace a un lado a Dios, convencido de que la fuente de su alegría será el dinero. Se engaña, pensando que todo cuanto tiene se lo debe a su esfuerzo y le tiene sin preocupación que la acumulación de bienes en unos pocos resulte en escasez y penuria para muchos otros. Idolatrar el dinero es como prolongar la egolatría, pues el dinero hace sentirse al individuo poderoso e intocable. Él o ella se erige en un dios que se provee todo lo que cree necesario para vivir. De ser bautizado, pasa a negar su pertenencia al Cuerpo de Cristo, convencido de que en este mundo "cada quién se rasque con sus uñas". Esto significa rechazar el kerigma de Cristo que no es otro que el amor fraternal, que obliga a caminar unidos con los demás hacia la salvación.

En el evangelio de hoy, Jesús hace la distinción entre dinero injusto o dinero sucio (depende en su traducción) y lo que tiene verdadero valor. Él dice, "Si ustedes no han sido dignos de confianza en manejar el sucio dinero, ¿quién les va a confiar los bienes verdaderos?" (Lucas 16:11). Según el Evangelio de san Lucas, es necesario ser conscientes de que existe el uso justo del dinero injusto o sucio. Este adjetivo sirve para alertar al discípulo en si usa o abusa del dinero. El buen uso del dinero hace que la persona lo coloque entre los medios para hacer el bien a los demás, sobre todo a los más pobres y vulnerables; es la llave para ser recibido en el cielo. Manejar el dinero no siempre es fácil, pero hay que aprender a hacerlo de manera racional y equilibrada pues es una gran responsabilidad, mayor todavía, si otras personas dependen de uno. Parece una paradoja que algo tan simple tenga la posibilidad de descarrilar al discípulo en su fidelidad a Cristo. La primera lectura nos revela que Dios nunca olvida la opresión y las injusticias infligidas al pobre.

Para Dios, la vida siempre tendrá más valor que las riquezas temporales y nuestra oración constante nos transformará para discernir cómo emplear el dinero para que los pobres nos abran el camino al cielo. (C.A.C.) ∎

VIVIENDO NUESTRA FE

La espiritualidad católica considera que todos nuestros dones y recursos pueden servir al Reino de Dios en maneras directas e indirectas. Por nuestro bautismo participamos de la misión de Cristo en el mundo. Durante la imposición de manos en el sacramento de la confirmación el obispo ora que el Espíritu Santo fortalezca a sus hijos con la abundancia de dones y para que haga de ellos imagen perfecta de Jesucristo. Dejemos que nuestro amor a Dios guíe nuestras acciones para el bien común.

PARA REFLEXIONAR

1. ¿Considera usted que se puede ser rico sin entregar el corazón a la riqueza? ¿Cómo?

2. ¿Le han servido a usted los bienes materiales para acercarse o para alejarse de los pobres?

3. ¿Qué oportunidades de servicio a los pobres y marginados brinda su parroquia o comunidad?

---

21 de septiembre de 2022
San Mateo, Apóstol y evangelista
Ef 4:1–7, 11–13; Mt 9:9–13

LECTURAS SEMANALES
19–24 de septiembre

L *Prov 3:27–34; Lc 8:16–18*

M *Prov 21:1–6, 10–13; Lc 8:19–21*

M *San Mateo, Apóstol y evangelista*

J *Eccl 1:2–11; Lc 9:7–9*

V *Eccl 3:1–11; Lc 9:18–22*

S *Ecl 11:9—12:8; Lc 9:43b–45*

25 de septiembre de 2022

XXVI Domingo del Tiempo Ordinario

Primera lectura

Amós 6:1, 4 – 7

Esto dice el Señor todopoderoso: / "¡Ay de ustedes, los que se sienten seguros en Sión / y los que ponen su confianza / en el monte sagrado de Samaria! / Se reclinan sobre divanes adornados con marfil, / se recuestan sobre almohadones / para comer los corderos del rebaño y las terneras en engorda. / Canturrean al son del arpa, / creyendo cantar como David / Se atiborran de vino, / se ponen los perfumes más costosos, / pero no se preocupan por las desgracias de sus hermanos.

Por eso irán al destierro a la cabeza de los cautivos / y se acabará la orgía de los disolutos".

Salmo responsorial

Salmo 146:7, 8 – 9a, 9bc – 10

R. Alaba, alma mía, al Señor.

O bien: **R. Aleluya.**

El mantiene su fidelidad perpetuamente, hace justicia a los oprimidos, da pan a los hambrientos. El Señor liberta a los cautivos. **R.**

El Señor abre los ojos al ciego, el Señor endereza a los que ya se doblan, el Señor ama a los justos, el Señor guarda a los peregrinos. **R.**

Sustenta al huérfano y a la viuda y trastorna el camino de los malvados. El Señor reina eternamente, tu Dios, Sión, de edad en edad. **R.**

Segunda lectura

1 Timoteo 6:11–16

Hermano: Tú, como hombre de Dios, lleva una vida de rectitud, piedad, fe, amor, paciencia y mansedumbre. Lucha en el noble combate de la fe, conquista la vida eterna a la que has sido llamado y de la que hiciste tan admirable profesión ante numerosos testigos.

---

29 de septiembre de 2022
Miguel, Gabriel y Rafael, Arcángeles
Dn 7:9–10, 13–14, o bien Ap 12:7–12a;
Jn 1:47–51

Ahora, en presencia de Dios, que da vida a todas las cosas, y de Cristo Jesús, que dio tan admirable testimonio ante Poncio Pilato, te ordeno que cumplas fiel e irreprochablemente, todo lo mandado, hasta la venida de nuestro Señor Jesucristo, la cual dará a conocer a su debido tiempo Dios, el bienaventurado y único soberano, Rey de los reyes y Señor de los señores, el único que posee la inmortalidad, el que habita en una luz inaccesible y a quien ningún hombre ha visto ni puede ver. A él todo honor y poder para siempre.

Evangelio

Lucas 16:19 – 31

En aquel tiempo, Jesús dijo a los fariseos: "Había un hombre rico, que se vestía de púrpura y telas finas y banqueteaba espléndidamente cada día. Y un mendigo, llamado Lázaro, yacía a la entrada de su casa, cubierto de llagas y ansiando llenarse con las sobras que caían de la mesa del rico. Y hasta los perros se acercaban a lamerle las llagas.

Sucedió, pues, que murió el mendigo y los ángeles lo llevaron al seno de Abraham. Murió también el rico y lo enterraron. Estaba éste en el lugar de castigo, en medio de tormentos, cuando levantó los ojos y vio a lo lejos a Abraham y a Lázaro junto a él.

Entonces gritó: 'Padre Abraham, ten piedad de mí. Manda a Lázaro que moje en agua la punta de su dedo y me refresque la lengua, porque me torturan estas llamas'. Pero Abraham le contestó: 'Hijo, recuerda que en tu vida recibiste bienes y Lázaro, en cambio, males. Por eso él goza ahora de consuelo, mientras que tú sufres tormentos. Además, entre ustedes y nosotros se abre un abismo inmenso, que nadie puede cruzar, ni hacia allá ni hacia acá'.

El rico insistió: 'Te ruego, entonces, padre Abraham, que mandes a Lázaro a mi casa, pues me quedan allá cinco hermanos, para que les advierta y no acaben también ellos en este lugar de tormentos'. Abraham le dijo: 'Tienen a Moisés y a los profetas; que los escuchen'. Pero el rico replicó: 'No, padre Abraham. Si un muerto va a decírselo, entonces sí se arrepentirán'. Abraham repuso: 'Si no escuchan a Moisés y a los profetas, no harán caso, ni aunque resucite un muerto'".

Salvemos el abismo

A TRAVÉS de las Sagradas Escrituras escuchamos el llamado a elegir la vida y no la muerte. La parábola del rico y Lázaro nos confronta con el final trágico del hombre rico. En vida él tuvo muchas oportunidades para elegir la vida, de haber hecho algo por Lázaro, pero su egoísmo lo impidió. Su final es trágico porque no reconoce que él necesitaba de Lázaro hasta que ya fue muy tarde. Resulta interesante lo que Abraham le explica al rico que se encuentra en el lugar de castigo, cuando le pide alivio. Le dice que no puede cumplir su petición, porque hay un abismo insalvable que lo impide y "nadie puede cruzar, ni hacia allá ni hacia acá" (Lucas 16:26). Me imagino que en ese momento el rico pensó en lo fácil que hubiese sido en vida compartir sus riquezas con Lázaro, para librar ese abismo que separa la suerte definitiva de cada cual. Ya en vida, el rico había creado un abismo imaginario entre Lázaro y él, y ahora que lo necesitaba ese abismo es una realidad insalvable.

A menudo, actuamos como si existiera un abismo inmenso que nos separa de aquellos que son distintos a nosotros y que tienen necesidad de lo que a uno le sobra. Pero este abismo imaginario es una forma de complacencia. El rico de la parábola, cegado por complacerse en vida, sufrió el castigo final. En su momento de desesperación recuerda que sus hermanos han elegido vivir como él vivió y pide que Abraham mande a Lázaro, básicamente para que crean en la resurrección de los muertos y cambien.

Aquí comenzamos a entender cómo la parábola comienza a revelar el sentido de su narración. Los fariseos estaban presentes mientras Jesús enseñaba; les hablaba a quienes se habían cerrado al espíritu de la ley de Dios. Para los fariseos sería demasiado tarde querer cambiar después de la muerte. Por supuesto que Jesús le habla a la generación de cristianos que dice creer en la resurrección, pero no está dispuesta a compartir sus bienes con los más necesitados de la comunidad cristiana. Algo similar encontramos en la lectura de Amós, que advierte a los que "no se preocupan por las desgracias de sus hermanos". No se necesitan revelaciones nuevas, sino atender a las tradicionales. Por eso, Jesús pronuncia las palabras de Abraham como suyas: "Tienen a Moisés y a los profetas; que los escuchen". (C.A.C.) ∎

VIVIENDO NUESTRA FE

Entre los principios de acción de la doctrina social católica se encuentra la opción por los pobres e indefensos. A partir de Mateo 25:31–46, se nos indica que servir al necesitado es servir a Jesús por consiguiente el no servirlo es ignorar a Cristo en el mundo. Nuestro llamado al discipulado misionero requiere el eliminar las barreras imaginarias que nos separan de las realidades sociales para auténticamente ser levadura en la sociedad.

PARA REFLEXIONAR

1. ¿Dónde nota usted más la separación entre los pobres y los ricos? ¿Qué le hace pensar?

2. ¿Qué decisiones sobre el dinero le han acercado a usted a los pobres? ¿Cómo los ayuda?

3. ¿Qué iniciativas de paz y justicia secunda su grupo o comunidad de fe? ¿Qué hace?

LECTURAS SEMANALES
26 de septiembre–1 de octubre

L *Job 1:6–22; Lc 9:46–50*

M *Job 3:1–3, 11–17, 20–23 (456); Lc 9:51–56*

M *Job 9:1–12, 14–16; Lc 9:57–62*

J *Miguel, Gabriel y Rafael, Arcángeles*

V *Job 38:1, 12–21; 40:3–5; Lc 10:13–16*

S *Job 42:1–3, 5–6, 12–17; Lc 10:17–24*

Primera lectura

Habacuc 1:2 – 3; 2:2 – 4

¿Hasta cuándo, Señor, pediré auxilio, / sin que me escuches, / y denunciaré a gritos la violencia que reina, / sin que vengas a salvarme? / ¿Por qué me dejas ver la injusticia / y te quedas mirando la opresión? / Ante mí no hay más que asaltos y violencias, / y surgen rebeliones y desórdenes.

El Señor me respondió y me dijo: / "Escribe la visión que te he manifestado, / ponla clara en tablillas / para que se pueda leer de corrido. / Es todavía una visión de algo lejano, / pero que viene corriendo y no fallará; / si se tarda, espéralo, pues llegará sin falta. / El malvado sucumbirá sin remedio; / el justo, en cambio, vivirá por su fe".

Salmo responsorial

Salmo 95:1–2, 6–7, 8–9

R. Ojalá escuchen hoy la voz del Señor: "No endurezcan el corazón".

Vengan, aclamemos al Señor, demos vítores a la Roca que nos salva; entremos a su presencia dándole gracias, aclamándolo con cantos. **R.**

Entren, postrémonos por tierra, bendiciendo al Señor, creador nuestro. Porque él es nuestro Dios, y nosotros su pueblo, el rebaño que Él guía. **R.**

Ojalá escuchen hoy su voz: "No endurezcan el corazón como en Meribá, como el día de Masá en el desierto; cuando vuestros padres me pusieron a prueba y me tentaron, aunque habían visto mis obras". **R.**

Segunda lectura

2 Timoteo 1:6 – 8, 13 –14

Querido hermano: Te recomiendo que reavives el don de Dios que recibiste cuando te impuse las manos. Porque el Señor no nos ha dado un espíritu de temor, sino de fortaleza, de amor y de moderación.

No te avergüences, pues, de dar testimonio de nuestro Señor, ni te avergüences de mí, que estoy preso por su causa. Al contrario, comparte conmigo los sufrimientos por la predicación del Evangelio, sostenido por la fuerza de Dios. Conforma tu predicación a la sólida doctrina que recibiste de mí acerca de la fe y el amor que tienen su fundamento en Cristo Jesús. Guarda este tesoro con la ayuda del Espíritu Santo, que habita en nosotros.

Evangelio

Lucas 17:5 –10

En aquel tiempo, los apóstoles dijeron al Señor: "Auméntanos la fe". El Señor les contestó: "Si tuvieran fe, aunque fuera tan pequeña como una semilla de mostaza, podrían decir a ese árbol frondoso: 'Arráncate de raíz y plántate en el mar', y los obedecería.

¿Quién de ustedes, si tiene un siervo que labra la tierra o pastorea los rebaños, le dice cuando éste regresa del campo: 'Entra enseguida y ponte a comer'? ¿No le dirá más bien: 'Prepárame de comer y disponte a servirme, para que yo coma y beba; después comerás y beberás tú'? ¿Tendrá acaso que mostrarse agradecido con el siervo, porque éste cumplió con su obligación?

Así también ustedes, cuando hayan cumplido todo lo que se les mandó, digan: 'No somos más que siervos, sólo hemos hecho lo que teníamos que hacer'".

Reaviva nuestra fe

CUANDO CONFIAMOS en las personas nos resulta fácil creer lo que nos dicen; ese creer es un tipo de fe. En el evangelio, la fe de la que Jesús habla es difícil; es un don que se alcanza con oración y una vez recibido, hay que cuidarlo y nutrirlo. La fe puede perderse, y, de eso, nuestro mundo tiene muchos ejemplos. La fe afronta pruebas, cuando vemos cosas contrarias a lo que esperamos en la vida, como le ocurre al profeta Habacuc, en medio de una situación insostenible para su pueblo; a los malos les va bien y no se ve el fin de tanto dolor. ¿Cómo se puede creer en medio de la adversidad? ¿Cómo creer en Dios si lo que ocurre parece contradecir su plan de amor? La fe nos permite creer en un Dios que es siempre mayor. La fe en Dios nos impulsa a seguir obrando el bien. "El justo vivirá por la fe" y por eso Dios sostiene a los justos en las tribulaciones a lo largo de la historia.

Podríamos decir que la fe tiene varios aspectos que se complementan y enriquecen. Hay personas que creen en Dios de una manera personal e íntima. Pero también hay una fe comunitaria, una fe testimoniada, una fe pública. San Pablo pide a Timoteo que, en las dificultades por el Evangelio, sea fiel a la fe de su comunidad, o sea de su Iglesia. El catecismo (CEC, 166 y 167) explica que rezamos nuestro Credo en plural: "Creemos en un solo Dios" y decimos "esta es la fe de la Iglesia". Porque las≈raíces de ñuestra fe se hunden en siglos y siglos de fidelidad y transmisión fiel. En la Iglesia uno crece en fe y por eso la petición de los discípulos se ha sostenido en las súplicas de los creyentes: "Auméntanos la fe".

Cuando las situaciones humanas se cierran y tememos la adversidad, la fe que Jesús propone es del tamaño de un grano de mostaza, sería como la lucecita de un cerillito encendido capaz de disipar la negrura y devolvernos ubicación. Desde otro ángulo, podemos apreciar que Jesús señala que esa fe frente a la adversidad es la que se requiere para un verdadero ministerio. La fe nos sostiene en el valor del servicio libre y amoroso, la fe es la flecha de sentido para las grandes obras de hombres y mujeres que han iniciado hospitales, escuelas, misiones y proyectos semejantes a montañas. La fe verdadera nos mantiene fieles en nuestros ministerios, ejercitando un servicio sin interés ni especulación. (P.A.) ■

VIVIENDO NUESTRA FE

El quehacer social de la Iglesia es un servicio de la caridad, pero en la verdad. Esta verdad ilumina, con la razón y la fe, lo que opera la caridad. Es caridad recibida y ofrecida. "La verdad libera a la caridad de la estrechez de una emotividad que la priva de contenidos relacionales y sociales, así como de un fideísmo que mutila su horizonte humano y universal. En la verdad, la caridad refleja la dimensión personal y al mismo tiempo pública de la fe en el Dios bíblico, que es a la vez 'Agapé' y 'Lógos': Caridad y Verdad, Amor y Palabra" (*Caritas in veritate*, 3).

PARA REFLEXIONAR

1. ¿Cómo considera usted que la violencia afecta la fe de las personas?

2. ¿Puede usted identificar cómo crece y se fortalece su fe en Dios? ¿Es idéntica a la fe de la Iglesia?

3. ¿Cómo vitaliza su caridad su grupo ministerial? ¿Cómo se entretejen la fe y el servicio en su parroquia?

LECTURAS SEMANALES
3–8 de octubre

L *Gal 1:6–12; Lc 10:25–37*

M *Gal 1:13–24; Lc 10:38–42*

M *Gal 2:1–2, 7–14; Lc 11:1–4*

J *Gal 3:1–5; Lc 11:5–13*

V *Gal 3:7–14; Lc 11:15–26*

S *Gal 3:22–29; Lc 11:27–28*

Primera lectura

2 Reyes 5:14 –17

En aquellos días, Naamán, el general del ejército de Siria, que estaba leproso, se bañó siete veces en el Jordán, como le había dicho Eliseo, el hombre de Dios, y su carne quedó limpia como la de un niño.

Volvió con su comitiva a donde estaba el hombre de Dios y se le presentó diciendo: "Ahora sé que no hay más Dios que el de Israel. Te pido que aceptes estos regalos de parte de tu siervo". Pero Eliseo contestó: "Juro por el Señor, en cuya presencia estoy, que no aceptaré nada". Y por más que Naamán insistía, Eliseo no aceptó nada.

Entonces Naamán le dijo: "Ya que te niegas, concédeme al menos que me den unos sacos con tierra de este lugar, los que puedan llevar un par de mulas. La usaré para construir un altar al Señor, tu Dios, pues a ningún otro dios volveré a ofrecer más sacrificios".

Salmo responsorial

Salmo 98:1, 2–3ab, 3cd–4

R. El Señor revela a las naciones su justicia.

Canten al Señor un cántico nuevo, porque ha hecho maravillas. Su diestra le ha dado la victoria, su santo brazo. **R.**

El ha Señor da a conocer su victoria, revela a las naciones su justicia: se acordó de su misericordia y su fidelidaden favor de la casa de Israel. **R.**

Los confines de la tierra han contemplado la victoria de nuestro Dios. Aclama al Señor, tierra entera; griten, vitoreen, toquen. **R.**

Segunda lectura

2 Timoteo 2:8 –13

Querido hermano: Recuerda siempre que Jesucristo, descendiente de David, resucitó de entre los muertos, conforme al Evangelio que yo predico. Por este Evangelio sufro hasta llevar cadenas, como un malhechor; pero la palabra de Dios no está encadenada. Por eso lo sobrellevo todo por amor a los elegidos, para que ellos también alcancen en Cristo Jesús la salvación, y con ella, la gloria eterna.

Es verdad lo que decimos: / "Si morimos con él, viviremos con él; / si nos mantenemos firmes, reinaremos con él; / si lo negamos, él también nos negará; / si le somos infieles, él permanece fiel, / porque no puede contradecirse a sí mismo".

Evangelio

Lucas 17:11–19

En aquel tiempo, cuando Jesús iba de camino a Jerusalén, pasó entre Samaria y Galilea. Estaba cerca de un pueblo, cuando le salieron al encuentro diez leprosos, los cuales se detuvieron a lo lejos y a gritos le decían: "Jesús, Maestro, ten compasión de nosotros".

Al verlos, Jesús les dijo: "Vayan a presentarse a los sacerdotes". Mientras iban de camino, quedaron limpios de la lepra.

Uno de ellos, al ver que estaba curado, regresó, alabando a Dios en voz alta, se postró a los pies de Jesús y le dio las gracias. Ése era un samaritano. Entonces dijo Jesús: "¿No eran diez los que quedaron limpios? ¿Dónde están los otros nueve? ¿No ha habido nadie, fuera de este extranjero, que volviera para dar gloria a Dios?" Después le dijo al samaritano: "Levántate y vete. Tu fe te ha salvado".

Señor, elevo mis manos agradecidas

PERSONAS QUE han padecido el COVID-19 han contado la experiencia tan dura de sentirse señalados en sus trabajos o con sus amistades. El coronavirus devolvió a nuestra sociedad, que se sentía muy segura de sus sistemas sanitarios, la noción de contagio semejante a otras enfermedades de la antigüedad como la lepra. En el caso de Naamán, y en el episodio del evangelio, la enfermedad excluye de la relación comunitaria y deja marginados a quienes la padecen. Sabemos que judíos y samaritanos no se mezclaban entre sí, pero en el relato del evangelio vemos que surge una nueva igualdad entre los marginados por males incurables. Cuando Jesús les pide que se presenten al sacerdote, no era tanto un mandato religioso, sino que correspondía a los sacerdotes examinar la salud y determinar quién seguía en la comunidad o a quién se echaba fuera. Si aparecían señales de lepra, la persona no se percibía "enferma" sino como un ser impuro, peligroso, contaminado. Se terminaba su vida de trabajo, de familia, de amistad. Tampoco podía entrar al templo. No le quedaba más que sobrevivir mendigando a distancia.

Jesús escucha los gritos de aquéllos que lo llaman por su nombre pidiendo compasión. No realiza un milagro masivo allí, en su presencia. Los envía a la inspección de los sacerdotes, y en el camino se ven limpios. Debieron haber experimentado una alegría indescriptible, pero siguieron las instrucciones de Jesús. El único que regresa es aquel extranjero que se postra, alaba a Dios y da gracias. Pero "algo más" ocurrió en ese samaritano. Quizá la mente de los judíos estaba formateada para recibir sólo un tipo de revelación de parte de Dios, mientras que este samaritano fue más libre y espontáneo.

Jesús sigue esperando que cada uno de nosotros reaccione ante los innumerables beneficios venidos de Dios. La cuestión es que muchos de nosotros al pensar las razones de dar gracias a Dios, podemos hacer grandes listas de cosas, o de situaciones, y son necesarias. Pero el mayor beneficio que Dios nos ha dado es su propio Hijo y los dones que su salvación nos ha regalado. (P.A.) ∎

VIVIENDO NUESTRA FE

Integrar en la comunidad a los extraños, pensemos en los migrantes. Es de los miedos y temores que la fe nos exige vencer. La derrota nos impulsa a convertirnos en personas intolerantes, cerradas e incluso, racistas. El papa Francisco nos recuerda que "una persona y un pueblo sólo son fecundos si saben integrar creativamente en su interior la apertura a los otros" (*Fratelli tutti*, 41).

PARA REFLEXIONAR

1. ¿Qué personas conoce usted que vivan verdaderamente agradecidas con Dios y con la vida?

2. ¿Quién le mostró a usted a vivir agradecido? ¿Cómo transmite esto?

3. ¿Qué acciones promueve su comunidad de fe para mostrar gratitud a Dios por sus beneficios?

LECTURAS SEMANALES
10–15 de octubre

L *Gal 4:22–24, 26–27, 31—5:1; Lc 11:29–32*

M *Gal 5:1–6; Lc 11:37–41*

M *Gal 5:18–25; Lc 11:42–46*

J *Ef 1:1–10; Lc 11:47–54*

V *Ef 1:11–14; Lc 12:1–7*

S *Ef 1:15–23; Lc 12:8–12*

Primera lectura

Éxodo 17:8–13

Cuando el pueblo de Israel caminaba a través del desierto, llegaron los amalecitas y lo atacaron en Refidim. Moisés dijo entonces a Josué: "Elige algunos hombres y sal a combatir a los amalecitas. Mañana, yo me colocaré en lo alto del monte con la vara de Dios en mi mano".

Josué cumplió las órdenes de Moisés y salió a pelear contra los amalecitas. Moisés, Aarón y Jur subieron a la cumbre del monte, y sucedió que, cuando Moisés tenía las manos en alto, dominaba Israel, pero cuando las bajaba, Amalec dominaba.

Como Moisés se cansó, Aarón y Jur lo hicieron sentar sobre una piedra, y colocándose a su lado, le sostenían los brazos. Así, Moisés pudo mantener en alto las manos hasta la puesta del sol. Josué derrotó a los amalecitas y acabó con ellos.

Salmo responsorial

Salmo 121:1–2, 3–4, 5–6, 7–8

R. El auxilio me viene del Señor que hizo el cielo y la tierra.

Levanto mis ojos a los montes: ¿de dónde me vendrá el auxilio? El auxilio me viene del Señor, que hizo el cielo y la tierra. **R.**

No permitirá que resbale tu pie, tu guardián no duerme; no duerme ni reposa el guardián de Israel. **R.**

El Señor te aguarda a su sombra, está a tu derecha; de día el sol no te hará daño, ni la luna de noche. **R.**

El Señor te guarda de todo mal, él guarda tu alma; el Señor guarda tus entradas y salidas, ahora y por siempre. **R.**

Segunda lectura

2 Timoteo 3:14— 4:2

Querido hermano: Permanece firme en lo que has aprendido y se te ha confiado, pues bien sabes de quiénes lo aprendiste y desde tu infancia estás familiarizado con la Sagrada Escritura, la cual puede darte la sabiduría que, por la fe en Cristo Jesús, conduce a la salvación.

Toda la Sagrada Escritura está inspirada por Dios y es útil para enseñar, para reprender, para corregir y para educar en la virtud, a fin de que el hombre de Dios sea perfecto y esté enteramente preparado para toda obra buena.

En presencia de Dios y de Cristo Jesús, que ha de venir a juzgar a los vivos y a los muertos, te pido encarecidamente, por su advenimiento y por su Reino, que anuncies la palabra; insiste a tiempo y a destiempo; convence, reprende y exhorta con toda paciencia y sabiduría.

Evangelio

Lucas 18:1– 8

En aquel tiempo, para enseñar a sus discípulos la necesidad de orar siempre y sin desfallecer, Jesús les propuso esta parábola:

"En cierta ciudad había un juez que no temía a Dios ni respetaba a los hombres. Vivía en aquella misma ciudad una viuda que acudía a él con frecuencia para decirle: 'Hazme justicia contra mi adversario'.

Por mucho tiempo, el juez no le hizo caso, pero después se dijo: 'Aunque no temo a Dios ni respeto a los hombres, sin embargo, por la insistencia de esta viuda, voy a hacerle justicia para que no me siga molestando'".

Dicho esto, Jesús comentó: "Si así pensaba el juez injusto, ¿creen ustedes acaso que Dios no hará justicia a sus elegidos, que claman a él día y noche, y que los hará esperar? Yo les digo que les hará justicia sin tardar. Pero, cuando venga el Hijo del hombre, ¿creen ustedes que encontrará fe sobre la tierra?"

---

18 de octubre de 2022

San Lucas, Evangelista

2 Tim 4:10–17b; Lc 10:1–9

Suba mi oración hasta tu presencia, Señor

¿QUÉ HARÍAMOS frente a un hombre cuyo deber es administrar la justicia de la ley, pero que no respeta ni a las personas humanas? Seguramente nos infundiría temor y nos mantendríamos lejos de alguien así. Jesús sorprende con otra parábola negativa: Un juez sin escrúpulos. Frente a ese hombre una viuda, que representa la mayor fragilidad frente a cualquier sistema. ¿Qué iba a hacer una viudita frente a un juez que ha perdido el sentido de su papel social? Pues esa mujer puede hacer algo que tiene mucho poder: insistir, perseverar en su petición, regresar una y otra vez. Jesús contrapone la fuerza de una petición a la indiferencia, superficial, egoísta del juez, que termina actuando, no por un sentido ético de su responsabilidad, sino por el sentido práctico de evitarse molestias. Entonces nos da la clave para nosotros: Si un juez malo es capaz de moverse ante la firmeza de la petición incesante, qué no hará Dios, que es justicia y bondad cuando buscamos lo que es justo.

Posiblemente todos valoramos la oración de intercesión y hemos intercedido cuando lo hemos necesitado o nos lo encomiendan. Sin embargo, Jesús indica que hay una intercesión más allá de las necesidades personales: la intercesión por la justicia y la paz. No es lo mismo pedir trabajo, el sustento cotidiano, el fin de una enfermedad, a pedir aquellas cosas que parecen imposibles humanamente, porque nos sentimos irremediablemente solos, o nos parece inflexible la sociedad y sus leyes, o no tenemos medios para sobrevivir a una crisis, o, una gran prueba. Hay muchas lágrimas de inocentes, hay creyentes que se han quedado roncos de preguntar por el sentido de grandes penalidades: las víctimas del tráfico humano, víctimas de engaños, de injusticias. Aquí hace falta la intercesión. Es cuando Jesús nos remite a la fe insistente. Suplicamos a Dios su intervención porque si él no interviene, quedaríamos sumidos en la desesperación.

Nuestra oración es el sostén de la fe; sin oración la fe acaba marchitándose y muere. Jesús nos pide recurrir a ella una y otra vez, sin desmayo, incluso si nos parece que no cambia nada. Dios tiene medios que desconocemos y que nos sorprenden para hacer que la justicia llegue a sus fieles. Pidamos cada día: "Venga a nosotros tu reino". (P.A.) ■

VIVIENDO NUESTRA FE

La exhortación *Christus vivit* anima a los jóvenes a perseverar en la amistad con Jesús, entendiendo lo que significa su petición de "permanezcan unidos a mí" (ver Juan 15:4). Él es fiel siempre, y nunca rompe su alianza de amistad. Si perseveramos en la oración, creceremos en confianza y nos adentraremos en su intimidad. Semejante al ajedrez, la oración equivale a "abrir la partida para que él venga y venza" (ver *Christus vivit*, 154, 155).

PARA REFLEXIONAR

1. ¿Conoce usted a personas de oración? ¿Qué las distingue?

2. ¿Qué progreso ha hecho usted en su vida de oración durante el último año?

3. ¿Cuáles son las situaciones sociales por las que su grupo o comunidad de fe ora con mayor perseverancia?

LECTURAS SEMANALES
17–22 de octubre

L *Ef 2:1–10; Lc 12:13–21*

M *San Lucas, Evangelista*

M *Ef 3:2–12; Lc 12:39–48*

J *Ef 3:14–21; Lc 12:49–53*

V *Ef 4:1–6; Lc 12:54–59*

S *Ef 4:7–16; Lc 13:1–9*

Primera lectura
Eclesiástico o Sir 35:12–14, 16–18

El Señor es un juez / que no se deja impresionar por apariencias. / No menosprecia a nadie por ser pobre / y escucha las súplicas del oprimido. / No desoye los gritos angustiosos del huérfano / ni las quejas insistentes de la viuda.

Quien sirve a Dios con todo su corazón es oído / y su plegaria llega hasta el cielo. / La oración del humilde atraviesa las nubes, / y mientras él no obtiene lo que pide, / permanece sin descanso y no desiste, / hasta que el Altísimo lo atiende / y el justo juez le hace justicia.

Salmo responsorial
Salmo 34:2–3, 17–18, 19 y 23

R. Si el afligido invoca al Señor, él lo escucha.

Bendigo al Señor en todo momento, su alabanza está siempre en mi boca; mi alma se gloría en el Señor: que los humildes lo escuchen y se alegren. **R.**

El Señor se enfrenta con los malhechores, para borrar de la tierra su memoria. Cuando uno grita, el Señor lo escucha y lo libra de sus angustias. **R.**

El Señor está cerca de los atribulados, salva a los abatidos. El Señor redime a sus siervos, no será castigado quien se acoge a Él. **R.**

Segunda lectura
2 Timoteo 4:6 – 8, 16 –18

Querido hermano: Para mí ha llegado la hora del sacrificio y se acerca el momento de mi partida. He luchado bien en el combate, he corrido hasta la meta, he perseverado en la fe. Ahora sólo espero la corona merecida, con la que el Señor, justo juez, me premiará en aquel día, y no solamente a mí, sino a todos aquellos que esperan con amor su glorioso advenimiento.

La primera vez que me defendí ante el tribunal, nadie me ayudó. Todos me abandonaron. Que no se les tome en cuenta. Pero el Señor estuvo a mi lado y me dio fuerzas para que, por mi medio, se proclamara claramente el mensaje de salvación y lo oyeran todos los paganos. Y fui librado de las fauces del león. El Señor me seguirá librando de todos los peligros y me llevará salvo a su Reino celestial. A él la gloria por los siglos de los siglos. Amén.

Evangelio
Lucas 18:9 –14

En aquel tiempo, Jesús dijo esta parábola sobre algunos que se tenían por justos y despreciaban a los demás:

"Dos hombres subieron al templo para orar: uno era fariseo y el otro, publicano. El fariseo, erguido, oraba así en su interior: 'Dios mío, te doy gracias porque no soy como los demás hombres: ladrones, injustos y adúlteros; tampoco soy como ese publicano. Ayuno dos veces por semana y pago el diezmo de todas mis ganancias'.

El publicano, en cambio, se quedó lejos y no se atrevía a levantar los ojos al cielo. Lo único que hacía era golpearse el pecho, diciendo: 'Dios mío, apiádate de mí, que soy un pecador'.

Pues bien, yo les aseguro que éste bajó a su casa justificado y aquél no; porque todo el que se enaltece será humillado y el que se humilla será enaltecido".

---

28 de octubre de 2022
Santos Simón y Judas, Apóstoles
Ef 2:19–22; Lc 6:12–16

Señor, que pueda siempre reconocer tu obra

DE DISTINTOS modos los padres inculcamos a nuestros hijos a ser agradecidos. Sabemos que, si un niño recibe algo y no da las gracias, caerá mal, y por su bien le insistimos: "¿Cómo se dice?". También a los adultos nos debe preocupar agradar a Dios. Jesús quiere enseñarnos y nos propone la parábola de dos hombres opuestos hasta en su forma de orar; uno, cuya oración es una lista de cosas para dar gracias, parece que lo hace bien técnicamente, pero no agrada a Dios. El otro tiene un trabajo de mala reputación en la comunidad y tiene cosas de qué avergonzarse; sin embargo, ora con tal sinceridad y sencillez que agrada a Dios. ¿Dónde está la diferencia?

La oración no cumple su propósito sólo por el contenido, sino por la actitud con la que se ora. ¡Cuidado! Nuestra oración puede caer en el engaño. El agradecimiento puede ser una forma de sentirnos superiores a los demás. Cuando la gente acomodada visita algún vecindario empobrecido y dice: "¡Qué bendecido he sido en la vida, doy gracias a Dios por todo lo que disfruto!". Esa "gratitud", en realidad, afirma la distancia de nuestra condición social. Ese agradecimiento no nos facilita la dinámica de la solidaridad, del compartir, de sentirnos movidos por el que tiene menos.

Nunca la oración auténtica nos lleva a comparaciones, al interminable concurso que arma nuestra mente para colocarnos ganadores o perdedores. Los trofeos, medallas o diplomas del mundo son diferentes de los reconocimientos que otorga el Señor. El humilde levanta los ojos hacia Dios. El arrogante se contempla a sí mismo, hasta que se endiosa. Esta tentación no está lejos de nosotros. Cuántas veces la convivencia en las comunidades se oscurece comenzando por las comparaciones: "¿Por qué esa persona tiene tal o cual don y yo no?" y "¿Quién tiene mayor liderazgo?". Siguen los celos y las envidias de unos con otros. Cuando hay humildad, hay respeto y reconocimiento ante los dones de los demás, queremos que esos dones den gloria a Dios. Nos alegra tener servidores nuevos, les hacemos espacio y cedemos nuestros lugares. Si hay dones diversos, les acogemos, seguros de que enriquecerán a la comunidad porque son bendiciones venidas del mismo Señor. (P.A.) ∎

VIVIENDO NUESTRA FE

Las enseñanzas de la Iglesia nos invitan constantemente a cultivar la humildad que produce la unidad entre las personas, los pueblos e incluso con la naturaleza, pues todos somos creaturas de Dios. Este es un lazo que crea una especie de nueva familia universal, "una sublime comunión que nos mueve a un respeto sagrado, cariñoso y humilde", salvaguardando la preeminencia de la persona humana (*ver Laudato si'*, 89 y 90).

PARA REFLEXIONAR

1. Cómo se cultiva la virtud de la humildad en las redes sociales?

2. ¿Cómo le ayuda a usted el examen de conciencia diario a ser humilde?

3. ¿Es la humildad una virtud que se promueve en las obras apostólicas de su grupo o comunidad de fe?

LECTURAS SEMANALES
24–29 de octubre

L *Ef 4:32—5:8; Lc 13:10–17*

M *Ef 5:21–33, o bien 5:2a, 25–32; Lc 13:18–21*

M *Ef 6:1–9; Lc 13:22–30*

J *Ef 6:10–20; Lc 13:31–35*

V *Santos Simón y Judas, Apóstoles*

S *Flp 1:18b–26; Lc 14:1, 7–11*

Primera lectura

Sabiduría 11:22 —12:2

Señor, delante de ti, / el mundo entero es como un grano de arena en la balanza, / como gota de rocío mañanero, / que cae sobre la tierra.

Te compadeces de todos, / y aunque puedes destruirlo todo, / aparentas no ver los pecados de los hombres, / para darles ocasión de arrepentirse. / Porque tú amas todo cuanto existe / y no aborreces nada de lo que has hecho; / pues si hubieras aborrecido alguna cosa, / no la habrías creado.

¿Y cómo podrían seguir existiendo las cosas, / si tú no lo quisieras? / ¿Cómo habría podido conservarse algo hasta ahora, / si tú no lo hubieras llamado a la existencia?

Tú perdonas a todos, / porque todos son tuyos, Señor, que amas la vida, / porque tu espíritu inmortal, está en todos los seres.

Por eso a los que caen, / los vas corrigiendo poco a poco, / los reprendes y les traes a la memoria sus pecados, / para que se arrepientan de sus maldades / y crean en ti, Señor.

Salmo responsorial

Salmo 145:1–2,8–9, 10–11, 13cd–14

R. Bendeciré tu nombre por siempre jamás, Dios mío, mi rey.

Te ensalzaré, Dios mío, mi rey; bendeciré tu nombre por siempre jamás. Día tras día, te bendeciré y alabaré tu nombre por siempre jamás. **R.**

El Señor es clemente y misericordioso, lento a la cólera y rico en piedad; el Señor es bueno con todos, es cariñoso con todas sus criaturas. **R.**

Que todas tus criaturas te den gracias, Señor, que te bendigan tus fieles; que proclamen la gloria de tu reinado, que hablen de tus hazañas. **R.**

El Señor es fiel a sus palabras, bondadoso en todas sus acciones. El Señor sostiene a los que van a caer, endereza a los que ya se doblan. **R.**

Segunda lectura

2 Tesalonicenses 1:11— 2:2

Hermanos: Oramos siempre por ustedes, para que Dios los haga dignos de la vocación a la que los ha llamado, y con su poder, lleve a efecto tanto los buenos propósitos que ustedes han formado, como lo que ya han emprendido por la fe. Así glorificarán a nuestro Señor Jesús y él los glorificará a ustedes, en la medida en que actúe en ustedes la gracia de nuestro Dios y de Jesucristo, el Señor.

Por lo que toca a la venida de nuestro Señor Jesucristo y a nuestro encuentro con él, les rogamos que no se dejen perturbar tan fácilmente. No se alarmen ni por supuestas revelaciones, ni por palabras o cartas atribuidas a nosotros, que los induzcan a pensar que el día del Señor es inminente.

Evangelio

Lucas 19:1–10

En aquel tiempo, Jesús entró en Jericó, y al ir atravesando la ciudad, sucedió que un hombre llamado Zaqueo, jefe de publicanos y rico, trataba de conocer a Jesús; pero la gente se lo impedía, porque Zaqueo era de baja estatura. Entonces corrió y se subió a un árbol para verlo cuando pasara por ahí. Al llegar a ese lugar, Jesús levantó los ojos y le dijo: "Zaqueo, bájate pronto, porque hoy tengo que hospedarme en tu casa".

Él bajó enseguida y lo recibió muy contento. Al ver esto, comenzaron todos a murmurar diciendo: "Ha entrado a hospedarse en casa de un pecador".

Zaqueo poniéndose de pie, dijo a Jesús: "Mira, Señor, voy a dar a los pobres la mitad de mis bienes, y si he defraudado a alguien, le restituiré cuatro veces más". Jesús le dijo: "Hoy ha llegado la salvación a esta casa, porque también él es hijo de Abraham, y el Hijo del hombre ha venido a buscar y a salvar lo que se había perdido".

¡Señor, trae tu salvación a mi casa!

ENTRE LOS latinos es común usar la frase "invitarse solo" cuando alguien no se espera a ser convidado, sino que toma la iniciativa para ir a una casa o, a una mesa. Esto puede romper protocolos culturales, pero en el caso de Jesús, parece que hay un imperativo desde dentro de él: "Zaqueo, bájate pronto, porque hoy tengo que hospedarme en tu casa". ¿Por qué Jesús "tiene que" llegar a la casa y a la mesa de un hombre que aparentemente sólo manifestaba curiosidad? Por lo visto, además de su baja estatura, Zaqueo era conocido por el odioso trabajo de cobrar impuestos para los romanos, lo que implicaba una comisión para sí. Sorprende la prontitud con la que Zaqueo acepta la petición de Jesús. Cuántas cosas se le conocerían al recaudador de impuestos que por lo visto estaba catalogado como un pecador. Ni Zaqueo ni Jesús parecen impresionarse por las habladurías. Zaqueo prepara el recibimiento con alegría y Jesús acude. Parece que la razón de esa prisa en Jesús tiene que ver con lo que ocurre en el corazón de Zaqueo: está determinado a cambiar. Él reconoce que si ha defraudado a alguien lo resarcirá de una manera exagerada. Ya sabía él que había pobres, pero ahora está dispuesto a darles la mitad de lo suyo.

El contacto con Jesús, con su persona y con su mensaje, tuvo una fuerza transformadora. Jesús logró, como un buen timonel, dar nuevo rumbo a un barco perdido hasta un destino seguro. Es posible que en el fondo de Zaqueo había mucho más que curiosidad, quería "ver" a Jesús como muchos quieren ver a un personaje y buscan un balcón o azotea, pero no se imaginó que ya Jesús los había visto antes, y que él tenía ansias de su salvación.

Jesús siempre nos revela quién es verdaderamente Dios; no el Señor de la ley que enseñaban los escribas y fariseos, sino el que nos describe el capítulo once del libro de la Sabiduría: el Dios que ama todo lo que ha hecho y tiene paciencia con aquellos que equivocan el camino. Su poder va más allá de su creación, su poder se manifiesta cuando es paciente y misericordioso, por eso, no odia nada de lo que ha hecho, al contrario, mantiene su compasión para con todos. (P.A.) ∎

VIVIENDO NUESTRA FE

Las pandemias han hecho ver cuántas personas quedan al margen de una atención sanitaria o de una sobrevivencia ante el desempleo. La dinámica social lleva a "la selección del más fuerte" y a la muerte de los más débiles. El papa Francisco la ha llamado la economía de la exclusión y durante la crisis ha recalcado que ver a los pobres significa devolverles dignidad. No dejarnos llevar por "la economía de la muerte": tal y como se desarrolla la actividad productiva en nuestro mundo beneficia a unos pocos y a la gran mayoría los lleva a languidecer y a una muerte segura.

PARA REFLEXIONAR

1. ¿Cómo nota usted que "la salvación ha llegado a esta casa"?

2. ¿Ha experimentado usted la salvación de Dios en su propio hogar? ¿Qué ha cambiado?

3. ¿Qué esfuerzos hace su comunidad o grupo de fe para hacer presente a Jesús entre los marginados socialmente?

LECTURAS SEMANALES
31 de octubre–5 de noviembre

L *Flp 2:1–4; Lc 14:12–14*

M *Todos los Santos*

M *Conmemoración de Todos los Fieles Difuntos*

J *Flp 3:3–8a; Lc 15:1–10*

V *Flp 3:17—4:1; Lc 16:1–8*

S *Flp 4:10–19; Lc 16:9–15*

1 de noviembre de 2022 — Todos los Santos

Primera lectura

Apocalipsis 7:2–4, 9–14

Yo, Juan, vi a un ángel que venía del oriente. Traía consigo el sello de Dios vivo y gritaba con voz poderosa a los cuatro ángeles encargados de hacer daño a la tierra y al mar. Les dijo: "¡No hagan daño a la tierra, ni al mar, ni a los árboles, hasta que terminemos de marcar con el sello la frente de los servidores de nuestro Dios!" Y pude oír el número de los que habían sido marcados: eran ciento cuarenta y cuatro mil, procedentes de todas las tribus de Israel.

Vi luego una muchedumbre tan grande, que nadie podía contarla. Eran individuos de todas las naciones y razas, de todos los pueblos y lenguas. Todos estaban de pie, delante del trono del Cordero; iban vestidos con una túnica blanca; llevaban palmas en las manos y exclamaban con voz poderosa: "La salvación viene de nuestro Dios, que está sentado en el trono, y del Cordero".

Y todos los ángeles que estaban alrededor del trono, de los ancianos y de los cuatro seres vivientes, cayeron rostro en tierra delante del trono y adoraron a Dios, diciendo: "Amén. La alabanza, la gloria, la sabiduría, la acción de gracias, el honor, el poder y la fuerza, se le deben para siempre a nuestro Dios".

Entonces uno de los ancianos me preguntó: "¿Quiénes son y de dónde han venido los que llevan la túnica blanca?" Yo le respondí: "Señor mío, tú eres quien lo sabe". Entonces él me dijo: "Son los que han pasado por la gran persecución y han lavado y blanqueado su túnica con la sangre del Cordero".

Salmo responsorial

Salmo 24:1–2, 3–4ab, 5–6

R. Este es el grupo que busca tu rostro, Señor.

Del Señor es la tierra y cuanto lo llena, el orbe y todos sus habitantes: él la fundó sobre los mares, él la afianzó sobre los ríos. **R.**

—¿Quién puede subir al monte del Señor? ¿Quién puede estar en el recinto sacro?— El hombre de manos inocentes y puro corazón, ni jura contra el prójimo en falso. **R.**

Ese recibirá la bendición del Señor, le hará justicia el Dios de salvación. Este es el grupo que busca al Señor, que viene a tu presencia, Dios de Jacob. **R.**

Segunda lectura

1 Juan 3:1–3

Queridos hijos: Miren cúanto amor nos ha tenido el Padre, pues no sólo nos llamamos hijos de Dios, sino que lo somos. Si el mundo no nos reconoce, es porque tampoco lo ha reconocido a él.

Hermanos míos, ahora somos hijos de Dios, pero aún no se ha manifestado cómo seremos al fin. Y ya sabemos que, cuando él se manifieste, vamos a ser semejantes a él, porque lo veremos tal cual es.

Todo el que tenga puesta en Dios esta esperanza, se purifica a sí mismo para ser tan puro como él.

Evangelio

Mateo 5:1–12a

En aquel tiempo, cuando Jesús vio a la muchedumbre, subió al monte y se sentó. Entonces se le acercaron sus discípulos. Enseguida comenzó a enseñarles, hablándoles así:
"Dichosos los pobres de espíritu,
porque de ellos es el Reino de los cielos.
Dichosos los que lloran,
porque serán consolados.
Dichosos los sufridos,
porque heredarán la tierra.
Dichosos los que tienen hambre y sed de justicia,
porque serán saciados.
Dichosos los misericordiosos,
porque obtendrán misericordia.
Dichosos los limpios de corazón,
porque verán a Dios.
Dichosos los que trabajan por la paz,
porque se les llamará hijos de Dios.
Dichosos los perseguidos por causa de la justicia,
porque de ellos es el Reino de los cielos.
Dichosos serán ustedes, cuando los injurien, los persigan y digan cosas falsas de ustedes por causa mía. Alégrense y salten de contento, porque su premio será grande en los cielos".

De que hay santos, los hay

LA SEÑORA Margarita vivía muy precariamente. Casada desde muy joven con un hombre alcohólico y desobligado, fue madre de dos hijos y tres hijas a quienes dedicó toda su vida. Sin más ingreso que lo que ocasionalmente le daba su marido y lo que alguna gente le regalaba. Dormía en una cama prácticamente sin colchón, en un suelo insalubre de tierra húmeda, por lo que desarrolló una enfermedad bronquial y una tos que la acompañaron de por vida. Por si poco fuera, su hija mayor tenía necesidades especiales, y ambas requerían medicinas. Cuando lograba reunir algún dinero, compraba la de su hija. Uno podría pensar que su vida estaría llena de quejas, dolor y llanto, pero no era así; nunca la escuché maldecir a nada ni a nadie. Margarita no dejaba de sonreír y de ayudar a los demás.

Era frecuente ver a Margarita aconsejando a la gente a seguir el buen camino, en especial a los jóvenes, visitar a algún enfermo, compartir un poco de azúcar o algún utensilio, y preocuparse por los necesitados, incluso de los perros, gatos y gallinas. ¿Cómo podía aquella mujer sonreírle a la vida con todo lo que le pasaba? Creo que su secreto era que poseía casi nada y todo lo recibía como un regalo de Dios. ¿Acaso no vivía así Jesús? Margarita había hecho de las bienaventuranzas evangélicas su estilo de vida, llevándola a practicar la misericordia con los que le rodeaban de forma sencilla y sincera. Margarita fue pobre materialmente. Ella lloró, sufrió y, sin duda que alguna vez deseó que la vida fuera menos injusta, pero esto nunca apagó su corazón compasivo. Cuando era velada, más de uno notó que ella seguía sonriendo.

El proyecto de vida propuesto por Jesús en las bienaventuranzas es para todos, y exige apego a él y abandono en su palabra en toda situación. Esto no es fácil en una sociedad tecnológica y egocéntrica como la nuestra. Personas ordinarias, como Margarita, nos muestran que es posible.

La historia de Margarita no se va a incluir en ningún santoral ni se va a dedicar un día del calendario para honrar su memoria, pero sabemos que personas como ella están con Dios y las celebramos. El día de hoy nuestra Iglesia lo dedica a las muchas personas que, a través de la historia y de sus vidas, nos invitan a hacer nuestro el proyecto de vida de Jesús. Todos ellos son santos. (A.B.) ∎

VIVIENDO NUESTRA FE

La identidad cristiana tiene su hoja de ruta en las bienaventuranzas, como el papa Francisco vuelve a recordarnos. Son muy exigentes, pero no estamos solos en esta empresa de vida verdadera: "solo podemos vivirlas si el Espíritu Santo nos invade con toda su potencia y nos libera de la debilidad del egoísmo, de la comodidad, del orgullo" (*Gaudete et exsultate*, 65).

PARA REFLEXIONAR

1. ¿De las personas que usted conoce, a quiénes considera santas?

2. ¿Quién le ha inspirado a usted a vivir conforme a las Bienaventuranzas? ¿Con qué cara afronta usted los embates de la vida?

3. ¿Es perseguido su grupo ministerial por causa de la justicia o por promover la paz?

Primera lectura

Sabiduría 3:1–9

Las almas de los justos están en las manos de Dios / y no los alcanzará ningún tormento. / Los insensatos pensaban que los justos habían muerto, / que su salida de este mundo era una desgracia y su salida de entre nosotros, una completa destrucción. / Pero los justos están en paz.

La gente pensaba que sus sufrimientos eran un castigo, / pero ellos esperaban confiadamente la inmortalidad. / Después de breves sufrimientos / recibirán una abundante recompensa, / pues Dios los puso a prueba / y los halló dignos de sí. Los probó como oro en el crisol / y los aceptó como un holocausto agradable.

En el día del juicio brillarán los justos / como chispas que se propagan en un cañaveral. / Juzgarán a las naciones y dominarán a los pueblos, / y el Señor reinará eternamente sobre ellos.

Los que confían en el Señor comprenderán la verdad / y los que son fieles a su amor permanecerán a su lado, / porque Dios ama a sus elegidos y cuida de ellos.

Se pueden utilizar otras lecturas de las Misas de Difuntos.

Salmo responsorial

Salmo 23:1–3, 4, 5, 6

R. El Señor es mi pastor, nada me falta.

El Señor es mi Pastor, nada me falta: en verdes praderas me hace recostar; me conduce hacia fuentes tranquilas y repara mis fuerzas. **R.**

Me guía por el sendero justo, por el honor de su nombre. Aunque camine por cañadas oscuras, nada temo, porque tu vas conmigo. tu vara y tu cayado me sosiegan. **R.**

Preparas una mesa ante mí, enfrente de mis enemigos; me unges la cabeza con perfume, y mi copa rebosa. **R.**

Tu bondad y tu misericordia me acompañan todos los días de mi vida, y habitaré en la casa del Señor por años sin término. **R.**

Se pueden utilizar otros salmos de las Misas de Difuntos.

Segunda lectura

Romanos 5:5–11

Hermanos: La esperanza no defrauda porque Dios ha infundido su amor en nuestros corazones por medio del Espíritu Santo, que él mismo nos ha dado.

En efecto, cuando todavía no teníamos fuerzas para salir del pecado, Cristo murió por los pecadores en el tiempo señalado. Difícilmente habrá alguien que quiera morir por un justo, aunque puede haber alguno que esté dispuesto a morir por una persona sumamente buena. Y la prueba de que Dios nos ama está en que Cristo murió por nosotros, cuando aún éramos pecadores.

Con mayor razón, ahora que ya hemos sido justificados por su sangre, seremos salvados por él del castigo final. Porque, si cuando éramos enemigos de Dios, fuimos reconciliados con él por la muerte de su Hijo, con mucho más razón, estando ya reconciliados, recibiremos la salvación participando de la vida de su Hijo. Y no sólo esto, sino que también nos gloriamos en Dios, por medio de nuestro Señor Jesucristo, por quien hemos obtenido ahora la reconciliación.

Se pueden utilizar otras lecturas de las Misas de Difuntos.

Evangelio

Juan 6:37–40

En aquel tiempo, Jesús dijo a la multitud: "Todo aquel que me da el Padre viene hacia mí; y al que viene a mí yo no lo echaré fuera, porque he bajado del cielo, no para hacer mi voluntad, sino la voluntad del que me envió.

Y la voluntad del que me envió es que yo no pierda nada de lo que él me ha dado, sino que lo resucite en el último día. La voluntad de mi Padre consiste en que todo el que vea al Hijo y crea en él, tenga vida eterna y yo lo resucitaré en el último día".

Se pueden utilizar otras lecturas de las Misas de Difuntos.

Una vida que vale la pena ser vivida

HACE POCOS días, nos llegó la noticia de que la casa del concejal de nuestro barrio había sido vandalizada, tal vez como venganza de parte de una pandilla local. En una entrevista de televisión, el concejal dijo que no lo iban a intimidar, y que seguiría luchando por una comunidad más segura y libre de la violencia de las pandillas. Verlo, me hizo pensar en tantas y tantas personas que, como él, luchan por la justicia y la paz en nuestra sociedad. Muchas y muchos catequistas, sacerdotes, diáconos y laicos de la Iglesia han sido perseguidos y muertos por trabajar porque los valores del Reino de Dios se hagan realidad y lograr una vida más humana para todos, siguiendo el camino de Jesús. Pero ¿esto es todo? ¿Acaba aquí el sueño del Reino?

Todas estas personas tienen algo en común: la fe en las palabras de Jesús: "La voluntad del que me envió es que yo no pierda nada de lo que él me ha dado, sino que lo resucite en el último día". Esta fe se constata, por ejemplo, en las palabras de san Óscar Arnulfo Romero durante una entrevista: "He sido frecuentemente amenazado de muerte. Debo decirle que, como cristiano, no creo en la muerte sin resurrección: si me matan, resucitaré en el pueblo salvadoreño" (https://www .cristianismeijusticia.net/sites/default/files/pdf/col_v_es_1_0.pdf).

Esta convicción, plasmada en el ejemplo de vida de tantos hombres y mujeres a través de la historia, discípulos fieles de Jesús, y en la promesa de Jesús mismo, nos alienta la convicción de que la muerte no tiene la última palabra, y de que las respuestas a las preguntas existenciales tienen una respuesta sólida: seremos resucitados por Jesús. Esto es nuestra fuente de confianza para vivir luchando por la justicia y la paz, y por hacer presente el Reino de Dios, a pesar de las amenazas y persecuciones que se vivan, vale la pena. Después de todo, la incomodidad de los que atentan contra el Reino es una consecuencia de la acción del discípulo fiel que continúa la misión de su Maestro, quien, por cierto, fue el primer perseguido a causa de su propuesta de vida. Jesús es para el creyente su mayor ejemplo de fe y la más firme promesa de que la vida triunfa sobre la muerte, tal y como ha sucedido con él. (A.B.) ■

VIVIENDO NUESTRA FE

Hay una profunda relación entre la actividad evangelizadora y la promoción humana. Buscar el Reino de Dios y su justicia es la base del cumplimiento de la promesa de la resurrección para cuantos se empeñan en construir una sociedad en la que Dios reine y sea un "ámbito de fraternidad, de justicia, de paz, de dignidad para todos" (*Evangelium gaudium*, 180).

PARA REFLEXIONAR

1. ¿Conoce a alguien que lucha activamente por un mundo mejor en su comunidad parroquial? ¿Cuál cree que es su motivación?

2. ¿Está usted colaborando en algún frente con la justicia y paz evangélicas? ¿Qué hace?

3. ¿Cómo apoya su grupo ministerial las iniciativas de autoridades, instancias o individuos locales que promueven y luchan por los valores del Evangelio?

6 de noviembre de 2022

Primera lectura

2 Macabeos 7:1– 2, 9 –14

En aquellos días, arrestaron a siete hermanos junto con su madre. El rey Antíoco Epifanes los hizo azotar para obligarlos a comer carne de puerco, prohibida por la ley. Uno de ellos, hablando en nombre de todos, dijo: "¿Qué quieres saber de nosotros? Estamos dispuestos a morir antes que quebrantar la ley de nuestros padres".

El rey se enfureció y lo mandó matar. Cuando el segundo de ellos estaba para morir, le dijo al rey: "Asesino, tú nos arrancas la vida presente, pero el rey del universo nos resucitará a una vida eterna, puesto que morimos por fidelidad a sus leyes".

Después comenzaron a burlarse del tercero. Presentó la lengua como se lo exigieron, extendió las manos con firmeza y declaró confiadamente: "De Dios recibí estos miembros y por amor a su ley los desprecio, y de él espero recobrarlos". El rey y sus acompañantes quedaron impresionados por el valor con que aquel muchacho despreciaba los tormentos.

Una vez muerto éste, sometieron al cuarto a torturas semejantes. Estando ya para expirar, dijo: "Vale la pena morir a manos de los hombres, cuando se tiene la firme esperanza de que Dios nos resucitará. Tú, en cambio, no resucitarás para la vida".

Salmo responsorial

Salmo 17:1, 5–6, 8b y 15

R. Al despertar me saciaré de tu semblante Señor.

Señor, escucha mi apelación atiende a mis clamores, presta oído a mi súplica, que en mis labios no hay engaño. **R.**

Mis pies estuvieron firmes en tus caminos, y no vacilaron mis pasos. Yo te invoco porque tú me respondes, Dios mío; inclina el oído y escucha mis palabras. **R.**

Guárdame como a las niñas de tus ojos, a la sombra de tus alas escóndeme. Yo con mi apelación vengo a tu presencia, y al despertar me saciaré de tu semblante. **R.**

Segunda lectura

2 Tesalonicenses 2:16 —3:5

Hermanos: Que el mismo Señor nuestro, Jesucristo, y nuestro Padre Dios, que nos ha amado y nos ha dado gratuitamente un consuelo eterno y una feliz esperanza, conforten los corazones de ustedes y los dispongan a toda clase de obras buenas y de buenas palabras.

Por lo demás, hermanos, oren por nosotros para que la Palabra del Señor se propague con rapidez y sea recibida con honor, como aconteció entre ustedes. Oren también para que Dios nos libre de los hombres perversos y malvados que nos acosan, porque no todos aceptan la fe.

Pero el Señor, que es fiel, les dará fuerza a ustedes y los librará del maligno. Tengo confianza en el Señor de que ya hacen ustedes y continuarán haciendo cuanto les he mandado. Que el Señor dirija su corazón para que amen a Dios y esperen pacientemente la venida de Cristo.

Evangelio

Lucas 20:27, 34 –38

En aquel tiempo, Jesús dijo a los saduceos, que niegan la resurrección de los muertos:

"En esta vida, hombres y mujeres se casan, pero en la vida futura, los que sean juzgados dignos de ella y de la resurrección de los muertos, no se casarán ni podrán ya morir, porque serán como los ángeles e hijos de Dios, pues él los habrá resucitado.

Y que los muertos resucitan, el mismo Moisés lo indica en el episodio de la zarza, cuando llama al Señor, *Dios de Abraham, Dios de Isaac, Dios de Jacob. Porque Dios no es Dios de muertos, sino de vivos,* pues para él todos viven".

O bien: Lucas 20:27–38.

9 de noviembre de 2022

Dedicación de la Basílica de Letrán

Ez 47:1–2, 8–9, 12; 1 Cor 3:9c–11, 16–17; Jn 2:13–22

Señor, encamina mis pasos a la vida verdadera

SABEMOS POCO de la vida. Cuando nos explican las maravillas del macrocosmos o del microcosmos, quedamos sorprendidos y con preguntas interminables. André Breton decía que la inteligencia tarda bastante en comprender la vida y pocas veces lo logra. Es lamentable vivir distraídos con las tecnologías, tocando pantallas, creyendo saber de la vida, y ¡todo es virtual! Sabiendo tan poco de la vida, ¿quién quiere pensar qué hay más allá de la muerte? Los jóvenes Macabeos transmiten en la primera lectura una certeza muy simple: creemos en otra vida porque nos hemos mantenido fieles a nuestro Creador y hemos cumplido todos sus mandatos. Una vida apoyada en la fidelidad a Dios, no le teme a la muerte, porque está animada con otro fuego, más allá de lo conocido. En otras palabras: si usted se mantiene fiel al Señor, no hará lo que le parece incorrecto, aunque lo lleven a la muerte. La convicción de que el Señor de la vida es más grande, que las muertes que causan los humanos. ¡Cuántos mártires atestiguan esto! Cuántos desafíos hoy en día, nos ponen en la misma balanza.

No podemos responder las preguntas sobre la vida después de la muerte con nuestros mismos patrones cotidianos, como les pasaba a los que tendieron la pregunta capciosa a Jesús; es posible que haya otra vida como si fuera continuación de la interrumpida por la muerte. Sólo sabremos algo de la vida si conocemos a Cristo y creemos en el poder de su resurrección.

Al participar, mediante la fe, de la vida nueva de Cristo Jesús, se desarrolla en nosotros una semilla de inmortalidad. Al acabarse nuestros días en la tierra no seremos muertos reanimados, seremos hijos del Dios de la vida. Una vida diferente, que no depende de "nuestra morada terrenal" y que no se acaba. Así, conforme la luz del día va disminuyendo en esta época del año, debemos acordarnos de nuestra propia caducidad. Un día vamos a morir, qué duda cabe. Pero nuestra fe abriga y cultiva la esperanza del encuentro definitivo con el Señor (P.A.) ∎

VIVIENDO NUESTRA FE

La convicción de la vida con Cristo fondea en cada cristiano y debe impulsarnos a superar las dificultades y dolores en el camino de nuestra vida. El papa Francisco nos exhorta a vivir "aferrados a él viviremos y atravesaremos todas las formas de muerte y de violencia que acechan en el camino" (*Christus vivit*, 127).

PARA REFLEXIONAR

1. ¿Qué significa para usted "estar lleno de vida"?

2. ¿En qué refleja su modo de vivir que usted cree en la vida eterna?

3. ¿Qué tarea o servicio brinda su grupo ministerial a los difuntos y sus familiares con ocasión de algún deceso?

LECTURAS SEMANALES
7–12 de noviembre

L *Tit 1:1–9; Lc 17:1–6*

M *Tit 2:1–8, 11–14; Lc 17:7–10*

M *Dedicación de la Basílica de Letrán*

J *Flm 7–20; Lc 17:20–25*

V *2 Jn 4–9; Lc 17:26–37*

S *3 Jn 5–8; Lc 18:1–8*

13 de noviembre de 2022

Primera lectura

Malaquías 3:19 – 20

"Ya viene el día del Señor, ardiente como un horno, y todos los soberbios y malvados serán como la paja. El día que viene los consumirá, dice el Señor de los ejércitos, hasta no dejarles ni raíz ni rama. Pero para ustedes, los que temen al Señor, brillará el sol de justicia, que les traerá la salvación en sus rayos".

Salmo responsorial

Salmo 98:5–6, 7–9a, 9bc

R. El Señor llega para regir la tierra con justicia.

Toquen la cítara para el Señor, suenen los instrumentos: con clarines y al son de trompetas, aclamen al Rey y Señor. **R.**

Retumbe el mar y cuanto contiene, la tierra y cuantos la habitan; aplaudan los ríos, aclamen los montes al Señor, que llega para regir la tierra. **R.**

Regirá el orbe con justicia y los pueblos con rectitud. **R.**

Segunda lectura

2 Tesalonicenses 3:7–12

Hermanos:
Ya saben cómo deben vivir para imitar mi ejemplo, puesto que, cuando estuve entre ustedes, supe ganarme la vida y no dependí de nadie para comer; antes bien, de día y de noche trabajé hasta agotarme, para no serles gravoso. Y no porque no tuviera yo derecho a pedirles el sustento, sino para darles un ejemplo que imitar. Así, cuando estaba entre ustedes, les decía una y otra vez: "El que no quiera trabajar, que no coma".

Y ahora vengo a saber que algunos de ustedes viven como holgazanes, sin hacer nada, y además, entrometiéndose en todo. Les suplicamos a esos tales y les ordenamos, de parte del Señor Jesús, que se pongan a trabajar en paz para ganarse con sus propias manos la comida.

Evangelio

Lucas 21:5–19

En aquel tiempo, como algunos ponderaban la solidez de la construcción del templo y la belleza de las ofrendas votivas que lo adornaban, Jesús dijo: "Días vendrán en que no quedará piedra sobre piedra de todo esto que están admirando; todo será destruido".

Entonces le preguntaron: "Maestro, ¿cuándo va a ocurrir esto y cuál será la señal de que ya está a punto de suceder?". Él les respondió: "Cuídense de que nadie los engañe, porque muchos vendrán usurpando mi nombre y dirán: 'Yo soy el Mesías. El tiempo ha llegado'. Pero no les hagan caso. Cuando oigan hablar de guerras y revoluciones, que no los domine el pánico, porque eso tiene que acontecer, pero todavía no es el fin".

Luego les dijo: "Se levantará una nación contra otra y un reino contra otro. En diferentes lugares habrá grandes terremotos, epidemias y hambre, y aparecerán en el cielo señales prodigiosas y terribles.

Pero antes de todo esto los perseguirán a ustedes y los apresarán; los llevarán a los tribunales y a la cárcel, y los harán comparecer ante reyes y gobernadores, por causa mía. Con esto darán testimonio de mí.

Grábense bien que no tienen que preparar de antemano su defensa, porque yo les daré palabras sabias, a las que no podrá resistir ni contradecir ningún adversario de ustedes.

Los traicionarán hasta sus propios padres, hermanos, parientes y amigos. Matarán a algunos de ustedes y todos los odiarán por causa mía. Sin embargo, no caerá ningún cabello de la cabeza de ustedes. Si se mantienen firmes, conseguirán la vida".

Tráenos tu justicia y tu paz

ES POSIBLE que las lecturas de este domingo nos despierten temor ante los tiempos finales de la humanidad, que parecen tener poco o nada con buenas noticias. Jesús hablaba en varias etapas: el futuro próximo: la destrucción de Jerusalén y en un futuro lejano, que se refiere a los últimos tiempos de la humanidad. La pandemia del coronavirus tuvo un "efecto dominó", pues a la desgracia se le fueron sumando otras. Por eso, estas señales: enfrentamientos, terremotos, guerras, epidemias y hambre resultan amenazantes y nos hacen sentir inestabilidad. ¿Cuándo sucederá esto? ¿Quién podrá ponernos a salvo?

Cuando se ofrece el adiestramiento para afrontar los temblores, entre otras recomendaciones nos dicen: "No corras, no grites, no empujes". No sabemos cuándo se moverán las capas profundas de la tierra, lo que sí sabemos es lo importante que será guardar la calma, identificar alternativas y actuar. Jesús no da ni fecha ni lugar del fin del mundo, sólo ofrece algunos avisos: Hay que ser perseverantes, tener confianza y no perder la esperanza. Y la razón es que creemos en el cuidado de Dios con sus hijos: "Hasta los cabellos de nuestra cabeza están en seguridad". Este aviso es de los más importantes que nos da. Las modernas técnicas de planeación nos enseñan a estar preparados, para asegurar nuestra sobrevivencia, Jesús no se refiere a un "kit de emergencia", se refiere a una actitud de claridad y enfoque. "No se dejen engañar", anticipa.

Las grandes persecuciones han hecho pensar y sentir a cristianos de otras épocas que se acercaba el fin del mundo; otro tanto experimentó la humanidad con el Holocausto y otros genocidios y calamidades, ante los cuales el horror y la indefensión fueron escandalosos. Sin embargo, en algunos se transparentó una fe y serenidad que los rebasaba, porque tenían sus ojos puestos en Dios. Las víctimas de esos episodios estremecedores nos dan testimonio del poder que tiene confiar en Dios, que es como el suelo firme que no se hundirá bajo sus pies. Estemos seguros de que el Señor vendrá, y se cumplirá su promesa: el sol que será un horno quemante para los malvados resplandecerá en justicia y verdad para sus fieles. (P.A.) ■

VIVIENDO NUESTRA FE

A sabiendas de que el mundo no es eterno, la doctrina social de la Iglesia nos impulsa a edificar una sociedad donde impere la justicia y la paz entre las naciones y entre los grupos. El papa Francisco nos llama a ser artesanos de la paz: "Cada uno de nosotros está llamado a ser un artesano de la paz, uniendo y no dividiendo, extinguiendo el odio y no conservándolo, abriendo las sendas del diálogo y no levantando nuevos muros" (*Fratelli tutti*, 284).

PARA REFLEXIONAR

1. ¿Considera usted que hay personas que quieren engañar a otras?

2. ¿Cómo fortalece usted su unión con Cristo en tiempos de crisis?

3. ¿Qué puede hacer su grupo ministerial para colaborar en la paz del barrio y de la sociedad?

LECTURAS SEMANALES
14–19 de noviembre

L *Ap 1:1–4; 2:1–5; Lc 18:35–43*

M *Ap 3:1–6, 14–22; Lc 19:1–10*

M *Ap 4:1–11; Lc 19:11–28*

J *Ap 5:1–10; Lc 19:41–44*

V *Ap 10:8–11; Lc 19:45–48*

S *Ap 11:4–12; Lc 20:27–40*

Primera lectura

2 Samuel 5:1–3

En aquellos días, todas las tribus de Israel fueron a Hebrón a ver a David, de la tribu de Judá, y le dijeron: "Somos de tu misma sangre. Ya desde antes, aunque Saúl reinaba sobre nosotros, tú eras el que conducía a Israel, pues ya el Señor te había dicho: 'Tú serás el pastor de Israel, mi pueblo; tú serás su guía'".

Así pues, los ancianos de Israel fueron a Hebrón a ver a David, rey de Judá. David hizo con ellos un pacto en presencia del Señor y ellos lo ungieron como rey de todas las tribus de Israel.

Salmo responsorial

Salmo 122:1–2, 4–5

R. Vayamos con alegría al encuentro del Señor.

¡Qué alegría cuando me dijeron: "Vamos a la casa del Señor"! Ya están pisando nuestros pies tus umbrales, Jerusalén. **R.**

Allá suben las tribus, las tribus del Señor. Según la costumbre de Israel, a celebrar el nombre del Señor. En ella están los tribunales de justicia, en el palacio de David. **R.**

Segunda lectura

Colosenses 1:12–20

Hermanos: Demos gracias a Dios Padre, / el cual nos ha hecho capaces de participar / en la herencia de su pueblo santo, / en el reino de la luz.

Él nos ha liberado del poder de las tinieblas / y nos ha trasladado al Reino de su Hijo amado, / por cuya sangre recibimos la redención, / esto es, el perdón de los pecados.

Cristo es la imagen de Dios invisible, / el primogénito de toda la creación, / porque en él tienen su fundamento todas las cosas creadas, / del cielo y de la tierra, las visibles y las invisibles, / sin excluir a los tronos y dominaciones, / a los principados y potestades. Todo fue creado por medio de él y para él.

Él existe antes que todas las cosas, / y todas tienen su consistencia en él. / Él es también la cabeza del cuerpo, que es la Iglesia. Él es el principio, el primogénito de entre los muertos, / para que sea el primero en todo.

Porque Dios quiso que en Cristo habitara toda plenitud / y por él quiso reconciliar consigo todas las cosas, / del cielo y de la tierra, / y darles la paz por medio de su sangre, / derramada en la cruz.

Evangelio

Lucas 23:35–43

Cuando Jesús estaba ya crucificado, las autoridades le hacían muecas, diciendo: "A otros ha salvado; que se salve a sí mismo, si él es el Mesías de Dios, el elegido".

También los soldados se burlaban de Jesús, y acercándose a él, le ofrecían vinagre y le decían: "Si tú eres el rey de los judíos, sálvate a ti mismo". Había, en efecto, sobre la cruz, un letrero en griego, latín yhebreo, que decía: "Este es el rey de los judíos".

Uno de los malhechores crucificados insultaba a Jesús, diciéndole: "Si tú eres el Mesías, sálvate a ti mismo y a nosotros". Pero el otro le reclamaba, indignado: "¿Ni siquiera temes tú a Dios estando en el mismo suplicio? Nosotros justamente recibimos el pago de lo que hicimos. Pero éste ningún mal ha hecho". Y le decía a Jesús: "Señor, cuando llegues a tu Reino, acuérdate de mí". Jesús le respondió: "Yo te aseguro que hoy estarás conmigo en el paraíso".

Señor, tú eres el rey del universo

PODEMOS VER en mapas los mayores reinos en la historia: el griego de Alejandro Magno, el de Carlomagno, el Imperio romano, el Imperio español o el Imperio británico. ¡Cuánto se extendían! Añadían reino tras reino al suyo. Las grandes ciudades conservan monumentos levantados para celebrar sus conquistas: arcos, obeliscos, columnas, estelas, esculturas dan testimonio de la capacidad militar que les conseguían las victorias. También Israel guardaba con orgullo su memoria de una época dorada: el reinado de David. Él logró la unidad, la prosperidad y le dio cierto bienestar al pueblo. El Señor quedó complacido en el reinado de David y diferentes pasajes la Escritura lo describen como prototipo del Rey-Pastor.

Sabemos que Israel mantuvo su fe en el Mesías y se construyó un perfil de esperanzas mayoritariamente humanas. A estas expectativas, Dios respondió con su Hijo, pero en su Sabiduría, no en la nuestra. Nuestras lecturas de hoy ofrecen un contraste tremendo entre la expectativa del pueblo y la entrega de Dios en ese Jesús, moribundo en cruz.

Él es un pastor herido, a su alrededor, las burlas y el rechazo. Imposible reconocerlo como Hijo de David. Todos lo desprecian y lo desafían a que manifieste el único poder que añoraban identificar: el de la fuerza militar. ¿Quién podría recorrer la cortina de decepciones, para identificar en ese condenado a muerte, la presencia de misericordia y paz propia de Dios?

Entendemos poco las palabras de Jesús: "Mi reino no es de este mundo". Los reinos terrenales nos tienen comprada la imaginación y el entendimiento. El Reino de Jesús no se basa en conquistas militares, violentas; no se gana el respeto por miedo. Al contrario, el suyo, es un Reino de compasión. Jesús padece con los humillados, con los sufrientes de la tierra. Es un Reino que redime el mal, que unifica a la humanidad para hacerla familia de Dios, Hoy estarás conmigo. Es el Cristo, levantado de la muerte y glorificado por el Padre, el que nos reúne a todos. Él es la Cabeza de la Iglesia, donde se cultiva ese Reino que no tendrá fin. Es un Reino, como san Pablo nos asegura, que inicia desde que Dios nos ha sacado de las tinieblas y nos ha trasladado al Reino de su Hijo amado, con el bautismo (ver Colosenses 1:13). (P.A.) ∎

VIVIENDO NUESTRA FE

La Iglesia afirma que Jesús combatió y derrotó la tentación del mesianismo político caracterizado por el dominio sobre las naciones, rechazó el poder despectivo y despótico de los jefes y la pretensión de hacerse llamar benefactores. El orden creado por Dios se ha de percibir por las conciencias y realizarse en la dimensión social por medio de la verdad, la justicia, la libertad y la solidaridad (ver CDSI, 383).

PARA REFLEXIONAR

1. ¿Dónde se puede percibir el reinado de Cristo?

2. ¿Hay algún aspecto de su vida donde el reinado de Cristo sea más necesario?

3. ¿Cómo colabora su grupo de apostolado con los líderes y gobernantes para que la justicia y la paz se extienda a los más vulnerables?

LECTURAS SEMANALES
21–26 de noviembre

L Ap 14:1–3, 4b–5; Lc 21:1–4

M Ap 14:14–19; Lc 21:5–11

M Ap 15:1–4; Lc 21:12–19

J Ap 18:1–2, 21–23; 19:1–3, 9a; Lc 21:20–28

V Ap 20:1–4, 11—21:2; Lc 21:29–33

S Ap 22:1–7; Lc 21:34–36